SEELE

IHRE WIRKLICHKEIT, IHR VERHÄLTNIS ZUM LEIB
UND ZUR MENSCHLICHEN PERSON

STUDIEN ZUR PROBLEMGESCHICHTE DER ANTIKEN UND MITTELALTERLICHEN PHILOSOPHIE

BEGRÜNDET VON

JOHANNES HIRSCHBERGER

FORTGEFÜHRT VON

GANGOLF SCHRIMPF

X

SEELE

IHRE WIRKLICHKEIT, IHR VERHÄLTNIS ZUM LEIB
UND ZUR MENSCHLICHEN PERSON

LEIDEN/KÖLN – E. J. BRILL – 1984

SEELE

IHRE WIRKLICHKEIT, IHR VERHÄLTNIS ZUM LEIB UND ZUR MENSCHLICHEN PERSON

HERAUSGEGEBEN VON

KLAUS KREMER

LEIDEN/KÖLN – E. J. BRILL – 1984

ISBN   90 04 06965 8

PRINTED IN THE NETHERLANDS BY E. J. BRILL

INHALT

VORWORT

Der vorliegende Band setzt die Veröffentlichung der wissenschaftlichen Symposien fort, die seit 1978 in einem zweijährigen Turnus von der „Arbeitsgemeinschaft der Fachvertreter für Philosophie innerhalb des Studiums Katholische Theologie" durchgeführt werden.

Für die in diesem Buch behandelte Problematik der Seele gelten dieselben Leitideen, die auch für die Wahl des auf dem Symposion 1978 zu Königstein erörterten Themas „Metaphysik und Theologie", das 1980 ebenfalls von Brill in Leiden gedruckt wurde, maßgebend waren. Aufgegriffen werden sollen zentrale und u.E. zeitlos gültige philosophische Fragestellungen und deren Lösungsversuche, wie sie in Antike und Mittelalter entwickelt worden sind, um sie für ein Gespräch mit ähnlichen in Neuzeit und Gegenwart auftauchenden Problemkreisen einzubringen. In einem solchen Gespräch könnten Tradition und Gegenwart voneinander lernen, jeweils Abstand zu sich selbst gewinnen und darum dazu beitragen, den philosophischen Gedanken in seinem Ansich zu erhellen. Noch immer gilt das Wort des Aquinaten: Studium philosophiae non est ad hoc quod sciatur quid homines senserint, sed qualiter se habeat veritas rerum (In de caelo et mundo, nr. 228 Spiazzi). Diesem Motto will auch das dritte in Vorbereitung sich befindende Werk dienen: „Um Möglichkeit oder Unmöglichkeit natürlicher Gotteserkenntnis heute".

Die Deutsche Bischofskonferenz und der Trierer Bischof haben durch namhafte Druckkostenzuschüsse die Veröffentlichung dieses Bandes ermöglicht. Herrn Kardinal Höffner als dem Vorsitzenden der Deutschen Bischofskonferenz und meinem Trierer Bischof, Herrn Dr. Hermann Josef Spital, fühle ich mich daher zu aufrichtigem Dank verpflichtet. Danken möchte ich aber auch sehr herzlich meinem früheren Lehrer und bisherigen Herausgeber der „Studien zur Problemgeschichte der antiken und mittelalterlichen Philosophie", Herrn Professor Dr. J. Hirschberger. Gemeinsam mit dem neuen Herausgeber der „Studien", Herrn Professor Dr. G. Schrimpf, hat er begrüßenswerterweise entschieden, den Sammelband in die Reihe der „Studien" aufzunehmen. Herrn Schrimpf sei nicht zuletzt für seine prompte Bereitschaft zu dieser Entscheidung gedankt.

Trier, den 8. Juni 1983

Klaus KREMER

KLAUS KREMER
Trier

ZUR EINFÜHRUNG: DIE PROBLEMLAGE UND DIE AUFGABE

I

Die beiden Fragen nach Gott und der Seele wurden lange Zeit hindurch als innerlich zusammengehörend und gleichzeitig als die wichtigsten in der Philosophie angesehen. Sie seien außerdem eher mit Hilfe der Philosophie als der Theologie zu beantworten. So stellt Descartes zu Beginn seines den „Meditationes de prima philosophia'' beigefügten und für die Sorbonne bestimmten Widmungsschreibens fest: „Ich bin immer der Ansicht gewesen, daß die beiden Fragen nach Gott und der Seele die wichtigsten von denen sind, die eher mit Hilfe der Philosophie als der Theologie zu erörtern sind. Denn mag es auch für uns Gläubige genügen, durch den Glauben die Gewißheit zu haben, daß die menschliche Seele nicht mit dem Körper zugrunde geht und daß Gott existiert, so kann man doch offenbar die Ungläubigen nicht von der Notwendigkeit einer Religion, noch auch überhaupt irgendeiner moralischen Tugend überzeugen, es sei denn, daß man sie ihnen bei beiden durch natürliche Begründung bewiese'' [1]. Wie Descartes denkt Augustinus, dem Descartes manche Anregungen in seinem Denken über Gott und Seele verdankt. In seiner Schrift „De ordine'' erklärt Augustinus: „Die Philosophie hat eine doppelte Frage zum Gegenstand, die eine handelt über die Seele, die andere über Gott. Die erste bewirkt, daß wir uns selbst, die andere, daß wir unseren Ursprung kennen lernen'' [2].

Die Zusammengehörigkeit von Selbst- und Gotteserkenntnis, wobei er das Selbst des Menschen, wie das Zitat zeigt, vornehmlich in dessen Seele erblickt, hat Augustinus nun im Neuplatonismus, speziell in Plotins Philosophie, kennengelernt. Dessen Schrift V 1 („Über die drei ursprünglichen Wesenheiten''), die Augustinus spätestens um 400, wenn nicht schon vor seiner Bekehrung, kannte [3], beginnt mit der präzis gestellten Frage: „Was hat denn eigentlich die Seelen ihres Vaters Gott vergessen lassen und bewirkt, daß sie, obgleich Teile aus jener Welt und gänzlich Jenem angehörig, *ihr eigenes Wesen* sowenig wie

---

[1] R. Descartes, Meditationen über die Grundlagen der Philosophie, mit den sämtlichen Einwänden und Erwiderungen, vollständig übers. u. hrsg. v. A. Buchenau (Hamburg ⁶1965) XI.

[2] De ordine II 18, 47: Cuius (= philosophiae) duplex quaestio est, una de anima, altera de deo. Prima efficit, ut nosmet ipsos noverimus, altera, ut originem nostram; vgl. auch Soliloq. I 2, 7; II 1, 1.

[3] Vgl. H. R. Schwyzer, Artikel „Plotinos'' in Realencyclopädie der classischen Altertumswissenschaft, Bd. XXI/1 (1951) 586, 16-23.

Jenen mehr kennen''[4]? In den folgenden 20 Zeilen der plotinischen Schrift erscheint dieser Gedanke noch dreimal[5].

Descartes sieht in den Fragen nach Gott und Seele nicht nur grundlegende Gegenstände der Philosophie, sondern Seele ist für ihn Substanz[6], d.h. eine Wirklichkeit selbständiger Art und ganz sui generis, nämlich immaterieller bzw. geistiger Natur[7], vom Körper also unterschieden, wenn sie auch mit ihm „eine Art von Einheit bildet''[8], zugleich unsterblich[9] und daher nicht mit dem Körper zugrunde gehend[10], sondern ihn überdauernd. Diese den Körper überdauernde Seele ist selbstverständlich, wie alles Geistige, keines Ortes bedürftig[11], und sie ist nach Descartes leichter erkennbar als der Körper[12], worin ihm auch Leibniz folgen wird[13]. In den genannten Merkmalen entdeckt auch Augustinus die Konstituenten der menschlichen Seele[14], ebenso Plotin[15]. Auch darin sind sich alle drei Denker einig, daß der Leib zum Menschsein hinzugehört[16]. Das Problem taucht für sie bei der Frage auf, *wie* diese Zugehörigkeit des Leibes zum Menschen näherhin zu denken, *wie* die Einheit von Leib und Seele im Menschen zu verstehen sei. Die platonische Lösung lief darauf hinaus, im Leib nur eine Art Fahrzeug für die Seele zu sehen; der aristotelische Vorschlag, zumindest in der Schrift „De anima'', sprach von einer unio substantialis, was sicherlich einer Interpretation bedarf; die cartesische unio compositionis siedelte sich etwa in der Mitte dieser beiden Lösungen an. Wie

---

[4] V 1, 1, 1-3: Τί ποτε ἄρα ἐστὶ τὸ πεποιηκὸς τὰς ψυχὰς πατρὸς θεοῦ ἐπιλαθέσθαι καὶ μοίρας ἐκεῖθεν οὔσας καὶ ὅλως ἐκείνου ἀγνοῆσαι καὶ ἑαυτὰς καὶ ἐκεῖνον; — Hervorhebung von mir!

[5] Über den Zusammenhang von Selbst- und Gotteserkenntnis bei Plotin vgl. jetzt meinen Aufsatz: „Selbsterkenntnis als Gotteserkenntnis nach Plotin (204-270)'', in: International Studies in Philosophy XIII/2 (1981) 41-68.

[6] a.a.O. (Anm. 1) 8 u. 9.

[7] a.a.O. XIII, XV, 7, 8, 10.

[8] a.a.O. 10.

[9] a.a.O. 7, 8, 9.

[10] a.a.O. XI, XII, 8.

[11] Discours de la méthode IV 2. Französisch-deutsch. Übers. u. hrsg. v. L. Gäbe (Hamburg, Nachdruck 1969).

[12] a.a.O. (Anm. 1) 17.

[13] Theodizee, übers. v. A. Buchenau (Hamburg ²1968) I. Teil, nr. 59.

[14] Für die *Substantialität* vgl. De quant. animae XIII 22; De trin. XV 22, 42; Conf. X 8, 12 ff.; für ihre *Immaterialität* bzw. Geistigkeit De trin. X 10, 13; für ihre *Unsterblichkeit* Soliloq. II 2 ff. u. De immortalite animae.

[15] Vgl. etwa die Schriften IV 7; IV 2; IV 8; V 1; IV 1; IV 3; IV 4; IV 5; I 1. Schon die ganz frühe Schrift IV 7 arbeitet die Substantialität (IV 7, 85, 43-48; IV 7, 11, 10 f.) und daneben selbstverständlich die Immaterialität und Unsterblichkeit der Seele heraus.

[16] Für Descartes vgl. z. B. a.a.O. (Anm. 1) 10: „Es wird ferner bewiesen, daß der Geist in reeller Weise vom Körper unterschieden ist und gezeigt, daß er nichtsdestoweniger so eng mit ihm verbunden ist, daß er mit ihm eine Art von Einheit bildet''; für Augustinus: De quant. animae XIII 22: Si autem definiri tibi animum vis, et ideo quaeris quid sit animus, facile respondeo. Nam mihi videtur esse substantia quaedam rationis particeps, regendo corpori accommodata; De mor. eccl. XXVII 52: Homo igitur, ut homini apparet, anima rationalis est mortali atque terreno utens corpore; für Plotin IV 7, 5-7. 20 f.; IV 7, 10, 8-11. 21 f.; IV 7, 13, 1-18; VI 9, 10, 1-3; I 1, 3, 1-5; I 1, 10, 3-6; I 1, 7, 6-14 u. passim.

J. Hirschberger in einem Aufsatz gezeigt hat, hatte sich in der Spätantike eine
ganze Palette von weiteren diesbezüglichen Lösungsversuchen herausgebildet:
Seele als sich selbstbewegende Zahl, als Harmonie, als Idee, als harmonische
Funktion der fünf Sinne, als feiner, über den ganzen Körper hin ausgebreiteter Geist, als Licht usw.[17]. Plotins Konzeption wird man am ehesten gerecht,
wenn man, dem ductus seiner Metaphysik vom Einen zum Vielen, vom Urbild
zum Abbild folgend, in der Seele den Grund und die Ursache, im Leib dagegen das Gegründete und die Folge erblickt. Von daher versteht sich seine so
oft geäußerte Lehre, die Seele sei eigentlich nicht im Leib, sondern der Leib in
der Seele, was auch für die Weltseele hinsichtlich ihrer Einheit mit der Welt
gilt[18].

Zu allem Unglück war dieser sich in sich selber schon als schwierig genug er-
weisende Problemkomplex noch in das andere Problem nach dem richtigen
Verständnis von Substanz verstrickt. Erblickte man das Substanzmodell primär in der körperhaften Substanz, wofür man sich unter Umständen auf Aristoteles selbst[19], vor allem aber auf eine ideengeschichtlich wirksam gewordene stoisierende Aristotelesauslegung berufen konnte, ergaben sich schier un-
lösbare Fragen für das Verhältnis von Leib und Seele im Menschen[20]. Faßte
man Substanz im Sinne der von Descartes zunächst aufgestellten Substanzdefinition: res, quae ita existit, ut nulla alia re indigeat ad existendum[21], dann
wurde eine geschaffene Substanz gänzlich eliminiert, demzufolge auch eine
geschaffene substantielle Seele. Wenn Descartes diesen rigorosen Substanzbegriff in dem Sinne abmilderte, daß er die Frage nach dem Daseinsgrund aus
der Substanzdefinition herausnahm, so blieb es für ihn doch dabei, daß die geschaffenen Substanzen, obzwar von Gott abhängig, ganz selbständig je für
sich gedacht werden und existieren können. Beziehungslos und in strenger Ex-
klusivität stehen daher die res cogitans und die res extensa nebeneinander.
Läßt aber ein derart schroffer Dualismus von ausgedehnter Substanz des Leibes und unausgedehnter Substanz der Seele überhaupt noch ein *einheitliches*
Wesen Mensch entstehen[22]? Bekanntlich hat Descartes' Schülerin Lieselotte

---

[17] J. Hirschberger, Seele und Leib in der Spätantike. Sitzungsberichte der wissenschaftlichen
Gesellschaft an der J. W. Goethe-Universität Ffm. 8 (1969) Nr. 1, S. 6 f. u. 8 f.

[18] Ich darf an dieser Stelle auf meine Arbeit verweisen, die den Gedanken belegt: Wie eigentlich
nicht Gott in der Welt, sondern die Welt in Gott ist, so ist auch nicht eigentlich die Seele im Leib,
sondern der Leib in der Seele: ,,Gott und Welt in der klassischen Metaphysik. Vom Sein der Dinge in Gott'' (Stuttgart 1969).

[19] De anima II 1; 412a 11 f.

[20] Vgl. J. Hirschberger, a.a.O. (Anm. 17).

[21] Die Prinzipien der Philosophie, I 51, übertr. u. erl. v. A. Buchenau (Hamburg ⁷1965).

[22] Treffend schreibt J. Möller, Menschsein: ein Prozeß (Düsseldorf 1979) 69: ,,Und nur durch
den Gott werden res extensa und res cogitans zusammengehalten. Sie sind ja so verschieden, daß
sie ohne den Gott nicht zusammenkämen, geschweige denn in dem einen Menschen. Denn logisch
ist dieser Mensch gar kein Mensch, sondern eine Dualität aus zwei Substanzen, einer ausgedehnten und einer bewußten, die nichts miteinander zu tun haben können und doch etwas miteinander
zu tun haben''.

von der Pfalz ihn auf den Widerspruch zwischen seiner Substanzdefinition und der von ihm als Tatsache hingenommenen Wechselwirkung von Leib und Seele aufmerksam gemacht. Sein Substanzbegriff schloß per definitionem eine Kommunikation zwischen Leib und Seele bzw. Seele und Leib aus. Leibnizens ,,System der prästabilierten Harmonie'' wäre ohne Voraussetzung dieses cartesischen Dualismus wohl niemals entstanden. Denn es basiert auf der Grundannahme, daß ein wechselseitiger physischer Einfluß zwischen Körper und Seele nicht stattfinden kann[23]. Es ist wichtig, sich zu vergegenwärtigen, wie stark noch unsere heutige Fragestellung nach Leib und Seele sowie nach deren Einheit im Menschen von diesem durch Descartes geschaffenen schroffen Dualismus bestimmt ist. Das erschwert uns den Zugang zu einer wirklichkeitsgerechteren Behandlung der Problematik.

Die vorgegebene Problematik läßt sich auch in dieser Weise formulieren: Was macht eigentlich und zutiefst das *Selbst* des Menschen aus? Leib und Seele in ihrer Gemeinsamkeit? Wenn ja, beide Größen dann in Gleichwertigkeit? Gleichwertig auch hinsichtlich ihres substantiellen Charakters? Oder in Ungleichwertigkeit des Leiblichen gegenüber dem Seelischen? Wäre es dann die Seele, die wesentlich den Menschen ausmacht, was Plotin[24] und Augustinus[25] deutlich aussprechen und was vielleicht auch der tiefste Impuls des Descartes sein dürfte[26]? Welche Bedeutung in der Auffassung vom Menschen und vor allem welcher ontologische Status käme dann dem Leib noch zu, falls man ihm überhaupt noch Bedeutung und ontologischen Rang einräumte? Leib als Abbild, Nachahmung und Darstellung der Seele, was in die Richtung des plotinischen Denkens weist[27]? Oder Leib als ,,phénomène ou apparence bien fondée'', wie es Leibniz[28] vorschwebt?

---

[23] a.a.O. (Anm. 13) z. B. I. Teil nnr. 59-64 u. Einleitende Abhandlung über die Übereinstimmung des Glaubens mit der Vernunft, nr. 55: ,,Obzwar ich es nicht für richtig halte, daß die Seele die körperliche oder der Körper die seelische Gesetzmäßigkeit verändert, und ich zur Beseitigung dieser Verwirrung die prästabilierte Harmonie eingeführt habe, kann ich doch nicht umhin, eine wahre Verbindung zwischen der Seele und dem Körper anzunehmen, eine Verbindung, die aus beiden *ein* Ganzes macht''.

[24] Vgl. etwa IV 7, 1, 22-25; I 4, 9, 28-30; V 3, 3, 34-36; I 1, 7, 16-18; I 1, 10, 1 f. 5-10; vgl. auch die kurze Einleitung von R. Beutler u. W. Theiler zur Schrift I 1 in: Plotins Schriften, übers. u. hrsg. v. R. Harder, fortgeführt von Beutler-Theiler, V b (Hamburg 1960) 436-438.

[25] Vgl. die Augustinuszitate in Anm. 16 u. Anm. 2.

[26] Vgl. etwa die Bemerkung Descartes' im Discours IV 2: ,,Je connus de là que j'étais une substance dont toute l'essence ou la nature n'est que de penser, et qui pour être n'a besoin d'aucun lieu ni ne dépend d'aucune chose matérielle, *en sorte que ce moi, c'est-à-dire, l'âme par laquelle je suis ce que je suis*, est entièrement distincte du corps, et même qu'elle est plus aisée à connaître que lui, et qu'encore qu'il ne fût point, elle ne laisserait pas d'être tout ce qu'elle est''. Vgl. auch Meditationen, II 9-14.

[27] Vgl. V 1, 7, 47 f. u. V 1, 2, 1-9; III 9, 3, 10-12: ,,Und das tut sie (= die Seele), wenn sie sich zu sich selbst wendet; denn wenn sie für sich sein will, so bringt sie das, was nach ihr ist, hervor, ein Schattenbild ihrer selbst, das Nichtseiende'' (Τοῦτο δὲ ποιεῖ, ὅταν πρὸς αὐτήν. πρὸς αὐτὴν γὰρ βουλομένη τὸ μετ'αὐτὴν ποιεῖ εἴδωλον αὐτῆς, τὸ μὴ ὄν).

[28] Brief an Arnauld vom 9. Oktober 1687, in: Die philosophischen Schriften von G. W. Leibniz, hrsg. von C. J. Gerhardt, 7 Bde. (Berlin 1875-1890) Bd. II, 118-121. Jede körperliche Sub-

In beiden Fällen hätten wir jedenfalls das Zwei-Substanzen-Modell des Descartes, zu dem es keine Rückkehr mehr geben kann, verlassen, ohne den Leib gänzlich der Seele und ohne umgekehrt die Seele gänzlich dem Leib zu entfremden. Wäre damit das Leib-Seele-Problem des Menschen gelöst? Kann man es überhaupt lösen?

II

Ein Blick auf die zeitgenössische *philosophische* Diskussion lehrt uns, daß der innere Zusammenhang der beiden Fragen nach Seele und Gott nicht mehr ins Bewußtsein aufgenommen wird. Zwar ist unsere Zeit mit der Gottesfrage alles andere denn fertig, wenn sie auch mit den Gottesbeweisen fertig zu sein scheint. Aber im Kontext der Frage nach der Seele wird die Gottesfrage nicht behandelt, wie auch umgekehrt im Kontext der Gottesfrage die Frage nach der Seele so gut wie keine Rolle mehr spielt. Das mag nun weniger an der Gottesfrage als vielmehr an der Frage nach der Seele liegen. Denn letztere wird kaum noch aufgeworfen, geschweige denn angepackt, obwohl zugestanden wird, daß das Leib-Seele-Problem weder den exakten Wissenschaften allein überantwortet werden könne (dafür plädiert allerdings W. K. Essler, München) noch ein Scheinproblem darstelle (welche Ansicht Gilbert Ryle in seinem Werk ,,The Concept of Mind'' vertritt). So Joachim Hölling, Friedrich Kambartel, Peter Krausser, Hans Lenk, Reinhart Klemens Maurer u. Jürgen Mittelstraß in dem von Willy Hochkeppel 1967 herausgegebenen Band: ,,Die Antworten der Philosophie heute'' in ihren Darlegungen zum Themenkreis ,,Leib und Seele'' (67-76). Statt der ,,obskuren Substanz Seele'' dominieren in der philosophischen Diskussion heute Begriffe wie die vom Selbst und Ich, von der Persönlichkeit und Identität, von der Selbstverwirklichung und Selbstentfremdung, von der Identitätsfindung und vom Ichverlust. Sie sind fast Modeworte geworden, was in keiner Weise besagen will, sie enthielten keinen genuinen Problemkern. Das von der Moderne bevorzugte und diskutierte *Selbst* läßt jedoch im Unterschied zu Plotin und Augustinus den Zusammenhang mit Gott so gut wie nicht mehr sichtbar werden. Aufklärung auf der einen und Marxismus auf der anderen Seite haben sich hier neben der ungeheuren Wirkung neuzeitlich—moderner Naturwissenschaft auf breiter Front durchgesetzt.

Dieses Selbst meint aber auch nicht mehr eine selbständige, geistige und unsterbliche Wesenheit, die das empirische Bewußtsein und Dasein überdauerte. Als charakteristischen Beleg dafür mag man wiederum die Antworten der

---

stanz — daher auch und gerade der Mensch — hat nach Leibniz eine Seele oder wenigstens eine Entelechie, die jedoch Ähnlichkeit mit der Seele hat. Körper oder auch Leib für sich allein genommen kann nach Leibniz in essentiellem Unterschied zu Descartes niemals Substanz sein. Körper für sich genommen, ohne Seele und ohne Entelechie, ist nur ,,phénomène comme les couleurs et les sons... un phénomène tout pur comme l'arc en ciel'' (a.a.O. 119-121).

eben genannten Autoren zur Frage der „Unsterblichkeit" (a.a.O. 130-137) nehmen. Oder K. R. Poppers Zusammenfassung über „Das Leib-Seele-Problem und die Welt 3" in seiner Schrift: „Ausgangspunkte. Meine intellektuelle Entwicklung" von 1979 (273-281). Popper will zwar „mehr oder weniger ein Dualist im Sinne des Descartes" sein, lehnt aber „das Gerede (!) von ‚Substanzen'" ab. Dies entstehe aus dem Problem der Veränderung und aus dem Versuch, „Was-ist? — Fragen" zu beantworten. Statt: Was ist Geist? frage man besser: Was tut der Geist? (273 u. Anm. 298). Das Leib-Seele-Problem enthält nach ihm die beiden Teilprobleme „der überaus engen Beziehung zwischen physiologischen Zuständen und gewissen Bewußtseinszuständen" sowie „das ganz andere Problem des Auftauchens des Ichs und dessen Beziehung zu seinem Körper" (278), wozu noch das Problem des aktuellen Bewußtseins oder auch Nichtbewußtseins der eigenen geistigen Aktivität kommt (279). Popper vertritt den gewissen Dualismus aber ausdrücklich nur als Hypothese und läßt die Möglichkeit offen, daß Hirnvorgänge und Bewußtsein identisch sein könnten[29].

Der Unterschied des *antiken* Sprechens vom Selbst des Menschen zum *modernen* kann an folgendem Plotintext deutlich werden: „Nun steht aber das Eigentliche, das *Selbst* (αὐτός) des Menschen, wenn anders es dies wirklich ist, im Verhältnis von Form zu Stoff zum Leib oder im Verhältnis von Benutzer zu Werkzeug: auf beide Weisen aber ist dies *Selbst* die Seele" (ἑκατέρως δὲ ἡ ψυχὴ αὐτός)[30]. — Hervorhebungen von mir!

In einer sehr instruktiven Aufsatzserie mit dem mutigen Titel: „Der Kampf um die Seele"[31] hat Peter Schraud einmal zu recherchieren versucht, was sich heute auf dem Gebiet der Erfahrungswissenschaften in bezug auf Seele und

---

[29] K. R. Popper, The Self and its Brain. An Argument for Interactionism. Koautor J. C. Eccles (Berlin 1977) 86.

[30] IV 7, 1, 22-25.

[31] In: Westermanns Monatshefte 2-6 (1979). — Es sei mir in dieser Einleitung, die die gegenwärtige Lage ja *nur andeuten* kann, gestattet, auf diese sorgfältig gearbeitete Aufsatzserie zurückzugreifen, wenn sie auch in einer populärwissenschaftlichen Zeitschrift veröffentlicht und ohne kritischen Apparat geschrieben ist. Für eine tiefer ansetzende und wissenschaftlich bis ins Detail fundierte Darstellung der gegenwärtigen Situation sei etwa auf folgende Arbeiten jüngeren Datums verwiesen: G. Anschütz, Psychologie. Grundlagen, Ergebnisse und Probleme der Forschung (Hamburg 1953); J. de Vries, Materie und Geist. Eine philosophische Untersuchung (Salzburg 1970); Q. Huonder, Das Unsterblichkeitsproblem in der abendländischen Philosophie (Stuttgart 1970); A. Koestler — J. R. Symthies (Hrsg.), Das neue Menschenbild. Engl. Originaltitel: Beyond Reductionism. New Perspectives in the Life Sciences (Wien 1970); J. Seifert, Leib und Seele. Ein Beitrag zur philosophischen Anthropologie (Salzburg 1973); E. Coreth, Was ist der Mensch? Grundzüge einer philosophischen Anthropologie (Innsbruck ²1976); J. Möller, Menschsein: ein Prozeß. Entwurf einer Anthropologie (Düsseldorf 1979); J. Seifert, Das Leib-Seele-Problem in der gegenwärtigen philosophischen Diskussion. Eine kritische Analyse (Darmstadt 1979). Reiche Literaturangaben in den beiden Arbeiten von Seifert. — P. Schraud ist 1943 in München geboren, studierte Theaterwissenschaft und Germanistik, war mehrere Jahre Wissenschaftsredakteur bei den „Westermanns Monatsheften" und hat sich Jahre hindurch mit dem Problem der Seele und dessen Behandlung bzw. Ausklammerung in der modernen Psychologie beschäftigt.

Seelisches findet bzw. nicht findet. Einige seiner Untersuchungsergebnisse seien kurz angedeutet: Die Verhaltensforschung im Sinne der Ethologie, auch biologische Verhaltensforschung genannt und repräsentiert durch Männer wie K. Lorenz, I. Eibl-Eibesfeldt und B. Hassenstein, arbeitet vorwiegend mit den Begriffen Prägung, Instinkthierarchie und triebverzehrende Energie[32]. Die Verhaltensforschung im Sinne des von J. B. Watson und B. F. Skinner entwickelten Behaviorismus erklärt ohne Umschweife, daß der Mensch das sei, was er in seinen Labors beobachten kann. Das, was wir messen, ist der Mensch[33]. Beiden Formen von Verhaltensforschung ist gemeinsam die Reduktion des Menschen auf sein Verhalten. Subjektive Empfindungen und Beweggründe des Handelns, das spezifisch Seelische also, interessieren nicht mehr.

Betrachtet die Informationspsychologie, die an Namen wie H. L. Newbold und J. Weizenbaum geknüpft ist, den Menschen unter psychologischem Aspekt als einen Computer[34], so sieht die Persönlichkeitspsychologie den Menschen als das Produkt eines Fragebogens an[35]. Auch die Psychosomatik hat bisher allzuwenig zur Erkenntnis des Seelischen beigetragen, wenn sie sich auch manche Verdienste auf dem Gebiet der Psychohygiene erworben hat[36]. Die mit Stimmungsdrogen arbeitende Psychiatrie, die sehr selbstbewußt behauptet, die Psychopharmaka hätten das Dasein der psychisch Kranken vermenschlicht, ist immer noch der Gefahr ausgesetzt, *die kranken Seelen* als neurochemische Bündel zu behandeln[37].

Die überwiegende Zahl der Gehirnforscher nimmt nicht einmal eine hypothetische Trennung von Seele und Gehirn an, sondern existent ist für sie nur das Gehirn[38]. Als einen entschiedenen Vertreter der heute verbreiteten ,,Hirn-Seele-Identitätstheorie'' (brain-mind-identity-theory) versteht sich auch der dem ehemaligen ,,Wiener Kreis'' angehörende, jetzt in den USA lebende Herbert Feigl[39], wenn es auch eine verfeinerte Form der Identitätstheorie ist, die er vorträgt. Nun wird niemand leugnen wollen, daß die Persönlichkeit oder auch die Seele eng mit dem Gehirn verbunden und vom Funktionieren dieses Organs abhängig ist. Erst die Wissenschaft dieses Jahrhunderts stieß mehr oder weniger zufällig auf die Entdeckung, daß mit dem Operieren und Reizen von Gehirnteilen ganz eindeutig seelische Veränderungen einhergehen. Damit eröffnete sich ein weites Operationsfeld für wissensdurstige Forscher. Nun schien, wie Erwin Lausch es treffend formuliert hat, der ,,Griff nach der Seele'' und sogar die ,,Chirurgie der Seele'' (Egmont R. Koch) möglich[40].

[32] a.a.O. 3 (1979) 87 f.
[33] a.a.O. 3 (1979) 87 u. 2 (1979) 82.
[34] a.a.O. 3 (1979) 91.
[35] a.a.O. 2 (1979) 82 u. 3 (1979) 89 u. 91.
[36] a.a.O. 5 (1979) 88 f.
[37] a.a.O. 2 (1979) 82 u. 4 (1979) 94.
[38] a.a.O. 4 (1979) 87.
[39] Vgl. etwa sein Werk: The ,,Mental'' and the ,,Physical'' (Minneapolis 1958, ²1967).
[40] P. Schraud, a.a.O. 4 (1979) 87. Vgl. E. Lausch, Manipulation. Der Griff nach dem Gehirn (Stuttgart 1972).

José M. Delgado (*1915) von der Yale-Universität, ein führender Gehirnforscher, bringt uns die Gefühlsstimmung nahe, wenn er erklärt: ,,Diese expe-
rimentelle Forschung am Gehirn ist in der Lage, die klassische Frage der Philosophie ,Was ist der Mensch?' zu modifizieren, denn diese Frage ist letztlich
das Überbleibsel der aristotelischen Vorstellung von der Seele. Statt 'Was ist
der Mensch?' sollten wir darum fragen: ,Was für eine Art Mensch sind wir gerade dabei zu konstruieren?' Wir wissen heute, wie der Mensch in seinem
funktionierenden Gehirn beschaffen ist, ja wir haben die Macht, die Elemente, aus denen der Mensch sich aufbaut, zu manipulieren''[41]!
Diese Elite überlegt ernsthaft, so meint P. Schraud, ob nicht die kommende
Generation auf ihre Aufgaben vorbereitet werden muß, indem man mit Elek-
troden und Drogen ,,ins Gehirn hineingeht''.
Versucht man ein Fazit zu ziehen, so könnte man sagen: Moderne Psychologie und die mit ihr verwandten oder von ihr abhängigen bzw. auch nur
beeinflußten theoretischen und praktischen Wissenschaften untersuchen und
kurieren in der Mehrheit ihrer Vertreter zwar noch sogenannte psychische
Symptome, ohne jedoch gleichzeitig auf den Gedanken zu kommen, hinter
diesen Symptomen könnte sich eine *Kausalität ganz eigener Art* verbergen.
Moderne Wissenschaft sieht weithin eine selbständige Wesenheit Seele nicht
nur für überflüssig, sondern sogar für unhaltbar und darum für nichtig an. In
seinem Aufsatz ,,De anima'' aus dem Jahre 1967 gelangt M. Horkheimer zu
der Feststellung: ,,Der Mensch, sein Herz und Hirn und alle Äußerungen
eingeschlossen, gilt als ein Inbegriff von Prozessen, deren Bedingungen durch
naturwissenschaftliche Disziplinen prinzipiell erforschbar sind. Die Konstruktion von Apparaten, deren Leistungen gewisse Denkprozesse nicht allein ersetzen, sondern an Tempo und Exaktheit übertreffen, die Automation, bildet
eine weitere Bürgschaft für die wissenschaftliche Durchdringung tierisch-
menschlicher Aktionen, ohne eine substantielle, gar unsterbliche Seele als
Erklärung heranzuziehen''[42]. Horkheimer verweist auf F. Mauthners Werk

---

[41] Zitiert bei P. Schraud, a.a.O. 4 (1979) 87. Zu Delgado vgl. dessen Werk: Physical Control of
the Mind. Toward a psychocivilized Society (New York 1969).

[42] M. Horkheimer, De anima, in: Zur Kritik der instrumentellen Vernunft (Ffm. ²1974) 244 f.;
vgl. ders., Gesellschaft im Übergang. Aufsätze, Reden und Vorträge 1942-1970, hrsg. v. W. Brede (Ffm. 1972) 136; ders., Notizen 1950 bis 1969 und Dämmerung, hrsg. v. W. Brede (Ffm. 1974)
177 f. — W. Risse, Metaphysik. Grundthemen und Probleme (München 1973), bringt ein Kapitel
über die Seele (169-177), in welchem er sowohl Wesen der Seele als auch die heute von Philosophen und naturwissenschaftlich ausgerichteter Psychologie vorgebrachten Einwände recht treffend darstellt. — Kaum als eine exakte Bestandsaufnahme, sondern eher als ein Stimmungsbaro-
meter kann das Wort des Psychologen und Soziologen Dieter Duhm in seinem Buch: ,,Der
Mensch ist anders'', gelten: ,,Unter der Regie oberflächlicher Verifikationspostulate und inhalts-
leerer mathematischer Verfahren (Faktorenanalyse als Beispiel!) hat sich die moderne Psychologie zu einem System banaler Sätze entwickelt, mit deren Hilfe keines der anstehenden Probleme
erfaßt, geschweige denn gelöst werden kann. Angesichts der allgemeinen seelischen und geistigen
Zerstörung, der endlosen Ängste und Quälereien und all der grauenhaften Folgen psychischer Un-
terdrückung ist das höchste Urteil noch zu milde: Die moderne Psychologie repräsentiert einen

über den Atheismus aus den zwanziger Jahren. Was damals noch radikal zu
klingen schien, sei heute im Grunde akzeptiert. ,,Das Ding, von dem da ausgesagt wird, daß es unsterblich sei, ist für die gegenwärtige Psychologie, die
ohne Psyche auskommt, kein Ding mehr, keine Substanz mehr, oder wie man
sonst das Subjekt bezeichnen mag, von welchem man die Sterblichkeit
bejahen oder verneinen könnte... Das Wort ,Seele' mit seiner kleinen Sipp-
schaft mag in der Gemeinsprache noch hundert und mehr Jahre weiterleben,
weil die Gemeinsprache allezeit sehr viele Reste der Religionen und sonst ver-
alteten ,Wissens' mit sich führt; auch in der wissenschaftlichen Sprache ist das
Wort ,Seele' noch nicht zu vermeiden, weil es häufig eine überreiche Summe
von Vorstellungen durch zwei kurze Silben wie in einer mathematischen Formel vertritt... Die Seele ist nur noch das Wort für eine Funktion''[43]. Horkheimer zitiert Nietzsche: ,,Man hat ein Nervensystem, aber keine Seele''[44]. Er
hätte ebensogut auf D. Hume zurückgreifen können, der in der Seele auch
nicht mehr die immaterielle und unsterbliche Substanz der Alten, sondern nur
noch ,,a bundle of perceptions in a perpetual flux and movement'' sah.

Mauthners Worte bringen aber nicht nur den Erkenntnisstand in der damaligen Psychologie, sondern gleichzeitig die Problematik um die Substantiali-
tätsauffassung der Seele zum Ausdruck, wenn sie die Seele als ein ,,Ding'' bezeichnen; eine Anschauung übrigens, die sehr häufig, wenn nicht gar überwiegend anzutreffen ist. In der Tat — sollte mit Seele ein ,,Ding'' gemeint sein,
dann wäre ein solches Ding nicht nur überflüssig, sondern müßte schleunigst
abgeschafft werden.

III

Trotzdem bleibt zu konstatieren, daß die gezeichnete Negativ-Bilanz *nicht*
die ganze philosophische und wissenschaftliche Situation der Zeit erfaßt. Damit kommen wir kurz auf wenigstens einige Ansätze zu sprechen, die unsere
Zeit für eine Wiederentdeckung der Seele bereit hält.

Zu erwähnen ist hier der renommierte Neurochirurg Robert J. White in
Cleveland, der Seele und Persönlichkeit nicht im Gehirn aufgehen läßt[45].
Auch der Erlanger Biokybernetiker Wolf D. Keidel (*1917) distanziert sich
von der Majorität der Gehirnforscher, die im Menschen nur einen neuroche-
mischen Computer sehen wollen. Er erklärt[46]: ,,Alle Versuche dieser und ähnlicher Art haben stets übereinstimmend gezeigt, daß alles, was wir empfinden,

---

moralischen und geistigen Idiotismus, dessen Vertreter nur deshalb nicht in die Irrenhäuser und
Besserungsanstalten abwandern, weil sie dem Zeitgeist entsprechen'' (zitiert bei P. Schraud,
a.a.O. 2, 1979, 82 f.).
[43] F. Mauthner, Der Atheismus und seine Geschichte im Abendlande (Stuttgart 1922) I 41 f.
[44] a.a.O. (Anm. 42) 244.
[45] Zitiert bei P. Schraud, a.a.O. 4 (1979) 87.
[46] Zitiert bei P. Schraud, a.a.O. 4 (1979) 90.

stets mit Hirnstrukturen, Sauerstoffversorgung, allgemeinen Energietransfor-
mationen und, wie wir seit der Anwendung biokybernetischer Methoden
wissen, mit Informationsverarbeitungsprozessen verbunden ist, und zwar in
reproduzierbarer, meßbarer und damit quantifizierbarer Weise. Aber hüten
wir uns vor dem Trugschluß, damit auf dem Wege rationaler wissenschaft-
licher Erkennbarkeit das Problem des Psychischen, vor allem des
Bewußtseins, gelöst zu haben oder lösen zu können, und hüten wir uns vor allem vor einer Gleichsetzung der drei genannten Prozesse''.

Aufsehen erregt haben in diesem Zusammenhang insbesondere die Untersuchungen des mit dem Nobelpreis für Medizin ausgezeichneten Gehirnphysio-
logen John C. Eccles vom Institute for Biomedical Research in Chicago. In
seinem 1965 erschienenen Buch ,,The Brain and the Person'' schreibt er[47]:
,,Ich kann mich der Auffassung der Physikalisten nicht anschließen, daß meine bewußten Erfahrungen nichts sind als Auswirkungen der physiologischen
Mechanismen meines Gehirns. Entgegen dem physikalistischen Credo glaube
ich, daß die grundlegende Realität meines erfahrenden Selbst nicht eigentlich
gleichgesetzt werden kann mit Inhalten seiner Erfahrungen und Vorstellungen
— wie es etwa sind: das Gehirn, Neuronen, Nervenimpulse und selbst komple-
xe räumlich-zeitliche Schemata (patterns) von Impulsen. Der in diesen Vorträ-
gen dargelegte Beweis zeigt, daß diese Vorgänge in der materiellen Welt notwendige, aber nicht hinreichende Ursachen für die bewußten Erfahrungen
und mein bewußt erfahrendes Selbst sind''. Zu Anfang seines Buches[48]
schreibt Eccles: ,,Zwei Fragen mögen hier gestellt werden: Erstens, welches ist
die Natur dieses bewußt erfahrenden Selbst? Und zweitens, wie kommt es in
eine so einzigartige Beziehung zu diesem bestimmten Gehirn? Ich bin mir
bewußt, daß diese Fragen für viele Menschen keine echten Fragen sind. Meine
einzige Erwiderung darauf kann sein, daß sie für mich die grundlegendsten
und wichtigsten Fragen sind, die gestellt werden können''.

In den späteren Arbeiten Eccles' wird dieser Gedanke weiter unterbaut und
verstärkt vorgetragen. Das bewußte Subjekt des Bewußtseins kann nicht im
Sinn der Identitätstheorie von Feigl und Schlick mit Gehirnvorgängen bzw.
mit dem Gehirn identisch sein. Die einzigartige Individualität, wie sie vom
Subjekt des Bewußtseins besessen wird, erweist sich als unvereinbar mit der
Annahme, Träger des Bewußtseins sei das Gehirn[49].

Genannt zu werden verdient in diesem Zusammenhang überhaupt die Tatsache, daß die Stimmen derer sich zu mehren beginnen, die sich gegen eine Re-

---

[47] (Sidney 1965) 43.
[48] a.a.O. 7.
[49] Folgende Arbeiten Eccles' kommen dafür in Frage: Facing Reality. Philosophical Adventu-
res by a Brain Scientist (Berlin 1970); The Self and its Brain. An Argument for Interactionism.
Koautor K. R. Popper (Berlin 1977); The human Mystery. The Gifford Lectures University of
Edinburgh 1977-78 (Berlin 1979).

duktion des Psychischen auf den Bereich des Physischen aussprechen. Das mag noch nicht sehr viel sein, kann aber helfen, den Weg für die mögliche Erkenntnis wieder freizumachen, daß das Psychische über rein physiko-chemische Bedingungen hinaus noch eine Kausalität sui generis erfordert, eben die Kausalität einer Seele. Schon was die Frage einer Entstehung des Lebens aus anorganischer Materie anbelangt, haben N. Bohr, W. Heisenberg, und W. Pauli unter dem Eindruck der Schwierigkeit einer rein physikalisch-chemischen Erklärung der Lebenserscheinungen ausdrücklich die physikalisch-chemische Erklärung verworfen[50]. Das Geistig-Psychische des Menschen gar ganz aus dem physiko-chemischen Bereich ableiten zu wollen, stößt nach dem Naturwissenschaftler und Philosophen J. Meurers[51] „auf fast unüberwindliche Schwierigkeiten". Im Hinblick auf die Parapsychologie, die davor zurückscheut, sich zum Seelischen genauer zu äußern, schreibt der Münchener Philosoph A. Neuhäusler: „Das Psychische ist unerklärlich in dem Sinn, daß es nicht auf den Bereich der physischen Phänomene reduzierbar ist. Jeder Versuch, psychische Phänomene — von der schlichten Farb- oder Geruchsempfindung bis hin zum differenziertesten Wahrnehmungs- oder Gefühls- oder Denkvorgang — auf physische Fakten zu reduzieren, hat sich bisher als pseudowissenschaftliche Stümperei erwiesen. Die gewohnten psychischen Phänomene unseres alltäglichen Erlebens sind also letzthin genauso ‚unerklärlich' wie die ungewohnten psychischen Phänomene der Telepathie und andere"[52]. A. Görres, Direktor des „Institutes für medizinische Psychologie und Psychotherapie der Technischen Universität München" hat mich in einem Schreiben wissen lassen (16.2.79), daß „es bitter notwendig ist, die empirische Psychologie wieder mit einer ontologischen zu verbinden, so sehr die empirische sich sträubt".

Als einen Beitrag zur Erhaltung zumindest des Problembewußtseins mag man auch K. R. Poppers entschiedene Kritik an der Ansicht werten, nach welcher das Leib-Seele-Problem auf „Unklarheiten der Sprache" zurückzuführen sei[53].

Anzuführen ist sodann die von Abraham Maslow (1908-1970) initiierte Humanistische Psychologie, zu der sich Persönlichkeiten wie Carl Rogers (*1902), Charlotte Bühler (1893-1974) und Erich Fromm (1900-1980) beken-

---

[50] C. F. v. Weizsäcker, Die Tragweite der Wissenschaft (Stuttgart ⁵1976) I 148. Auf die Erfolge der Biologie mit ihren physiko-chemischen Methoden, aber auch auf die grundsätzlichen Schwierigkeiten, daß es zum Verständnis des Phänomens des *Lebendigen* keiner anderen Methoden als der physiko-chemischen bedarf, geht sehr gut ein J. Meurers, Metaphysik und Naturwissenschaft (Darmstadt 1976) 94-100, bes. 98-100.

[51] Die Frage nach Gott und die Naturwissenschaft (München 1962) 263-269.

[52] Zitiert bei P. Schraud, a.a.O. 5 (1979) 93.

[53] K. R. Popper, Language and the Body-Mind Problem, in: Proceedings of the XIth International Congress of Philosophy, 7 (Amsterdam 1953) 101-107; ders., A Note on the Body-Mind Problem. Reply to Professor Wilfried Sellars, in: Analysis 15 (1955) 131-135; ders., Ausgangspunkte. Meine intellektuelle Entwicklung (Hamburg 1979) 274.

nen. Lebendig ist hier das Bewußtsein, daß wir *eine Wissenschaft vom ganzen Menschen bisher nicht haben.* Dementsprechend fordert A. Maslow uns auf: ,,Wir dürfen nicht das autonome Selbst und die reine Psyche vergessen''[54].

Es bedarf wohl noch weiterer Forschung und Geduld, bis sich uns in seiner ganzen Tragweite und Tiefe das Werk des Mannes erschlossen haben wird, der das kaum glaubliche Wort geprägt hat: ,,Ich bin überzeugt, daß die Erforschung der Seele die Wissenschaft der Zukunft ist'': C. G. Jung[55]. Seine analytische Psychologie betrachtet Psychologie in bezug auf ihre Methoden als die jüngste der *Natur*wissenschaften, aber ihre Erklärungsweise müsse eine *geistes*wissenschaftliche, den ganzen Menschen einbeziehende sein. Mehr braucht an dieser Stelle nicht zu C. G. Jung gesagt zu werden, da wir ein eigenes Referat über ihn hören werden.

Auch die Logotherapie V. E. Frankls, eine eigene und überaus ernst zu nehmende Richtung innerhalb der Psychotherapie, könnte mit ihren wesentlichen Einsichten in die seelisch-geistige Verfassung des Menschen den Weg für die Seele als eine Realität sui generis freilegen helfen. Gemeint sind folgende Lehren der Logotherapie: die scharfe Zäsur zwischen Geistigem und Triebhaftem[56]; die Erkenntnis, daß nicht nur Triebhaftes, sondern auch Geistiges Unbewußtes besitzt, so daß das Geistige sowohl bewußt als auch unbewußt sein kann[57]; die Überzeugung, daß eigentliches Menschsein geistiges Sein darstelle[58]; schließlich der Rückgriff auf die alte (!) Trichotomie: Geist-Seele-Leib: Der Mensch ist weniger durch die Zweiheit Leib-Seele als vielmehr durch die ,,dreifaltige Ganzheit'' Leib-Seele-Geist konstituiert[59].

Von einer anderen Überlegung und Motivation ausgehend, die im Grunde genommen auf das in der Antike ausgebildete Verständnis von Seele zurückkommt, bringt Max Horkheimer die Thematik Seele wieder in das philosophische Gespräch ein. Entsprechend seiner marxistisch-atheistischen Einstellung in der Frühperiode seines Denkens und unter Berufung auf die moderne Wissenschaft hat Horkheimer 1937 in seinem Aufsatz ,,Der neueste Angriff auf die Metaphysik'' die Erkenntnis ausgesprochen, daß metaphysische Begriffe wie die vom Menschen, von der Substanz als solcher, vom Sinn und von der Seele in der ,,vorhandenen Wissenschaft ausgemerzt'' würden[60]. Sie ließen sich nicht begründen, die Wissenschaft wisse daher wenig damit anzufangen[61]. ,,Wenn die Metaphysiker seit Jahrhunderten fortfahren, davon zu reden, daß eine Seele existiert, die ethischen Geboten unterworfen sei und

---

[54] Zitiert bei P. Schraud, a.a.O. 2 (1979) 83.
[55] Zitiert bei P. Schraud, a.a.O. 6 (1979) 85.
[56] Vgl.: Der unbewußte Gott (München 1974) 18.
[57] a.a.O. 16 f., 23.
[58] a.a.O. 17, 20 f.
[59] a.a.O. 20.
[60] In: Kritische Theorie (Ffm. 1968) II 82.
[61] a.a.O.

ein ewiges Schicksal habe, so verraten sie ihre Unsicherheit schon allein durch den Umstand, daß ihre Systeme an den entscheidensten Stellen durch pure Meinungen, unwahrscheinliche Behauptungen und Fehlschlüsse geflickt sind''[62].

Dennoch — schon der Horkheimer der vierziger Jahre zollt dem Christentum Lob, weil es durch seine Lehre von der unsterblichen Seele, die ein Bild Gottes ist, das Prinzip der Individualität geschaffen habe, wenn es auch gleichzeitig dadurch, wie er meint, die konkrete sterbliche Individualität relativierte[63].

Der späte Horkheimer hat in dem schon genannten Aufsatz ,,De anima'' von 1967 fast so etwas wie eine Rehabilitierung der theologischen und philosophischen Lehre von der Seele gewagt. Er hat sie der wissenschaftlichen Auffassung: seelische Vermögen und Funktionen, aber keine substantielle und gar unsterbliche Seele[64], als eine im lebenswichtigen Interesse des Menschen selber unverzichtbare Alternative gegenübergestellt. Seele im philosophischen und auch im theologischen Verstand beinhaltete nach Horkheimer einmal das Moralische im weitesten Sinne des Wortes, sodann den Gedanken an ein Anderes als diese Welt, die unser Intellekt zu ordnen versteht[65]. Bei letzterem denkt Horkheimer natürlich zuerst an Kant, es gilt dies jedoch ebenso für das in der Antike gewonnen Verständnis von Seele. Seele — ein Anderes als diese unsere Welt, ihr zugrundeliegend und sie begründend! In solche der Welt der Erscheinungen zugrundeliegende Sphären auszuschweifen, sei zwar nach Kant dem Menschen verwehrt. Gehorcht jedoch der Mensch dem Verbot — Kant selbst habe es überschritten —, ,,so verzichtet er auf jene Sehnsucht, ohne die er letzten Endes die Autonomie verliert''[66].

Erwacht daher bei dem späten Horkheimer in aller Macht die Sehnsucht nach der Seele, um der Würde und Autonomie des Menschen willen, so bleibt ihm zugleich der Zweifel: ,,Wer die Idee der Seele zu bewahren sucht, hat mit dem Wissen um theologische und philosophische Tradition auch den Zweifel zu bewahren, der ernsthaftem Denken in der Gegenwart bewußt zu eigen

---

[62] a.a.O. II 84; vgl. auch II 83.
[63] M. Horkheimer, Zur Kritik der instrumentellen Vernunft (Ffm. ²1974) 132; vgl. auch 48 u. ebd. (335-353) den Aufsatz: ,,Bedrohungen der Freiheit'' von 1965, wo es S. 350 heißt: ,,Zu den entscheidenden Begriffen christlicher Religion gehört, wenn ich recht verstehe, die mit dem bestimmten individuellen Ich unlösbar verbundene individuelle Seele. Anders als in der Lehre des Buddha wird die das Ich einschließende Seele in die Unendlichkeit mit aufgenommen''. Vgl. auch M. Horkheimer — Th. W. Adorno, Dialektik der Aufklärung (Ffm. ³1969) 208.
[64] Zur Kritik der instrumentellen Vernunft (Ffm. ² 1974) 239, 243 f., 245.
[65] a.a.O. 246 f.
[66] a.a.O. 247; vgl. auch ders., Gesellschaft im Übergang. Aufsätze, Reden und Vorträge 1942-1970, hrsg. v. W. Brede (Ffm. 1972) 147 u. bes. 171: ,,Die Kritische Theorie hat die Aufgabe, auszudrücken, was im allgemeinen so nicht ausgedrückt wird. Sie muß deshalb auf die Kosten des Fortschritts hinweisen, auf die Gefahr, daß in seinem Gefolge sogar die Idee des autonomen Subjekts, die Idee der Seele zergeht, weil sie gegenüber dem Universum als nichtig erscheint''.

ist''[67]. In den aus den Jahren 1966-1969 stammenden ,,Notizen'' finden wir nunmehr folgenden Begriff ,,Kritischer Theorie'': ,,Kritische Theorie heute hat sich mindestens so sehr auf das zu beziehen, was mit Recht Fortschritt, nämlich technischer Fortschritt, und seine Auswirkung auf Mensch und Gesellschaft heißt. Sie denunziert die Auflösung des Geistes und der Seele''[68].

In diesen Ausführungen Horkheimers kommt eine andere Beurteilung des *gegenwärtig Notwendigen* zum Ausdruck als in H. R. Schlettes Plädoyer, daß ,,für das kritische Philosophieren'' an die Stelle der überkommenen metaphysischen Anthropologie mit Leib und Seele als eigenen ,,Entitäten'' ,,ein phänomenologisch ausgerichteter Perspektivismus (zu) treten'' habe, ,,daß wir auf eine Anthropologie jenseits des Leib-Seele-Schemas zu(zu)gehen'' haben[69]. ,,Da man sich der Terminologie ,Leib und Seele' schwerlich entziehen kann..., versucht man sich damit zu helfen, daß man erklärt, der ursprünglich *eine und auf keine Weise zusammengesetzte* Mensch könne unter verschiedenen Blickwinkeln betrachtet werden, die jeweils eine abstrahierende und begrenzende Sicht bedingten: unter den Perspektiven von Leib und Seele''[70]. ,,Gewiß können wir nach der neuzeitlichen Kritik nicht mehr zu der Metaphysischen Anthropologie zurückkehren'', daher scheint ,,dieser Perspektivismus, der Ontologie und Metaphysik einklammert oder einfach über sie hinweg zur Tagesordnung übergeht, ... derzeit tatsächlich die einzige Möglichkeit zu bieten, Begriffe wie Leib und Seele überhaupt noch zu verwenden''[71]. — Machen empirische Untersuchungsergebnisse und modernes Denken es wirklich erforderlich, das Terrain der klassischen Metaphysik zu verlassen?

Symptomatisch für das neu erwachende Verlangen nach Idee und Wirklichkeit der Seele ist die schon oben[72] genannte Aufsatzserie P. Schrauds in ,,Westermanns Monatsheften'': ,,Der Kampf um die Seele''. Symptomatisch deshalb, weil hier nicht auf der typisch fachspezifischen Ebene von Erfahrungswissenschaft oder Philosophie, mehr oder weniger in esoterischen Kreisen also, sondern auf der breiten Ebene allgemeinen Bildungs- und Wissenschaftsinteresses im besten Sinne des Wortes das Bedürfnis nach Thematik und Wahrheit der Seele zum Ausdruck gebracht wird. Autor wie Verlag ist das Wagnis hoch anzurechnen, ein derart in unserem Jahrhundert zurückgedrängtes und teilweise als erledigt angesehenes Thema wieder in das Bewußtsein einer brei-

---

[67] a.a.O. (Anm. 64) 247; vgl. auch 242 f.
[68] Notizen 1950 bis 1969 und Dämmerung, hrsg. v. W. Brede (Ffm. 1974) 218; vgl. auch Anm. 62.
[69] H. R. Schlette, Leib und Seele in der Philosophie. In: Was weiß man von der Seele? Erforschung und Erfahrung, hrsg. v. H. J. Schultz (Stuttgart 1967) 161, 165, 166.
[70] a.a.O. 161. — Hervorhebungen von mir.
[71] a.a.O. 164 u. 161.
[72] Vgl. Anm. 31.

teren Öffentlichkeit gebracht zu haben. Überspitzt formuliert könnte man fast von einer Revolte von unten gegen die Wissenschaft sprechen.

Schraud möchte bezeichnenderweise die Diskussion um Person, Selbst, Ich, Persönlichkeit und Menschenwürde nicht an den Persönlichkeitsbegriff heften, sondern an den Begriff der Seele als einer vom Körper unterschiedenen und ihn überlebenden Eigenrealität[73]. Denn abgesehen davon, daß Begriffe wie Selbst, Ich oder Persönlichkeit, mit denen heutige Psychologen vorzugsweise operieren, kaum besser nachprüfbar sind als der der Seele, vermag Schraud den verdienten US-Psychologen Gordon Allport anzuführen, der fünfzig verschiedene Definitionen von Persönlichkeit zusammengetragen hat[74]. In der Seele ist nach Schraud ,,das eigentlich Menschliche am Menschen zu sehen''. Sie allein vermag Freiheit und Würde des Menschen zu retten[75], worin Schraud exakt mit Horkheimer und dem antiken Seelenbegriff übereinkommt, auch wenn er auf beide keinerlei Bezug nimmt. ,,Der Kampf um die Seele'', schließt seine Artikel-Serie, ,,ist zugleich der Kampf um die Macht, in dem es um die Freiheit des Menschen geht''. — Nicht unerwähnt bleiben soll das im Frühjahr 1981 von der ,,Katholischen Akademie in Bayern'' in Zusammenarbeit mit der ,,Hochschule für Philosophie'' in München durchgeführte philosophische Seminar über die Thematik: ,,Der Mensch — nur eine Maschine? Zum Problem des Verhältnisses von Leib und Seele''[76].

IV.

Angesichts der skizzierten Problemlage scheint mir die Aufgabe, die diesem Symposion von der selbstgewählten Thematik Seele her gestellt wird, näherhin eine dreifache zu sein:

1. Da die Wirklichkeit der Seele mit naturwissenschaftlichen Methoden und noch so hochdifferenzierten Apparaten nicht zu entdecken ist, muß der philosophische Weg zu ihrer Wirklichkeit erneut versucht werden. Bei diesem Versuch ist ein Doppeltes in Rechnung zu stellen: Einmal, wie tiefgreifend und nachhaltig unser heutiges Denken von den Naturwissenschaften und deren quantifizierend-meßbarem Wirklichkeitsbegriff bestimmt ist; sodann, welche philosophischen Schwierigkeiten uns insbesondere seit der Neuzeit hinsichtlich eines philosophischen Weges zur Annahme einer substantiellen und unsterblichen Seele zugewachsen sind. Hand in Hand damit muß einhergehen eine Reflexion darüber, was als wirklich zu bezeichnen ist: Erschöpft sich die Wirklichkeit in dem, was wägenden, messenden und zählenden Instrumenten,

---

[73] a.a.O. 2 (1979) 80.
[74] a.a.O. 2 (1979) 80.
[75] a.a.O. 2 (1979) 80 u. 6 (1979) 92 f.
[76] Leider ist eine Publikation der allein schon von der Einzel-Themenstellung her interessanten wie wichtigen Vorträge nicht vorgesehen.

beobachtenden Labors und exakter Forschung zugänglich ist? Zwar ,,gehört mit völliger Berechtigung zum Wesen der naturwissenschaftlichen Methode die *Haltung*, ,so zu tun, *als ob* es nur objektiv Meßbares gibt, und zu versuchen, wie weit man damit kommt' ...Aber die Naturwissenschaft umspannt noch nicht die ganze Wirklichkeit'', mahnt H. v. Ditfurth im Anschluß an Einstein. Er spricht im selben Zusammenhang von einer ,,professionellen Neurose'' bei Menschen, die ,,ablehnend oder spöttisch (reagieren), wenn sie mit Fragen konfrontiert werden, die sich auf *Probleme außerhalb des Bereiches wägbarer und meßbarer Dinge beziehen*, weil sie glauben, sich einreden zu müssen, daß es diese Bereiche in Wirklichkeit überhaupt nicht gebe''[77]. Der Wiener Astronom und Direktor der dortigen Universitätssternwarte J. Meurers hat 1962 eindringlich darauf hingewiesen, daß ,,der unmittelbare naturwissenschaftliche Erkenntnisbegriff nur so weit (reicht), als die Wirklichkeit gemessen werden kann, als diese Maß-Struktur trägt; und alles, was keine Maß-Struktur trägt, liegt außerhalb des unmittelbaren Erkenntnisbereiches der Naturwissenschaft. Daher kommt es, daß ein so hervorragender Zug der Natur wie die Schönheit in der Naturwissenschaft nicht vorkommt''[78], den es aber keineswegs deshalb nicht gibt, weil die Naturwissenschaft ihn nicht entdeckt. Wie wir auch nicht der Ansicht sind, daß es deshalb keine Farben gebe, weil sie unseren Ohren nirgendwo begegnet sind.

Auf die Problematik des Substanzbegriffes und der substantiellen Seele bezogen stellt sich von diesen Überlegungen her die prinzipielle Frage, ob Substanz primär vom Modell der körperhaften Substanz oder nicht vielmehr vom εἶδος und der forma her zu verstehen sei.

2. Macht eine substantielle, immaterielle und unsterbliche Seele das eigentlich Menschliche und Personale im Menschen aus, wie es nicht nur die platonisierenden Richtungen in Philosophie und Theologie annehmen, in welchem Verhältnis steht eine so verstandene Seele zum Leib des Menschen? Trägt der Leib dann überhaupt noch etwas zur Konstituierung des Menschseins und dessen Personalität bei, oder erweist er sich gar als Widersacher des Menschen? Ich denke hierbei nicht nur an die zahlreichen von den Philosophen im Laufe der Geschichte vorgestellten Lösungsversuche, sondern besonders an die mit dem Einbruch des Christentums erfolgte betont positiv akzentuierte Wertung des Leiblich-Körperlichen.

3. Eine Diskussion dieser zwei Problembereiche erscheint mir nicht möglich ohne Rückgriff auf die in der abendländischen Philosophie und Theologie unternommenen diesbezüglichen Anstrengungen. Darum sind die hier zu brin-

---

[77] H. v. Ditfurth, Im Anfang war der Wasserstoff (Hamburg 1972) 48 f.
[78] J. Meurers, a.a.O. (Anm. 51) 183.

genden philosophischen Referate in den zu ihrer Zeit jeweils als neu empfundenen philosophischen Konzeptionen zum Thema Seele verankert worden. Daß ein gut zwei Tage dauerndes Symposion die Thematik nicht erschöpfend behandeln kann, sei wenigstens angemerkt. Die hier beabsichtigte Diskussion scheint mir auch nicht sinnvoll durchführbar zu sein ohne Heranziehung dessen, was Bibel und deren Auslegung zu diesem Thema sagen. Denn im Laufe der zweitausendjährigen Geschichte des Christentums hat ein reger Grenzverkehr zwischen philosophischer und biblisch-christlicher Auffassung vom Menschen und dessen Seele stattgefunden. Schließlich kann eine Sachdiskussion über das Thema Seele nicht mehr ohne das Gespräch mit der Psychologie vonstatten gehen. Dem Referat über die analytische Psychologie C. G. Jungs kommt deshalb eine erhöhte Bedeutung zu.

Nicht als ein Programm, vielmehr als Indikation einer weithin vorfindbaren Bewußtseinslage möchte ich daher das zitierte Horkheimerwort an den Schluß meiner Einleitung setzen: ,,Wer die Idee der Seele zu bewahren sucht, hat mit dem Wissen um theologische und philosophische Tradition auch den Zweifel zu bewahren, der ernsthaftem Denken in der Gegenwart bewußt zu eigen ist''[79].

---

[79] Vgl. oben S. 13 f.

HEINRICH DÖRRIE †
Münster

PLATONS BEGRIFF DER SEELE UND DESSEN WEITERE
AUSGESTALTUNG IM NEUPLATONISMUS

Vorbemerkung: Der nachstehend abgedruckte Vortrag, gehalten zu Salzburg am 2.1.1980, rief eine lebhafte Erörterung hervor, die insbesondere um
die Frage ,,Gesamtseele/Einzelseele'' kreiste. Hiernach habe ich den Vortrag
leicht überarbeitet, so daß der Wortlaut nun auf Fragen eingeht, die in der
Diskussion gestellt wurden.

Um die Herstellung des Satzes zu erleichtern, werden oft vorkommende,
einzelne griechische Worte, bes. noûs und psyché, in lateinischer Umschrift
gegeben.

I

Durch Platon und nach Platon ist das Problem: ,,Was ist und wie wirkt die
Seele?'' zum bevorzugten Feld der philosophischen Spekulation geworden.
Denn durch Überlegungen zu dieser Frage durfte man hoffen — und man hat
es Jahrtausende hindurch als verläßlich erwiesen angesehen —, daß *psyché* =
Seele als über-individuelles Prinzip aller Bewegung die Verbindung herstelle
zwischen Natur und Über-Natur, zwischen Physik und Metaphysik.

Es wäre daher für einen antiken Faust keine Frage gewesen, welche Kraft denn
,,... die Welt im Innersten zusammenhält''. Denn den Zusammenhalt der
Welt in sich — σύνδεσμος — und erst recht die ursächliche Begründung aller
Prozesse des Werdens aus dem jeder Bewegung entrückten Sein bewirkt die
Seele; bereits ein Jahrhundert vor Platon ist das Prinzip, das die Bewegungen
im Kosmos bewirkt, in Analogie gerückt worden[1] zur menschlichen Seele, ja
mit ihr gleichgesetzt[2] worden.

Diesen Ansatz haben sich die Pythagoreer[3] zu eigen gemacht; besonders
nachhaltig hat ihn Platon[4] entwickelt. Diese Konzeption muß eine ganz erheb-
liche Suggestivkraft ausgeübt haben; denn mit solcher Spekulation über die

---

[1] Vgl. vor allem Anaximenes B 2, Vorsokr. I 95, 17-29.
[2] Empedokles B 136, Vorsokr. I 367, 5 ff.; Alkmaion A 12, Vorsokr. I 213, 19-25.
[3] Gewiß darf nicht ohne weiteres auf die frühe Zeit zurückprojiziert werden, was pythagore-
ische Texte des Hellenismus hierzu aussagen, so ,,Philolaos'' (bei H. Thesleff: The Pythagorean
Texts etc., 1965, 150 f. = Vorsokr. I 417,8 - 418,11) und ,,Timaios'' (bei H. Thesleff, a.a.O. 205-
225). Das wichtigste Zeugnis bietet Platon, da er seinem Timaios diese Lehre in breiter Entfaltung
in den Mund legt.
[4] Hierzu im einzelnen unten S. 20 ff.

Seele schien sich die unterste Sprosse einer Leiter anzubieten, auf der man zu höheren Stufen des Seins aufsteigen konnte. Darum soll nun, wobei ich auf den Schluß dieses Referates vorgreife, knapp skizziert werden, zu welchen Folgerungen es führte, wenn man diesen Ansatz zu Ende dachte: Dann war über allen Individuen mit ihren Teil-Seelen, den μερικὰ ζῷα, eine alles umfassende[5] und durchdringende Gesamtseele anzusetzen. Diese Gesamtseele wurde dann bestimmt als die untere der beiden Manifestationen — ὑποστάσεις —, in welchen der höchste Wert — τὸ πρῶτον ἀγαθόν — sich realisiert. Die Seele ist Eines, weil sie das Eine widerspiegelt und abbildet. Und sie ist Vieles, weil sie die Vielheit aller μερικὰ ζῷα, also aller Einzelwesen in sich hat, sie umgreift und letzten Endes bewirkt; daher definierte Plotin die Seele als ἓν καὶ πολλά, denn sie steht auf der Grenzlinie zwischen der nicht teilbaren (also stets mit sich selbst gleichen) Wesenheit und dem teilbaren (somit dem Werden unterworfenen) Wesen, d.h. zwischen Sein und Werden.

II

Vor den Konsequenzen, die sich aus dieser Axiomatik ergeben, hat als einziger Aristoteles mit Ernst und mit Nachdruck gewarnt. Er allein hat die Prämissen, auf denen die Konzeption von der alles umfassenden Gesamtseele, dem περιεκτικώτατον, beruht, als unverbindlich zurückgewiesen.

Mithin bezieht sich Aristoteles ausschließlich auf das Wesen, das als *movens* im einzelnen Menschen wirkt. Er definiert Seele = *psyché* als eine reich differenzierte Vielzahl von Funktionen — δυνάμεις[6] —, kraft deren das Individuum seine optimale Gestalt — ἐντελέχεια[7] — erreicht. Diese δυνάμεις wirken nicht in allen Lebewesen; daher wird die Zoologie zu einem Anschauungsunterricht dafür[8], wie die Seelenfunktionen in immer reicherer Variation aufeinander aufbauen: Von den niederen Tieren zu den höheren aufsteigend ist zu beobachten, wie sich die Fähigkeiten der Ortsbewegung, der Sinneswahrnehmung, des zweckmäßigen Verhaltens (das auf dem διανοητικόν beruht) vervollkomnen. Über alle diese δυνάμεις verfügt auch der Mensch. Aber das, was ihn auszeichnet und somit sein eigentliches Wesen ausmacht, ist das Vermögen, logisch zu denken — λογικὴ δύναμις. Dieser aristotelische Ansatz sollte nachmals darum hohe Bedeutung erlangen, weil in ihm die Elemente einer Stufungslehre enthalten sind. Es stehen also von Anfang an zwei grundsätzliche Überzeugungen zueinander in Widerspruch:

---

[5] Vgl. hierzu Platon, Tim. 30C -31A; diese Stelle ist zum Ausgangspunkt für reich variierte Erörterungen geworden.
[6] Hierzu grundlegend de anima B 2; 413 b 11 ff.
[7] Die berühmte Definition wird ausgesprochen de anima B 1; 412 a 27.
[8] Dieser Gedanke wird breit ausgeführt von Nemesios, de nat. hom., cap. 1; p. 40-43 Matthaei.

— Nach Aristoteles ist die Seele Formprinzip, wirksam in pflanzlichen[9], tierischen, menschlichen Individuen; außerhalb der Individuen, in denen sie wirkt, kommt ihr kein Sein zu; mit dem Individuum, dessen Funktion sie ist und in dem sie funktioniert, geht die Seele zugrunde.

— Dagegen ist die Seele nach Platon (1) Ursache aller spontanen Bewegung; sie ist (2) überindividuelles Prinzip; sie ist (3) ein Glied in der Kette, durch die sich das Gute in diese Welt übersetzt; daher muß sie als Maß und als Harmonie beschrieben werden; endlich ist sie (4) an und für sich seiend und somit unzerstörbar = unsterblich.

Es sind dies die Angelpunkte, in denen die Seelenlehre Platons und seiner Nachfolger hängt. Diese vier für den Platonismus typischen Thesen von der Seele möchte ich als Gliederungsschema der folgenden Darstellung zugrunde legen; daher erlaube ich mir, diese Thesen zur größeren Deutlichkeit zu wiederholen und zugleich anzumerken, wo in Platons Schrift sie verankert sind:

1. Die Seele ist Ursprung aller Bewegung — αὐτοκίνητος = ἀεὶ κινητός, vgl. Phaidros 245 C, also ἀρχὴ κινήσεως, und schon darum unsterblich.

2. Die Seele ist ein überindividuelles, die gesamte Welt durchwaltendes Prinzip: πάντα τὸν κόσμον διοικεῖ, vgl. Phaidros 246 C.

3a. Die Seele ist ein Glied in der Kette, durch die sich das Gute in die Welt übersetzt: νοῦν δὲ αὖ χωρὶς ψυχὴν ἀδύνατον παραγενέσθαι τῳ, vgl. Tim. 30 B.

3b. und Anmerkung: Wenn das so ist, dann muß die Werthaftigkeit der Seele auch dadurch sinnfällig werden, daß sie harmonische Funktion im arithmetischen und im geometrischen Sinne ist. Damit ist dieses Problem eng mit pythagoreischer Zahlenlehre verknüpft — daher das Theorem der harmonischen Mischung, vgl. Tim. 35 A. Dieses für die Antike höchst wichtige, immer wieder erörterte Kapitel klammere ich für heute aus und erinnere nur daran, daß Seele (neben vielem anderen) Harmonie und somit Musik ist — eine Anmerkung, für die in Salzburg auf Verständnis gehofft werden darf.

4. Vor allem ist die Seele etwas an und für sich Seiendes. Sie steht freilich auf der Grenze, die das Sein vom Werden trennt; in ihr ist unteilbares und teilbares Wesen zur Einheit verbunden[10]. Daher kann sie in mehrfacher Beziehung in das Sein und in das Werden eingebunden werden. Eben dadurch stellt sie das Band — δεσμός — dar, durch welches das Werdende und Gewordene zu einer zeitweiligen Existenz zusammengebunden wird. Zugleich aber ist es der Seele aufgegeben, zu ihrer Eigentlichkeit, also zu sich selbst zu gelangen, vgl. Phaidon 79 D αὐτὴ καθ' ἑαυτὴν γενομένη. Diese Aufgabe vermag die Seele darum zu erfüllen, weil sie am *Noûs* teilhat und demzufolge den *Noûs* als das stets mit sich identische Sein in diese Welt der vielfältigen Beziehungen hineinträgt. Hier liegt der Ausgangspunkt für die nachmalige Hypostasenlehre.

---

[9] Denn von diesen vitalen Funktionen kommt eine, nämlich die Fähigkeit, Nahrung aufzunehmen und zu wachsen = τὸ θρεπτικόν, auch den Pflanzen zu, vgl. de anima B 2; 413 a 25 ff.

[10] Hierzu grundlegend Tim. 35 A ff.

III

Antike, Mittelalter und frühe Neuzeit haben Platons Lehre von der Seele der vorstehenden Skizze gemäß verstanden und oft nachvollzogen[11]; erst im 19. Jahrhundert, als das vornehmliche Interesse sich auf die Dialoge Gorgias, Phaidon, Symposion und Staat richtete, trat die zuvor dominierende Spekulation über die Weltseele in den Hintergrund. An dieser Neu-Orientierung des Interesses wirkte gewiß der Umstand mit, daß Platons Natur-Erklärung, engstens an die Konzeption der Weltseele gebunden, mit dem Kausalitätsbegriff des 19. Jahrhunderts nicht mehr vereinbar war; den Ausschlag aber gab, daß nach und durch Schleiermacher die Ideenlehre als der hauptsächliche philosophische Beitrag angesehen wurde, den man Platon zu verdanken hatte; mit Recht wurde die Ideenlehre, die lange Zeit kaum Beachtung gefunden hatte, wieder zu Ehren gebracht.

Indes darf nicht übersehen werden, daß die Ideenlehre wohl zur Erklärung des werthaft Seienden, nicht aber zur Erklärung des Werdenden, nämlich der Welt und der Abläufe in ihr, ausreicht.

Die schweren Einwände, die gegen die Ideenlehre erhoben wurden, gipfeln in dem Bedenken, daß der Ansatz der Ideen als seiender Werte nicht ausreicht, um die Phänomene des Werdens zu erklären.

Darum tat Platon einen zweiten Schritt: Ähnlich wie alle Manifestationen von Werthaftem (gerechte, tapfere, maßvolle Handlungen) auf die Idee zurückweisen, die sie prägt, so müssen die einzelnen Seelen ihre werthafte Prägung durch eine übergreifende Instanz, d.h. durch die Gesamtseele, erfahren haben. Diese aber ist nicht — was von den Ideen gilt — schlechthin statisch, d.h. unbeweglich und ohne Veränderung, sondern sie verkörpert ein ganz anderes Prinzip des Seins: Sie löst Bewegung aus; damit überführt sie (anders als die Ideen) das Transzendent-Werthafte in diese Welt; sie ist Ursache alles Werdens (vgl. hierzu unten S. 25 f.).

Es besteht also für den, der Platons Lehre erfassen möchte, durchaus nicht etwa eine „Wahlmöglichkeit", sich entweder für den Platon der Ideenlehre oder den Platon des Timaios zu entscheiden (eine Bereitschaft dazu, den klassischen vom unklassischen Platon zu trennen, klang in der Diskussion an). Sondern die beiden Konzeptionen ergänzen einander: Gäbe es nicht das Vorbild — παράδειγμα — im transzendenten Raum (deutlich bezeichnet Tim. 28 A), dann wäre der Schöpfer ohne Maßstab der Werte. Wäre die Seele außerstande, die Funktion, die ihr der Schöpfer zuweist, zu erfüllen, dann fielen Himmel und Welt in sich zusammen (Phaidros 245 DE); den Ideen bliebe dann keine Möglichkeit, wirksam zu werden. Diese Argumentation ist seit dem Phaidros ein konstitutives Stück von Platons Philosophie; nichts berech-

---

[11] Ein Beispiel unter vielen bietet Nemesios, de nat. hom., cap. 1; p. 37-39; dieser Abriß einer Seelenlehre wurde von W. Jaeger für Poseidonios in Anspruch genommen.

tigt dazu, den Ansatz der Gesamtseele einer Altersphase zuzuweisen und damit ihre Verbindlichkeit in Frage zu stellen (auch diese Tendenz klang in der Diskussion an).

Kurz, die Ideenlehre bedurfte dringend einer Ergänzung, durch die zu begründen war, wie sich die Welt der Ideen — ὁ κόσμος νοητός — in dieser Welt verwirklicht. Damit wird nicht gemindert, was Platon, vor allem im Gorgias, Phaidon und Phaidros zur Verantwortlichkeit der einzelnen, fehlhaft gewordenen Seele ausführt. Will man indes zum Verständnis der gesamten Philosophie Platons vordringen, dann gilt es nachzuvollziehen, daß Platon nicht bei der Ideenlehre stehenblieb; dann muß der zweite Schritt, den er tat, gewertet werden. Und es ist dieser zweite Schritt gewesen, durch den Platon das Denken und Spekulieren späterer Jahrhunderte nachhaltig angeregt hat; nicht die Konzeption der Ideenwelt, sondern die Konzeption der Seele (so wie im Timaios dargestellt) hat Platons philosophische Wirkung bewirkt. Noch immer stehen viele von uns unter der Nachwirkung von Schleiermachers Wiederentdeckung der Ideenlehre; in der Tat war diese lange Zeit zu wenig beachtet worden. Es war eine große Tat, sie entgegen einer einseitig gewordenen Überlieferung wieder zur Geltung zu bringen. Nun aber gilt es, den umgekehrten Fehler zu vermeiden, d.h. an Platons Bemühen, nicht nur das Sein, sondern auch das Werden philosophisch zu erklären, nicht etwa achtlos vorbeizugehen; sein „Begriff der Seele" läßt sich nur dann objektiv und allseitig darstellen, wenn man beide Komponenten zu würdigen versucht.

IV

Ohne Zweifel ist Platon von Überlegungen, die zunächst nur die einzelne Seele zum Gegenstand hatten, ausgegangen; denn die ersten der beiden soeben vorgetragenen Thesen sind unzweifelhaft aus Vorstellungen abzuleiten, die man Jahrhunderte vor Platon von der Seele hegte.

Platon ist nie als ein Neuerer aufgetreten, der bisher gültiges Wissen, so als wären das Ammenmärchen, für überwunden und für nichtig erklärt. Gerade was den Problemkreis „Seele" anlangt, hat Platon behutsam an das angeknüpft, was „alle" wußten (oder zu wissen glaubten). Auf diesem Felde lag Platon die sokratische Haltung des Prüfens und Verwerfens — ἐξετάζειν — durchaus fern. Diese Methode ist gegen die vorschnellen, undurchdachten Urteile gerichtet, welche von den Sophisten vorgetragen wurden. Gegen die als richtig anerkannten Inhalte eines seit Urzeiten bewährten Wissens hat sich Platon niemals gewendet; die altgewohnte Sonderung von Körper und Seele gehörte zu diesem Schatz eines unbestrittenen Wissens; das hierin enthaltene Axiom hat sich Platon wie selbstverständlich zu eigen gemacht.

Nun wird es nötig, einen Blick auf die vorwissenschaftliche Grundlage zu richten, auf der Platon aufbauen sollte. Schon die homerischen Dichter haben den Tod als die Trennung zweier zuvor verbundener Wesen erlebt und beschrieben. Denn am Anfang aller Überlegungen, was die Seele ist, steht der Versuch zu erklären, was sich beim Sterben eines Menschen verändert: Der eben noch lebende, zu jeder Aktivität fähige Mensch verliert das Vermögen zu Aktion und Kommunikation. Das gilt freilich auch für den Schlafenden[12]; aber im Unterschied zum Schlafenden atmet der Tote nicht mehr; offensichtlich hat sich mit dem letzten Atemzug jenes X von ihm getrennt, das den Lebenden dazu befähigte, tätig zu werden. Eben darum ist *psyché* als der Lebenshauch, als der Atem verstanden worden, ohne den kein Mensch und kein Tier eine spontane Bewegung tun kann. So ist von Anfang an die später oft wiederholte Metapher angelegt und vorgebildet: Der Körper ist das Werkzeug — ὄργανον —, durch das die Seele tätig zu werden vermag[13].

Denn nur, wenn Körper und Seele vereinigt sind, vermag das Doppelwesen Mensch (= Seele + Körper) tätig zu sein und zu sprechen; getrennt voneinander vermögen sie es nicht. Damit ist (ganz im großen) die Grundlage skizziert, auf der die Erörterungen im platonischen[14] Alkibiades I beruhen: Der Mensch ist weder nur Körper noch nur Seele; er ist beides zugleich = συναμφότερον.

Fragt man freilich, welche Komponente als die eigentliche zu bezeichnen ist, dann muß die Antwort lauten: die Seele. Mag die Individualität an körperlichen Merkmalen, vor allem an den Gesichtszügen haften, sein Eigentliches empfängt das Doppelwesen Mensch von der Seele. In diesem Punkte ist gegenüber den homerischen Überlegungen eine Sublimierung eingetreten: Dank seiner Seele ist das Doppelwesen Mensch nicht nur zum Handeln im physikalischen Sinne befähigt. Sondern die Seele bewirkt vor allem die Fähigkeiten des Denkens — νοεῖν und θεωρεῖν —, weil sie Teilhabe an den Gegenständen des Denkens — τὰ νοητά — vermittelt.

Darin ist für Platon wie für alle seine Nachfolger der unumstößliche Nachweis enthalten, daß das Wesen der Seele den Bereich des Individuums weit übergreift; weil sie das reine Sein, nämlich τὰ ὄντα = τὰ νοητά erfaßt und ver-

---

[12] Darum sind Tod und Schlaf für den homerischen Dichter Brüder (vgl. Ξ 231 und Π 672 und 682); sie versetzen die Menschen, der Schlaf sogar die Götter, in den Zustand der Inaktivität. Dieser Vergleich ist bereits in der homerischen Welt zu einem Topos geworden, aus dem man Trost schöpfte: Der Tote sieht aus, als schliefe er (so Π 672 und 682). Aber man wußte, daß er nicht erwachen wird. Denn am Toten ist etwas geschehen, das kein Gott rückgängig machen kann. Hier liegt die für griechisches Verständnis entscheidende Grenze, über welche die Macht der Götter nicht hinausreicht.

[13] Wie trostlos die Existenz der Seelen in völliger Unfähigkeit, irgendetwas zu tun, aufgefaßt wurde, hat der Dichter der *Nékyia* (Odyssee, 11. Buch) dargestellt; er entwirft ein Bild grauer Trostlosigkeit.

[14] Während der Antike hat der Dialog Alkibiades I unbestritten als authentisches Werk Platons gegolten; seit J. N. Madvig (1871) wird die Echtheit angezweifelt. Dabei kann aber nicht in Zweifel gezogen werden, daß der Alkibiades zwischen 371 und 369 v. Chr. in der Akademie entstanden ist; dieser Dialog spiegelt also auf jeden Fall eine Lehre von der Seele wider, wie sie um 371 in Platons Gegenwart erörtert wurde.

mittelt, hat sie am Sein Anteil[15] und gehört somit zu den seienden Wesen. Darum können die menschlichen Seelen lediglich als Funktionen oder Ausstrahlungen einer Gesamtseele verstanden werden; es wäre als absurd erschienen, jeder einzelnen Seele unmittelbaren Bezug zum Sein an sich zuzuerkennen.

Zugleich wird — dies ist für Platon kennzeichnend — die Stufenleiter der Wertungen beschritten: Die Seele hat einen höheren ontologischen Wert als der Körper, weil sie Mittlerin des Seins und des Denkens ist. Kraft dieser Teilhabe ist sie ἄμεινον — *melius*[16].

Denn ein jedes Sein ist etwas Werthaftes; darum schließt eine Feststellung, daß sich ein bestimmtes Wesen in der Nähe des Seins oder in verhältnismäßiger Seinsferne befindet, ein wertendes Urteil ein. Der Seinsferne kommt das Prädikat ,,geringer, bedürftiger'' zu; die Seinsnähe wird — gleichfalls stets im Komparativ — als schöner, besser, ehrwürdiger u.a.m. gekennzeichnet. Es wird damit der Ort auf einer Skala angegeben, die vom absolut Guten bis zum relativ Minderwertigen führt. Ein absolutes Gegenteil zum absolut Guten gibt es, wohl verstanden, nicht — ein Axiom, dessen Bedeutung kaum überschätzt werden kann. Auf dieser Skala nimmt die Seele einen Platz nahe dem absoluten Guten = Einen ein; denn allein durch die Seele teilt sich der *Noûs* (etwa: das Denken) allem mit, das nicht Seele ist; die fundamentale Aussage des Timaios hierzu findet sich 30 AB.

V

Hiernach muß ein zweiter Schritt getan werden, der wiederum in vorwissenschaftliches Fragen und Denken zurückführt. Auf der einen Seite hatte man gute und gründliche Kenntnisse in der Mechanik; insbesondere beherrschte man die Hebelgesetze, d.h. man beherrschte die Relation von Kraft und Weg; ohne dieses Wissen hätte keiner der monumentalen Bauten, vor allem kein steinerner Tempel, errichtet werden können. Mit der Nutzung gegebener Kraft-Impulse war man also wohl vertraut. Aber als Energiequellen kannte man nur Mensch und Tier; erst im Mittelalter (seit etwa 1200) ist die Kraft des Windes genutzt worden; Wassermühlen sind zunächst in Syrien, in augusteischer Zeit in Italien in Betrieb genommen worden; in Griechenland fehlte es an ganzjährig fließenden Gewässern. Kurz: Wo sich etwas bewegte, mußte es von Rindern, Pferden oder Menschen angetrieben sein: Nicht nur jede sponta-

---

[15] Dieses Argument, das Gefäß (nämlich die Seele), das einen unsterblichen Inhalt aufnimmt, müsse selbst unsterblich sein, wurde noch von Augustin als schlüssig betrachtet; so mehrfach in den Soliloquia.

[16] Hier gilt es, sich einzuprägen, daß die oft verwendeten Komparative solcher Art, wie ἀμείνων, κρείττων, βελτίων, aber auch τιμιώτερος regelmäßig eine ontologische Wertung, nämlich die (jeweils) größere Nähe zum Sein ausdrücken; vgl. Augustin, de immort. animae 2,1 *melior autem ratio nostra quam corpus nostrum*; folgerichtig handelt Augustinus ebd. 15,1 vom *animus quem corpori praestare manifestum est*.

ne Bewegung, sondern auch jeder physikalisch wirksame Impuls geht von lebenden Wesen — also von *psyché* — aus. Diese kleine kulturgeschichtliche Erinnerung daran, welche Dimension die damaligen Energie-Probleme hatten, mag zum Verständnis des wichtigen Umstandes beitragen, daß Seele stets als das verstanden wurde, was wir heute als Energieträger zu bezeichnen uns angewöhnt haben. Denn noch war es nicht vorstellbar, daß Energie, die technisch verwendbar ist, aus unbelebter Natur gewonnen werden könne; noch sah man das Feuer als ein Element neben drei anderen an; man hätte den Gedanken gar nicht nachvollziehen können, daß Verbrennungswärme in andere Formen der Energie umgewandelt werden kann. Somit ist es notwendig, bei unseren Überlegungen, was die Antike von der Seele wußte, die ungemeine Bedeutung dieser communis opinio, alle Kraftimpulse würden von Seele bewirkt, gebührend in Rechnung zu stellen. Es war das eine communis opinio, die bis in das vorige Jahrhundert, bis zur Erfindung von Lokomotive und Automobil herabreicht. Erst die Erfahrung, daß da Wagen ohne Pferde fahren, hat diese zuvor fest eingewurzelte Vorstellung aufgelöst. Denn zuvor war aus der Tatsache, daß die Seele Impulse gibt, auch zu entnehmen, daß sie physisch wirksame Energie vermittelt — eine Konzeption, die vor allem von der Stoa übernommen werden sollte.

Nun gab es zwei Argumente, die schlüssig zu beweisen schienen, daß die Seele nicht nur spontane Bewegungen von Mensch und Tier bewirkt, sondern daß sie im Universum ihren Sitz hat und von dort die Welt lenkt. Erstens lehrte die Beobachtung der Planeten, daß diese in ihrem Laufe anhalten, rückläufig werden, wieder stehen bleiben und danach rechtläufig ihre Bahn fortsetzen. Es vollziehen sich also am Himmel spontane Bewegungen — so wenigstens schien es. Daß dieser Richtungswechsel sich in strenger Regelmäßigkeit vollzieht, war Chaldäern, Ägyptern und Griechen wohl bekannt. Nicht nur der einzelne Planet, sondern die ganze Sphäre, die ihn trägt, befindet sich in einer Bewegung, die nicht so gleichförmig ist wie die Bewegung des Fixsternhimmels — es kann sich nur um die diesem Gestirn innewohnende Seele handeln, die seiner Sphäre eben diese Bewegung verleiht.

Zweitens: Die Welt als Ganzes lebt. Das beweisen einerseits die Planetenbewegungen. Das beweist andererseits die Ordnung, die in dieser Welt herrscht; eben darum nennt man sie ja *Kósmos*. Das beweist weiter der Umstand, daß die Welt aus den gleichen Elementen zusammengesetzt ist wie der Mensch. Nicht nur Demokrit, sondern mit ihm die um Naturerklärung hoch verdiente Ärzteschule von Kos erblickte im Menschen, als dem kleinen Kosmos, Abbild und Widerspiegelung des großen Kosmos. Wenn aber der Mensch Leben und Seele hat, dann muß das Weltganze erst recht beseelt sein. Denn Seele wird ja nie als wertfreie Funktion angesehen, sondern als ein hoher Wert, der zur Verwirklichung des Sinnvollen befähigt, ja dazu drängt. Den beängstigenden Gedanken, daß der Mensch als ein vernunftbegabtes, sinnvollem Tun zugewandtes Wesen etwa in einer vernunftlosen Welt zu leben verurteilt sei — diesen Gedanken hat in der Antike vor den Gnostikern niemand zu denken vermocht. Vielmehr ist dem folgenden Syllogismus uneingeschränkte Gültigkeit zuerkannt worden:

1. Satz: Die Menschen sind Teilwesen innerhalb der alles übergreifenden Welt. Mikrokosmos: Makrokosmos.

2. Satz: Das Übergreifende hat höheren Rang als die darin enthaltenen Teile.

1. Folgerung: Die Welt als Ganzes hat höheren Rang = Seinswert als der einzelne Mensch.

2. Folgerung: Diese Höherrangigkeit muß eben in den Bereichen zur Evidenz gelangen, in denen Mensch und Welt die höchste Werthaftigkeit erreichen.

Neue Prämisse: Höchsten Wert hat am Menschen ohne Zweifel die vom *Lógos* erfüllte Seele.

Neue Folgerung: Also muß die Seele der Welt die des Menschen dem Wert nach ebenso übertreffen, wie die Welt als Ganzes den Menschen, der Teil der Welt ist, übertrifft.

Nun dürfte es nicht für ein unverbindliches Spiel gehalten werden, wenn platonische Seelenlehre auf eine allzu nüchterne Formel, auf eine Formel von übertriebener Rationalität komprimiert zu werden scheint. Eben diese Formel illustriert es mit erwünschter Deutlichkeit, wie sehr dieses Denken in einem physikalisch-mathematisch fundierten Rationalismus verwurzelt ist. Denn man bot in der Tat alle nur erdenklichen Mittel auf, um die zugrunde liegende Aussage als schlechthin rational und darum als unumstößlich zu erweisen.

Auf Grund solcher Überlegungen haben sich die Philosophen aller Richtungen, sogar die sonst stets abweichenden Epikureer, zu der optimistischen Einstellung bekannt, daß alles am Menschen, was sinnvoll, gut und werthaft ist, zum Sinnvollen, Guten und Werthaften in oder über dem Kosmos in Analogie oder in Responsion steht. Die Umkehrung dagegen gilt nicht: Die Defizienz des Menschen, mochte man sie biologisch, mochte man sie ethisch betrachten[17], kann, ja darf auf den Kosmos nicht zurückprojiziert werden; es wurde immer wieder als unerträgliche Blasphemie abgelehnt, das Gute, das im oder über dem Kosmos wirkt, mit der Verantwortung für das Schlechte im Menschen oder zwischen Menschen zu belasten.

VI

Warum hat nun Platon der Seele jenen überindividuellen Rang zugewiesen, kraft dessen sie das Sein in die Welt hinein vermittelt? Mit dieser Fragestellung

---

[17] Bei den vielfachen Erörterungen über das Böse ist kaum je — nachmals nur im Rahmen der stoischen Güterlehre — mit Deutlichkeit unterschieden worden, ob es bei dieser Problemstellung um die biologische Unvollkommenheit des Menschen (Krankheit und Tod) geht oder um den ethischen Aspekt des Bösen.

soll die Verbindung zur vierten der oben vorgetragenen Thesen (vgl. S. 20) hergestellt werden, nämlich zu der These, daß der Seele nicht nur Sein, sondern An-und-Für-Sich-Sein zuzuschreiben ist.

Platon hat nie ein Hehl daraus gemacht, wieviel er der Ontologie der eleatischen Schule, insbesondere Parmenides, verdankt. Dabei steht im Mittelpunkt die grundsätzliche Sonderung des Werdens vom Sein: Was da ist, wird nicht und kann nie geworden sein; was da wird, d.h. den Gesetzen des Werdens und des Vergehens unterworfen ist, hat am Sein keinen Anteil. Sein und Werden stehen also in einem Gegensatz, der sich nicht aufheben läßt. Dabei ist dem Bereich des Werdens die stets trügerische Sinneswahrnehmung — αἴσθησις — zuzuweisen. Das Sein dagegen ist dem auf Wahrheit gerichteten Denken nicht nur zuzuordnen; es ist mit ihm identisch[18]. Hieraus war zu folgern, daß vom Sein kein Übergang zum Werden, vom Denken kein Übergang zum Wahrnehmen möglich ist und umgekehrt. Die beiden von Parmenides postulierten Bereiche bestehen ohne Verbindung nebeneinander, wobei es schon als verfehlt bezeichnet werden müßte, diese beiden Bereiche auch nur durch ein Verlegenheitswort wie ,,bestehen'' in Analogie zueinander zu rücken; im Sinne des Parmenides müßte man in aller Schärfe so formulieren: Das Werden im ganzen und in den Einzelheiten besteht nicht einmal; es negiert beständig sich selbst; eine Aussage ontologischen Inhalts wie ,,es besteht'' kommt nur dem Sein zu.

Wer diese Antithese kompromißlos zu Ende denkt, müßte zur völligen Entwertung dieser Welt gelangen; schlimmer noch, er müßte darauf verzichten, irgendetwas an dieser Welt erkennen, d.h. von rationaler Begründung aus verstehen zu wollen. Hier konnte Platon nicht zustimmen — Platon, der mit Wärme die Schönheit und die Zweckmäßigkeit der Welt gepriesen hat, Platon, der wie seine pythagoreïschen Freunde davon überzeugt war, daß der Lauf der Welt, vielleicht gar der Aufbau der Materie nach mathematischen Gesetzen bestimmt ist. Das eleatische Axiom ließ alle Versuche, die Welt zu erklären, als grundlose Spekulationen erscheinen.

Mit seiner Konzeption von der Seele bot Platon eine Lösung der Aporie, welche die radikale Axiomatik der Eleaten enthält: War doch deren Ontologie mit pythagoreïscher Welterklärung nur dann in Einklang zu bringen, wenn der Nachweis gelang, daß es eine Verbindung zwischen Sein und Werden gibt, eine Instanz also, durch welche sich das Sein ins Werden übersetzt. So wie Platons Philosophie in ihrer ersten schöpferischen Phase durch die Erörterung der Ideenlehre geprägt ist, so ist das Philosophieren seiner späten Jahre durch das Bemühen gekennzeichnet, überzeugend darzustellen, wie sich das ideale Sein der im Werden befindlichen Welt mitteilt. Von diesem Bemühen aus ist die Rede des Timaios zu verstehen; ihr Einsatz ist durchweg eleatisch geprägt:

---

[18] Vgl. Parmenides, Vorsokr. B 3 = I 231, 22 Diels-Kranz: τὸ γὰρ αὐτὸ νοεῖν ἐστίν τε καὶ εἶναι.

Sein und Werden stehen einander unvereinbar gegenüber; das Sein bietet dem
Schöpfer das unveränderliche und darum werthafte Vorbild. Dieser Schöpfer
weiß von Anfang an, daß er den Inhalt des Seienden, also des *Noûs*, nur unter
Vermittlung eines verbindenden Dritten in die Materie einführen, d.h. diese
ordnen kann; daher bewirkt er — was man sich nicht als einen nachträglichen
Akt vorstellen soll — die harmonische Mischung aus dem Identischen und
dem Verschiedenen; darum eben enthält dieses Mittel — es ist *psyché* = die
Seele — im voraus alle die Modulationen, durch welche sich das Sinnvolle in
diese Welt übersetzt: Sie enthält alle rationalen und alle ethischen Werte, sie
enthält Mathematik und Harmonie. Sie ist damit eine vollkommene Abspiege-
lung des κόσμος νοητός — um es mit der Diktion des Mittelplatonismus zu
sagen: Sie ist alles. Und darum ist sie ein universaler Energieträger, durch
welchen sich das theoretische, aber inaktive Sein in Abläufe, in Handlungen
umsetzt.

Für Platon bedeutete diese Konzeption eine beglückende Entdeckung,
durch welche sich eine schmerzlich empfundene Lücke schloß. Dank ihr war
die schroffe Sonderung, welche die Eleaten zwischen Sein und Werden vorgenommen hatten, zugleich bestätigt und überwunden. Ihre entscheidende These brauchte nicht aufgegeben zu werden; denn es war ja nun eine Erklärung
dafür gefunden, wieso die beiden Bereiche des Seins und des Werdens nicht in
unauflösbarem Gegensatz zueinander verharren. Jetzt erst war es möglich, ein
universales Gebäude zu errichten, in welchem ein jedes Phänomen in Natur
und Geisteswelt[19] den ihm zukommenden Platz erhielt.

Hier also war ein Schlüssel gefunden, der ein lange versperrtes Schloß öff-
nete.

Vor allem war damit eine Aufgabe für die Schüler und Nachfolger gestellt
— eine Aufgabe, deren sich die Platoniker seit Plutarch, seit dem Ende des 1.
Jahrhunderts *nach* Christus geradezu unermüdlich angenommen haben. Platon konnte freilich nicht voraussehen, daß sich die Aufgabenstellung in sehr
merkwürdiger Weise verschob. Denn in dieser zweiten Phase des Platonismus
ging es kaum mehr um die Naturerklärung in dem Sinne, wie Aristoteles sie
vorangetrieben hatte. Sondern alle Naturerklärung hatte über sich hinauszu-
weisen; sie diente nicht so sehr der Erforschung des Details, sondern sie diente
als eine induktiv gehandhabte Methode, um hinter jedem Detail, das man ent-

---

[19] Goethe hatte ein klares Bewußtsein dafür, daß in diesem Punkt die Unvereinbarkeit von Platonismus und Christentum kulminiert; sobald (Faust II, 1. Akt ,,Am Kaiserhof'') Mephisto die
Worte ,,Natur und Geist'' ausgesprochen hat, fällt ihm der Erzbischof ins Wort:
    ,,Natur und Geist — so spricht man nicht zu Christen.
    Dafür verbrennt man Atheisten,
    weil solche Worte höchst gefährlich sind!
    Natur ist Sünde, Geist ist Teufel;
    sie hegen zwischen sich den Zweifel,
    ihr mißgestaltet Zwitterkind''.

schlüsselte, die wirkende Kraft des *Lógos* und damit eine der Wirkungen der Weltseele zu erkennen und erkennend zu verehren.

So ist die Seelenlehre unvermerkt aus einem Instrument der Naturerklärung zu einem Instrument theologisch orientierter Ontologie geworden; in Tausenden von Manifestationen wirkt die mit *Lógos* begabte Seele in diese Welt hinein. Jede dieser Manifestationen stellt dem Philosophen die Aufgabe, den in ihr wirksamen *Lógos* zu erkennen — und wäre es nur, um den *Lógos* des jeweils erkennenden Philosophen wieder und wieder einzuüben und so für seine eigentliche Aufgabe zu stärken. Diese Aufgabe aber besteht darin, sich erkennend dem Seienden und damit dem Guten zuzuwenden; um es mit einem Wort Senecas[20] auszudrücken: *deum colit qui novit.* Gotteserkenntnis ist Gottesdienst. Und die Gottheit, das Wohl der Menschen fürsorglich planend, hat ihnen eine unübersehbare Fülle von αἰνίγματα, d.h. von Aufgaben gestellt, deren Lösung sie zur Erkenntnis des Seienden führt.

VII

Hiermit ist bereits viel zu der Frage gesagt, auf welche die dritte der oben formulierten Thesen (vgl. S. 20) führt: Die Seele ist ein notwendiges Glied in der Kette, durch die das Gute in diese Welt eingeführt und übersetzt wird. Wenn die Seele ein derart notwendiges Glied ist, und wenn der Schöpfer sie zu dieser ihrer Funktion dadurch befähigt hat, daß er in ihr das Identische und das Verschiedene durch harmonische Mischung vereinigte[21], wie kommt es dann, daß in dieser Welt, und ganz besonders unter Menschen, Schädliches, Schlimmes, Mißgünstiges vorkommt? Und es kommt nicht nur vor[22], es bedrängt nicht nur durch seine realen Auswirkungen; sondern es ist gar nicht abzustreiten, daß das Böse auch (vielleicht sogar ausschließlich) seinen Ort in den bösen Vorsätzen und damit in der Seele der Menschen hat. Darum ist die Frage nach dem Ursprung des Bösen — πόθεν τὰ κακά — immer so gestellt und beantwortet worden, daß sie auf die Mitverantwortung oder auf die Alleinverantwortung der Seele gerichtet ist. Von der Überlegung, wieso die Seele Mittlerin allein des Guten ist, konnte diese Frage nicht getrennt werden, wenn es denn manifest ist, daß die Seele (im menschlichen Bereich) auch Böses bewirkt.

Eine Antwort auf diese Frage hat niemand zu geben vermocht. Immerhin stand seit Platon fest, daß zwei Antworten unzutreffend, ja blasphemisch sind: Weder hat das Böse seinen Platz unter den Göttern, d.h. im Bereiche des unveränderlichen Seins[23]; noch kann die Materie der Ort, geschweige der

---

[20] Vgl. epistulae morales ad Lucilium 95, 47.
[21] So ausführlich im Timaios 35 A ff.
[22] Wäre es nur, dann wäre das Böse lediglich akzidentiell — συμβεβηκός. Das war eine Lösung, welche versucht, aber als unbefriedigend wieder verlassen wurde.
[23] Hierzu übereinstimmend Phaidros 247 A und Timaios 29 D; φθόνος als der Wille zu schaden ist aus dem Umkreis der Götter ausgeschlossen.

Grund des Bösen an sich sein; denn die Materie, als das schlechthin Passive
definiert[24], vermag ja ebenso guten wie bösen Zwecken zu dienen. Also muß
vermutet werden, daß sich das Böse irgendwo zwischen Himmel und Erde, also im Bereich der Seele aufhält — und das mit Notwendigkeit[25]. Ein einziges
Mal hat Platon zu erwägen gegeben, ob nicht eine Mehrzahl von Seelen angenommen werden müsse, unter denen eine böse Seele der Gutes wirkenden
Seele widerstrebt[26].

Im sogenannten Mythos des Dialogs Politikos[27] wird ein Denk-Experiment
der folgenden Art durchgespielt: Sollte die Gottheit die Welt aus ihrer Fürsorge entlassen haben? Denn da die Welt in jeder Hinsicht gut erschaffen ist[28],
müßte sie ja, sich selbst überlassen, gut bleiben. Das aber trifft offensichtlich
nicht zu — und nun wird angedeutet, wie aus einer zunächst wertneutralen
Richtungsänderung des gesamten Weltablaufes, aus einem Rückläufig-
Werden aller Vorgänge eben doch die Defizienz resultieren könnte. In allen
diesen Überlegungen hält Platon unverrückbar an der im Staat[29] ausgesprochenen Doktrin fest: αἰτία ἑλομένου· θεὸς ἀναίτιος. Die Gottheit ist gut; sie trägt
keine Verantwortung für Unvollkommenheiten dieser Welt. Nicht nur der
Timaios, sondern die ganze, nicht vollendete Trilogie oder Tetralogie, die er
einleiten sollte, war dem Vorhaben gewidmet, es, wenn nicht zu begründen, so
doch anschaulich zu machen, wie das Volk von Atlantis, das zunächst mit
jeder Vollkommenheit ausgestattet war, im Laufe langer Zeiten eben doch in
die Defizienz abglitt — nur durch einen Mythos konnte die Frage nach dem
Ursprung der Defizienz andeutend und verschlüsselnd beantwortet werden.
Keiner dieser Ansätze, zu denen sich Platon tastend im Phaidon und im Phaidros, im Staat, im Timaios, im Politikos und in den Gesetzen äußert, ist nachmals im System der platonischen Schule verankert worden. Oft genug ist die

---

[24] So in reicher sprachlicher Variation im Timaios 51 B ff.; nach 52 A ist die Materie nur der
Ort — χώρα — aller Formung; 52 D wird die gängige, pythagoreisch geprägte Aussage, die Materie sei das mütterliche Prinzip, berichtigt: Die Materie ist lediglich Amme — τιθήνη.

[25] So Theait. 176 A; diese Äußerung Platons zu Ursprung und Wesen des Bösen ist viel beachtet worden; Anspielungen auf sie wurden stets verstanden; vgl. Anm. 30.

[26] Platon, Gesetze 10; 896 E und 898 C. Diese Stelle, von den übrigen Platonikern durchweg
ignoriert, wird von Plutarch de Iside et Osiride 48; 370 ef mit Ernst und Eindringlichkeit behandelt. Wie der Ansatz von (mindestens) zwei Weltseelen mit dem übrigen Philosophieren Platons in
Einklang gebracht werden kann, ist bis heute umstritten; guter Überblick über den Stand der Diskussion im Kommentar von J. G. Griffiths zu Plutarch de Iside z. St., 485 f.

[27] Platon, Polit. 269 A ff., bes. 273 E. Hier wird, in deutlicher Anlehnung zunächst an die Kosmologie des Timaios, sodann an die ,,Katastrophen-Theorie'', von der Platon in den Gesetzen B.
2 und 3 ausgeht, eine andere Variante der Welterklärung durchgespielt — ein lehrreiches Beispiel
dafür, wie sehr Platon dogmatischer Festlegung widerstrebte.

[28] Der Satz Tim. 29 E, ,,der Schöpfer war gut'', stellt eine Leitlinie dar, die kein Platoniker je
verlassen hat.

[29] So im Staat 10; 617 E. Mit diesem Satz, einem λόγιον, schließt die Rede, welche die Göttin
,,Notwendigkeit'' an die Seelen richtet, die ihr künftiges Leben wählen: Die Gottheit trägt, was
das Ergebnis dieser Wahl betrifft, keine Verantwortung; jede Menschenseele wählt, ob sie gut
oder böse sein wird; sie gerät nicht ohne ihr Vorwissen in Verstrickung.

Erkenntnis gestreift worden, daß das Böse vor allem im Bereich des Sterblichen sein Wesen treibt — τὴν δὲ θνητὴν φύσιν καὶ τόνδε τὸν τόπον περιπολεῖ ἐξ
ἀνάγκης[30]. Indes, so dringlich eine bündige Antwort auf diese Frage wäre
(nein: ist!) — sie ist nie gegeben worden; auch Plotin[31], auch Proklos[32] geben
ganze Ketten von Reflexionen; sie weisen bestimmte Lösungsversuche als zu
vordergründig zurück; sie lehnen insbesondere einen Dualismus ab, der dem
Guten wie dem Bösen gleiches Gewicht zuweist, was die Abläufe in dieser
Welt anlangt; denn damit würde man das Axiom aufgeben, daß das Gute =
Eine ohne Gegenteil ist. Zu bündiger Lösung ist indes niemand gelangt; wahrscheinlich wird man dem vergeblichen Streben der Platoniker, hier eine Antwort zu finden, am ehesten durch folgenden Satz gerecht: Das Böse ist, neben
vielen anderen Aspekten, auch das Prinzip der Verwirrung und der Widersinnigkeit. Aus diesem Grunde verfügt die Philosophie nicht über das Instrumentarium, das es erlauben würde, dieses Prinzip zu analysieren; dem schlechthin
Unmethodischen kann man mit keiner Methode zu Leibe rücken. Eine solche
Überlegung steht sicher bereits hinter Platons Worten, man solle das Böse
nicht erforschen wollen, sondern vor ihm kehrtmachen und fliehen. Volles
Gewicht kommt dieser Warnung darum zu, weil die Seele zu jedem Objekt,
das sie erforscht, in eine Wechselbeziehung tritt. Sie soll sich darum dem Guten, dem Werthaften zuwenden, um sich mit solchem Inhalt zu füllen. Bezöge
sie sich dagegen auf das Böse als Objekt ihres Denkens —, sie würde Schaden
nehmen — φθίνει καὶ διόλλυται[33].

VIII

Somit steht nach Platon die Seele ihrem Wesen nach zwischen Verfremdung
und Eigentlichkeit. Ihr Auftrag besteht darin, daß sie aus der Verfremdung in
die Eigentlichkeit, aus dem Exil in die Heimat[34] zurückkehren soll. Das Böse
vermag sich der Seele unter der Vorspiegelung[35] zu nähern, es vermöge dem
Doppelwesen Körper und Seele Gutes, nämlich *hedoné*[36], zu bringen. Platon

---

[30] Theait. 176 A; vgl. Anm. 25.
[31] Enn. I 8; noch immer hierzu unentbehrlich die Untersuchung von E. Schröder, Plotins
Abhandlung πόθεν τὰ κακά (Rostock 1916).
[32] Proklos' Schrift hierzu ist nur in der lat. Übersetzung des Wilhelm von Moerbeke erhalten:
Procli Diadochi Tria Opuscula: De Providentia, Libertate, Malo, ed. H. Boese (Berlin 1960).
Schon der Titel *de malorum subsistentia* läßt erkennen, daß Proklos dem Bösen keineswegs Substanz — *ousía* — zuschrieb.
[33] Phaidros 246 E.
[34] Dies ist von Plotin Enn. I 6 [1] 8, 16-27 zur Metapher von der Heimkehr des Odysseus ausge-
formt worden, der sich von den Verlockungen der Krike und der Kalypso nicht fesseln ließ; wieder aufgenommen bei Augustin, civ. Dei 9, 17; vgl. Plotin Enn. V 1 [10] 1, 21 ff.
[35] Vgl. die folgenden Vergleiche: Stets wirkt das Böse durch List und Betrug = *pseûdos*.
[36] Das Wort *hedoné* mit ‚Freude' zu übersetzen, erscheint als nicht angemessen; die seit S.
Freud üblich gewordene Ausdrucksweise „Lustgewinn" trifft das, was Platon meint, am besten.
Darum überwinde ich in diesem Falle meinen Widerstand gegen Neologismen.

hat sein tiefes Mißtrauen gegen das, was S. Freud Lustgewinn benannte, in
einprägsamen Metaphern ausgedrückt. Im Gorgias[37] tritt ein gewissenloser
Anbieter von Süßigkeiten in Antithese zu dem verantwortungsbewußten Arzt,
der eine die Gesundheit fördernde, aber nicht eben lustbetonte Diät anrät;
andernorts[38] wird *hedoné* als der ärgste Köder des Unheils bezeichnet. Denn
die Lust, aber auch ihr Gegenteil, der Schmerz, bewirken es[39], daß die Seele an
den Körper angenagelt wird, also ihre Freiheit einbüßt, oder daß sie der
Verführung geradezu auf den Leim geht, wie ein Vogel[40]; im ersten Fall war
an den Köder zu denken, der einen Fisch zum Opfer werden läßt, im anderen
Fall ist ein auf den Leim gelockter Vogel Gegenstand des Vergleiches, durch
den Platon die Schaden bewirkende List des Bösen anschaulich macht. Die
Wirkung des moralisch Häßlichen kann aber auch beschrieben werden als ein
Kälteschock, der die Fruchtbarkeit der Seele lähmt[41]. Die Sinnenwelt als der
der Seele fremde, ja ihr entgegengesetzte Bereich (vgl. oben S. 27) bewirkt,
daß die Seele, als wäre sie trunken, taumelt und wie von Sinnen ist[42]; in solcher Verwirrung kann sie ihr Eigentliches nicht leisten; sie wird in der Verfremdung festgehalten und kommt nicht zu sich selbst. So vermag ein Schaden
bewirkendes Un-Wesen die Seele von ihrer Eigentlichkeit abzulenken.

Es ist in antiker und in moderner Zeit viel Scharfsinn und viel Tinte aufge-
wendet worden, um herauszufinden, was nach Platon das Böse ist[43]. Ein
Böses an sich kann es nicht geben. Denn nur Werthaftes kann als etwas Absolutes gedacht werden; nur von ihm kann es eine Idee geben; das ist die
zwingende Folgerung aus dem Satze (vgl. oben S. 30), daß das Gute kein Gegenteil hat. Das Böse wirkt immer nur fallweise, und immer derart, daß es sich
rationaler Erkennbarkeit entzieht. Aber es wirkt — und zwar wirkt es dadurch, daß es die Seele ihrer Eigentlichkeit (vgl. oben S. 31 f.) entzieht. Platon
warnt unmißverständlich davor, über die Natur des Bösen Untersuchungen
anzustellen[44]; es kommt nicht darauf an, die Verfremdung, Verführung, Deformation der Seele zu erforschen oder darzustellen, sondern den Weg aufzuzeigen, der sie zurück zu ihrer Eigentlichkeit führt. Dieses Eigentliche aber ist
das Denken und das Sein — *Noûs* und *ousía*[45]. Damit ist zugleich der Beweis

---

[37] Vgl. Gorgias 464 C ff.
[38] Nämlich im Timaios 69 D und im Sophistes 222 E.
[39] Phaidon 83 D: ἑκάστη ἡδονὴ καὶ λύπη ὥσπερ ἧλον ἔχουσα προσηλοῖ αὐτὴν πρὸς τὸ σῶμα ...
[40] Vgl. Phaidon 83 E; die Nachwirkung dieser Metapher hat P. Courcelle verfolgt: La colle et le
clou de l'âme, in: Revue Belge de Philologie et d'Histoire 36 (1958) 72-95.
[41] Symposion 206 D.
[42] Phaidon 79 C: πλανᾶται καὶ ταράττεται καὶ εἰλιγγιᾷ ὥσπερ μεθύουσα.
[43] Selbstverständlich hätte nie erwartet werden dürfen, daß Platon so etwas wie eine Dogmatik
des Bösen geben könnte. Die Gründe dafür werden sogleich genannt.
[44] So unüberhörbar im Theait. 176 B; daneben tritt das Argument, daß sich die Seele dem
angleicht, was sie betreibt und dem sie sich zuwendet; vgl. Phaidon 81 E ff. Darum kann und soll
die Seele sich nur auf Werthaftes beziehen, ebd. 82 C.
[45] Damit ist implicite der Grund bezeichnet, warum das Böse, dem Irrtum verwandt, nicht dis-

für ihre Unsterblichkeit ausgesprochen. Denn das Seiende, und darum Unveränderliche und mit sich selbst Identische, kann nicht untergehen. Darum läßt sich das Ziel, dem die Seele entgegengehen soll, klar und eindeutig bezeichnen: τὸ καθαρόν τε καὶ ἀεὶ ὂν καὶ ἀθάνατον καὶ ὡσαύτως ἔχον⁴⁶. Damit ist die Formel gleichbedeutend, zu der Platon im Theaitetos 176 B vordringt: ὁμοίωσις θεῷ κατὰ τὸ δυνατόν. Unmißverständlich ist damit die Seele als eine Funktion — später sollte man sagen: als eine Hypostase — des Göttlichen bezeichnet. Hier mündet die sog. Seelenlehre Platons in die Ontologie ein. Denn das transzendierende Sein des *Noûs* realisiert sich allein durch Vermittlung der Seele (vgl. Tim. 30 B).

Hier ist nun der Punkt erreicht, in dem die vier Thesen zur Seele (vgl. oben S. 20 f.) zur Deckung gelangen. Sie enthalten nicht vier verschiedene Aussagen über die Seele; sondern das, was Platon von der Seele wußte, drückt sich in vier verschiedenen, unter sich sinngleichen Formulierungen aus. Platon würde den vorstehenden Satz durch Umstellung berichtigt haben: Weil menschliche Sprache die Seele als ein seiendes Wesen punktuell nicht bezeichnen kann, darum ist sie genötigt, an Stelle des Eigentlichen die primären Konsequenzen auszudrücken: Weil die Seele ein seiendes Wesen ist,

darum ist sie 1) Ursprung aller Bewegung;

darum ist sie 2) ein überindividuelles, die ganze Welt durchwaltendes Prinzip;

darum ist sie 3) ein Glied in der Kette, durch die sich das Gute = Seiende in diese Welt übersetzt;

die vierte These endlich wird zur Tautologie.

Da alles dieses bündig und zweifelsfrei festzustehen schien, war es für Platon kaum nötig, das Verhältnis der Einzelseele zur Gesamtseele zu untersuchen. Denn wo immer sich Seele manifestiert, manifestiert sie sich in gleicher Weise: Sie bewirkt Bewegung. Dieser Satz gilt für das einzelne ζῶον ebenso wie für die Welt im ganzen. Darum differenziert Platon an keiner Stelle, daß etwa die Allseele anderen Gesetzen folge als die Menschenseele. Das Wort ,,Weltseele'' ist nicht von Platon, sondern von Späteren in Umlauf gesetzt worden⁴⁷. Wo Platon von *psyché* = Seele spricht, ist jenes Wesen, jener Energieträger gemeint, der Bewegung bewirkt und der, weil seiend, nur Gutes wirken kann.

IX

Die Nachfolger Platons, vor allem Speusippos, Xenokrates, Krantor arbeiteten daran, dieses Wissen von der Seele in einer knappen Formel auszu-

---

kursiv und erst recht nicht dogmatisch dargestellt werden kann: Nur das Ziel, dem sich die Seele zuwendet, läßt sich kennzeichnen; das, was die Seele hinter sich lassen soll: Dunkel, Unwissenheit, Verwirrung, Irrtum, entzieht sich der Aussage.

⁴⁶ Phaidon 79 D.

⁴⁷ Nur Tim. 41 D, wo es heißt, daß sich der Schöpfer aufs neue dem zuvor erwähnten Mischkrug zuwendet, erwähnt Platon die Allseele — τὴν τοῦ παντὸς ψυχήν.

drücken; dabei ging es weniger darum, eine für immer gültige Definition aufzufinden (die Platon aus guten Gründen nicht gegeben hatte); sondern man
scheint sich darum bemüht zu haben, eine im didaktischen Sinne verwendbare
Formel aufzufinden — eine Formel also, die es erleichtert, den in der Tat
komplizierten Inhalt aufzufalten. Speusippos wollte die Seele erklären als die
Grundfigur jeglicher Dimensionierung. Demzufolge hat die Seele die Sinnenwelt und alle Gegenstände in ihr geschaffen; denn jeder Gegenstand ist dreidi-
mensional. Xenokrates definierte die Seele als arithmetische Funktion, welche
alle Bewegung bewirkt[48]. Beide trugen dem Axiom Rechnung, daß Seele primär Mathematik sei, welche sich in diese Welt übersetzt; dabei trug Speusippos dem geometrischen Aspekt, Xenokrates dem arithmetischen Aspekt
solchen Spekulierens Rechnung. Krantor wandte eine Generation später gegen
Xenokrates ein, daß die von diesem begründete Lehre keine Stütze im Wortlaut Platons finde; denn dem Timaios zufolge ist Seele Mischung aus dem
Identischen und Verschiedenen; und wenn man diese Antinomie aufhebe — so
Krantor —, müsse man die Erklärung schuldig bleiben, warum die Seele kritisches Unterscheidungs- und Urteilsvermögen hat. Es wäre falsch, dieses Hin
und Her der innerakademischen Erörterungen als geringfügig anzusehen: Da
sprachen Schüler, die aufs I-Tüpfelchen festlegen wollten, was der Meister
gemeint habe; ihr Bemühen um gültige Deutung muß hoch veranschlagt werden. Indes kann kein Zweifel sein, daß Platon alle diese Ansätze anerkannt
haben würde, sofern sie angemessen auf die Erklärung einzelner Aspekte des
Problems ,,Seele'' angewendet werden. Platon würde sich freilich gegen die
allzu kämpferische Haltung seiner Nachfolger gewendet haben, insofern diese
nur die eigene Formel als gültig, die der anderen als irrig erweisen wollten.
Aus gutem Grunde hat Platon, der sich diesem Problemkreis von verschiedenen Seiten her genähert hat — vor allem im Phaidon, im Phaidros, im Staat
und im Timaios —, jeweils unterschiedliche Mittel der Sprache, aber auch des
Einführens und des Beweisens aufgeboten; diese Vielfalt der Darstellung darf
nicht als Brüchigkeit oder Widersprüchlichkeit des philosophischen Gehaltes
angesehen werden.
   Die Nachfolger Platons, die mit derart widerstreitenden Formeln arbeiteten, haben damit den ersten Schritt getan, der zur Auflösung der von Platon
begründeten Tradition führen sollte. Es war ja legitim, aus den Aussagen Platons das herauszudestillieren, was man als die eigentliche Essenz betrachtete.
Noch heute verfährt jeder so, der es unternimmt, die Lehre Platons darzustellen. Dementsprechend haben ja auch wir uns leiten lassen von vier Formulierungen, in welchen ich nach bestem didaktischem Vermögen das
zusammengefaßt und verdichtet habe, was Platon mehrfach aussagt oder an-
deutet; selbstverständlich habe ich mich bei dieser Suche nach dem Wesent-

---

[48] Xenokrates fg. 60 Heinze, mehr als sechsmal bezeugt.

lichen von Platons Nachfolgern leiten lassen; jeder von ihnen hat ein Stück des Wesentlichen gesehen. Sie haben sich nur in einem Punkt von dem Vorbild entfernt, das Platon ihnen gegeben hatte: Sie haben das von ihnen erkannte und nachvollzogene Teilstück für das Ganze genommen. Diese ὕβρις der Nachfolger sollte es bewirken, daß die von Platon begründete Tradition alsbald zerfiel. Nun würde es den Rahmen, der diesem Referat gesteckt ist, weit überschreiten, wenn der komplizierte Vorgang nachgezeichnet werden sollte, wie die von Platon begründete Tradition zerbröckelte und wie in mühevoller Arbeit eine an Platon orientierte Philosophie, besser sollte man sagen: Theologie, wiedergewonnen wurde[49]. Denn nun kommt alles auf eine theologische Aussage an: Viel deutlicher, viel drängender und viel dringlicher ist nunmehr, zu Beginn der Kaiserzeit, alles Fragen auf Gott gerichtet. Während Platon seine θεολογούμενα in sorgfältiger Verschlüsselung vortrug, bekannte man sich nun in manchmal sogar redseliger Offenheit zu zwei Forderungen: Es gelte, alle Denkvorgänge auf das höchste Wesen zu richten. Da der Gott der Platoniker *Noûs* = Denken ist, stehen notwendig alle Denkvorgänge in Beziehung zu ihm; es war also das Ziel gesetzt, das höchste und somit subtilste Wesen denkend zu erkennen. Dabei galt es zweitens als ausgemacht, daß nur die rationalen Fähigkeiten λογισμός und διάνοια geeignet sind, zur Erkenntnis Gottes zu führen. Da aber λογισμός und διάνοια Fähigkeiten — δυνάμεις — sind, die in der Seele ihren Sitz haben und nur in ihr und durch sie wirken, war nunmehr die Tür weit aufgestoßen — eine Tür, durch die man in säkulare Erörterungen des Problems ,,was ist Seele'' eintrat. Alles, was in den Jahrhunderten bis Plotin zu diesem Problem gesagt wurde, mußte zwei Bedingungen entsprechen: Es mußte mit dem Wortlaut Platons, insbesondere mit den Formulierungen, die man aus dem Timaios kannte, übereinstimmen, und es mußte, wenigstens ansatzweise, die Aktivität der Seele im kosmischen Bereich und im Menschen erklären. Um das zu erläutern, möchte ich einen Satz Plutarchs herausgreifen, der sich am Ende der zweiten der Platonicae quaestiones, 1001 c findet: ,,Die Seele, da sie Anteil erhalten hat am Denken, an Rationalität und an Harmonie, ist nicht allein eine Schöpfung des Gottes, sondern auch Teil von ihm; sie hat ihren Ursprung nicht nur durch den Schöpfer, sondern von ihm und aus ihm''.

---

[49] Wahrscheinlich muß eine *communis opinio*, nach welcher der Platonismus der Kaiserzeit in allen wesentlichen Stücken auf altakademisches Erbe zurückzuführen sei, berichtigt werden; tatsächlich ist die altakademische Tradition nahezu völlig erloschen; ich habe in drei Aufsätzen versucht nachzuzeichnen, unter welchen Bedingungen der Platonismus um 70 v. Chr. neu begründet wurde: Die Erneuerung des Platonismus im ersten Jahrhundert vor Christus, in: Le Néoplatonisme; Colloques Internationaux du Centre National de la Recherche Scientifique (Royaumont, 9.-13. Juni 1969), 1971, 17-33 = Platonica Minora (1976) 154-165; Der Platonismus in der Kultur- und Geistesgeschichte der frühen Kaiserzeit, in: Platonica Minora (1976) 166-210; Von Platon zum Platonismus. Ein Bruch in der Überlieferung und seine Überwindung, in: Rheinisch-Westfälische Akademie der Wissenschaften, Vorträge G 211 (1976) 1-66.

Der originale Text lautet:

ἡ δὲ ψυχὴ νοῦ μετασχοῦσα καὶ λογισμοῦ καὶ ἁρμονίας
οὐκ ἔργον ἐστὶ τοῦ θεοῦ μόνον, ἀλλὰ καὶ μέρος,
οὐδὲ ὑπ' αὐτοῦ, ἀλλὰ ἀπ' αὐτοῦ καὶ ἐξ αὐτοῦ γέγονεν.

In aller Deutlichkeit ist damit ausgesagt, daß die Seele nicht etwa nur Objekt
der Schöpfung ist; sie tritt zum Schöpfer nicht etwa in das Verhältnis des Ge-
genüber, des bloßen Objektes. Die Metapher vom Künstler, der ein subtiles
Werk erschafft, darf auf das Verhältnis, in dem die Seele zum Schöpfer steht,
nicht mehr angewandt werden. Denn der Schöpfer hat einen Teil seines
Wesens in die Seele, den Prototyp der Schöpfung eingehen lassen. So weit
Plutarch im übrigen von Plotin entfernt ist, in diesem Punkte ist er sein
Vorläufer: In der Seele ist göttliches Wesen enthalten.

Wie man es sich vorstellen soll, daß göttliches Sein in die Formung dieser
Welt einfließt, ist viel erörtert worden; mehrere Modelle sind, sozusagen als
Vorstellungsbehelfe, entwickelt worden; darüber sind wir, wenn auch recht
summarisch, dadurch unterrichtet, daß nachmals Iamblich[50] eine kunstvoll
gegliederte Aufstellung erarbeitet hat, wer in diesem Streit der Meinungen
welche Position bezog. Allen diesen Thesen ist die Schwäche zu eigen, daß sie
einzelnes erklären, bei universaler Anwendung aber unzulänglich sind; daher
ist ihnen viel zur Geschichte des Problems, wenig für seine Lösung abzugewin-
nen. Denn vor Plotin sind im Grunde alle an dem kaum auflösbaren Paradox
gescheitert, daß unter Seele das ganz Allgemeine und das höchst Spezielle, das
von seinem göttlichen Ursprung her Unfehlbare und Werthafte und das infol-
ge seiner Verflechtung mit dem Körper Verführbare und somit Fehlbare
verstanden werden mußte. Daher drehte sich die Diskussion im Kreise, ob die
Seele Mischung sei oder nicht, ob die Weltseele alle belebten Wesen
gleichmäßig durchdringe oder ob Tropfen von ihr in die einzelnen Individuen
herabrieseln, ob die Seele der ἀλογία, der Widersinnigkeit widerstandslos
verfällt oder ob sie von dieser nur akzidentiell, aber nicht der Substanz nach
angerührt werden kann.

Immerhin ist trotz vieler Verkürzungen, trotz aller Kompliziertheit und
trotz aller manchmal verstiegenen Unübersichtlichkeit des Spekulierens ein
wichtiges Element angemessen zum Tragen gekommen: Die Seele wird als ein
Wesen gesehen, das der Verfremdung und damit der Deformation unterliegt,
das aber dazu aufgerufen ist, zu seiner Eigentlichkeit zurückzufinden. Die
hierfür einschlägigen, von Platon geprägten Metaphern werden wieder und
wieder zitiert — schon das ist ein beeindruckendes Zeugnis dafür, mit welchem Ernst man das Paradoxon mit den Vorstellungsbehelfen, die Platon bie-

---

[50] Dieser wichtige Text ist (in mehreren Teilen) erhalten bei Stobaios, wichtig vor allem der Abschnitt ecl. 1, 49; I 362, 24-384, 18 Wachsmuth-Hense, übersetzt von A. J. Festugière: La Révéla-
tion d'Hermès Trismégiste, im Anhang zum 3. Bande (Paris 1953).

tet, zu lösen unternahm —, das Paradoxon nämlich, daß die dem Sein und der Eigentlichkeit zugeordnete Seele in das Gegenteil, in die ἀλογία abgleiten kann.

Plotin setzte den Schlußstrich unter diese oft leidenschaftlich, oft aber auch abschweifend geführten Auseinandersetzungen; während aus dem Jahrhundert vor Plotin reiche Zeugnisse über dieses Problem vorliegen, sind nach Plotin nur mehr seine Schüler zu Wort gekommen. Es ist, wenn man von der grundsätzlichen Kritik absieht, die der Platoniker Origenes[51] als älterer Mitschüler Plotins äußerte, kein einziges Zeugnis auf uns gekommen, das die von Plotin eingeschlagene Richtung kritisiert oder gar bekämpft. Wir wissen nicht, ob diese Alleinherrschaft Plotins sich von selbst einstellte oder ob Porphyrios diese Wirkung mit zielstrebig eingesetzten publizistischen Mitteln erzielte — genug: Der mittelplatonische Pluralismus verschwindet mit einem Schlag; fortan dominiert Plotin.

X

Plotin hat, wie alle vor ihm, die Problematik der Seele als das eigentliche Feld des Philosophierens angesehen; wie alle vor ihm war er davon überzeugt, daß Beobachtungen, aus der Sphäre des Seelischen gewonnen, Auskunft über das geben, was dem Seelischen noch voraufliegt. Denn für ihn steht die Überzeugung, daß die erkennbare Welt eine Widerspiegelung der Seele, diese ihrerseits eine Widerspiegelung des reinen Seins ist, ebenso fest wie für alle Vorgänger.

Diesen Vorgängern hat Plotin freilich einen Vorteil voraus, den er zielstrebig genutzt hat. Vor Plotin war man genötigt, eine induktive Methode anzuwenden, mit deren Hilfe man die höchsten Werte, die transzendenten Wesenheiten andeutend umschreiben, kaum aber definieren konnte. Plotin vermag den umgekehrten Weg zu gehen. Für ihn ist die Suprematie des Höchsten Einen jenseits allen Seins eine durch philosophischen Nachweis wie durch eigenes Erleben[52] schlechthin feststehende Gewißheit. Mit dieser Erkenntnis hat er einen Gipfel erreicht, den die Vorgänger nur erahnen konnten: Albinos z.B., der 100 Jahre vor Plotin in Smyrna wirkte, hat sich von dieser Unzulänglichkeit bisherigen Tastens vollauf Rechenschaft gegeben[53]. Plotin sah sich folglich in der Lage, die Ergebnisse, die bisher induktiv erreicht waren, durch eine nunmehr deduzierende Methode teils zu berichtigen, teils zu befestigen. Un-

---

[51] Von dieser Kritik hat Proklos den entscheidenden Punkt erhalten: in Platonis theologiam 2, 4: edd. H. D. Saffrey et L. G. Westerink (Paris 1974) 31-37; vgl. dazu die notes complémentaires der Hrsg. z. St. und K. O. Weber, Origenes der Neuplatoniker (München 1962), bes. frg. 7 mit Kommentar.

[52] Hier ist auf das biographische Zeugnis des Porphyrios zu verweisen: vita Plotini 23, 7.

[53] Albinos, didaskalikos 10; 164, 19 (Fundort: appendix Platonica, im 6. Bd. der Platon-Ausg. v. C. F. Hermann, 1853).

terhalb des Höchsten Einen vollzieht sich der processus = πρόοδος, durch den
die Vielheit aus dem Einen hervorgeht. Eine erste Hypostase, d.h. Realisation
des Einen stellt das transzendente Sein dar, das zugleich *Noûs* ist. Diese Hypostase ist im striktesten Sinne Einheit, zugleich aber Vielheit, da sie alle Objekte
des Denkens, τὰ νοητά, in sich enthält[54].

Unter dieser obersten Hypostase ist eine zweite in die Realität getreten —
ὑφέστηκεν; es ist die Seele. Nun kann nichts existieren außerhalb — ich drücke
es jetzt metaphorisch aus — der Kraftlinien, die vom Höchsten Einen über
den *Noûs* als das Eine/Viele — ἓν πολλά — herabwirken. Es ist daher keine
Aussage über die Seele zulässig, welche sie in irgendeinem Punkte aus diesem
Verhältnis zum *Noûs*, aus dieser ihrer Hypostasierung herausrückt. Mit anderen Worten, die Mehrzahl bisheriger Spekulationen ist damit gegenstandslos
geworden — so etwa: die Seele sei Mischung, oder: sie könne in Relation zum
Nicht-Seelischen treten, oder: die im Menschen wirkende Seele — d.h. die
Einzelseele — sei minderen Ranges oder minderer Qualität im Vergleich zur
Weltseele. Derlei Aussagen führen sämtlich auf die Behauptung, daß die Seele
noch etwas anderes sei als eine Stufe des Prozesses, durch den sich das Eine
zum Vielen auffächert und auffaltet; ein παρυφίστασθαι, ein Existieren, welcher
Art immer, außerhalb des im Einen gipfelnden Systems ist undenkbar; wenn
je im Platonismus etwas als Ketzerei[55] angesehen werden konnte, dann war es
ein Hinneigen zur Möglichkeit des παρυφίστασθαι. Denn wer eine solche Möglichkeit zuließ, leugnete die Alleingültigkeit der Einslehre. Und diese ist mit
zielstrebiger Entschlossenheit verteidigt worden.

Aus diesem Grunde haben Plotin und Porphyrios von den bisherigen Aussagen über die Seele alles abgestreift, was über die rein ontologische Aussage
hinausging; der verbleibende Kern lautet: Seele ist körperlose Wesenheit —
ἀσώματος οὐσία[56]. Dabei war mitzuverstehen, daß „Seele" einen ganz bestimmten Ort und eine ganz bestimmte Funktion in jenem Prozeß ausfüllt, durch
welchen sich die Einheit zur Vielheit entfaltet.

Die Seele ist eine vollständige und vollkommene Abbildung oder Widerspiegelung des *Noûs*; und darum ist sie, wie der *Noûs*, Einheit. Unter ihr aber gibt
es keine vollkommene Realisation der Einheit mehr; hier liegt der Punkt, in
welchem sich die Seele vom *Noûs* unterscheidet: Der *Noûs* bewirkt Einheit —
nämlich die Einheit der Seele. Diese aber bewirkt Vielheit. Während dem

---

[54] Für Plotin und seine Schule war es von konstituierender Wichtigkeit, daß dieses Dogma zur
Geltung gebracht wurde; darüber berichtet Porphyrios, vita Plotini 18, 8-20. Zu diesem Thema
vgl. Plotin, V 5 [35] und unten S. 39 f.

[55] Vgl. Syrian, in Arist. met. M 4; 105, 21-106, 31 Kroll; dort wird gegen Plutarch und Attikos
die Anklage gerichtet, sie hätten den ontologischen Rang der Ideen mit dem (niederen) Rang des
Seelischen vermengt.

[56] Auf diese knappe Formel reduzierte Porphyrios die Definition der Seele; offensichtlich ver-
folgte er dieses als eines der Ziele in der Schrift „Vermischte Untersuchungen" = σύμμικτα ζητήμα-
τα.

Noûs die ansatzweise Beschreibung als ἓν πολλά zukommt, muß die Seele als ἓν καὶ πολλά beschrieben werden; in ihr sind Eines und Vieles nicht mehr zur Einheit verbunden, sondern die Seele realisiert sich in der Vielheit; sie bringt keine Hypostase hervor, welcher die Eigenschaft zukommt, vollkommen — τέλεια — zu sein. Wohl gibt es unzählige unvollkommene ὑποστάσεις[57]. Dagegen kann es nur zwei vollkommene Realisationen des Einen geben, nämlich den *Noûs* und die Seele. Diesen Nachweis hat Plotin mit aller Strenge in der Polemik gegen die Gnostiker erbracht[58]; denn diese hatten in einer, wie Plotin findet, unerlaubten Weise Hypostasen in großer Zahl angenommen.

Bisher war von der ontologischen Wirksamkeit des Einen die Rede; selbst über allem Sein stehend, regt es als die oberste aller causae die ständig wirkende Energie — ἐνέργεια —, den *Noûs* an. Dieser ruft die Seele hervor[59], die ihrerseits ihre Energien wirken läßt. Diesen Vorgang hat man gern als Emanation[60] bezeichnet; Plotin freilich hat wieder und wieder geltend gemacht, daß durch solche Emanation, durch das Ausfließen und Ausstrahlen die Energie der beiden vollkommenen Hypostasen sich niemals mindert, geschweige denn verzehrt wird.

In ununterbrochenem Strom ergießt sich das Gute, vermittelt durch *Noûs* und Seele, in diese Welt. Es braucht in den transzendenten Wesen kein eigenes Organ der den Menschen sich zuwendenden Fürsorge zu geben; der Automatismus, durch den das Gute sich der Welt mitteilt, ist so vollkommen, daß kein göttliches Wesen — weder die Weltseele noch einer der in ihr angesiedelten Götter — sich den besonderen Nöten eines Menschen zuwenden müßte. Im Gegenteil, die höheren Wesen würden etwas von ihrer Majestät einbüßen, wenn sie sich den Wesen unter ihnen zuwenden würden. Was den *Noûs* anbelangt, so war seit langem der von Aristoteles[61] herrührende Satz akzeptiert, daß dieser nur sich selber denken, nur sich selber betrachten könne[62].

---

[57] Diese Sonderung nimmt Porphyrios, sent. 30 (jetzt: ed. E. Lamberz) vor; im gleichen Sinne Proklos, inst. theol. 33-34.

[58] Enn. II 9 [33] Ende.

[59] So bereits sehr prägnant Albinos, did. 14; 169, 32-35 Hermann: Der Schöpfer erweckt die Seele und ordnet sie auf sich selbst hin …ἐγείρθων καὶ ἐπιστρέφων πρὸς ἑαυτὸν τόν τε νοῦν αὐτῆς καὶ αὐτὴν ὥσπερ ἐκ κάρου τινος …

[60] Daß dieses Wort nur mit behutsamer Einschränkung auf das Verhältnis der Hypostasen zueinander verwendet werden darf, habe ich zu zeigen versucht: Emanation. Ein unphilosophisches Wort im spätantiken Denken, in: Parusia. Festgabe für Joh. Hirschberger (Frankfurt 1965) 119-141 = Platonica Minora (1976) 70-88; vgl. Art. Emanation RGG³, 2 (1958) 449-450; dagegen unkritisch J. Ratzinger RAC 4 (1959) 1219.

[61] Aristoteles stellt met. Λ 9; 1074 b 15-1075 a 10 fest, welche Aussagen vom höchsten *Noûs* gelten müssen, wenn dieser wirklich das höchste aller Wesen ist. Dieser Beweisgang hat für die dogmatische Fixierung der platonischen *Noûs*-Theologie hohe Bedeutung gewonnen.

[62] Einzig Plutarch hat — und das nur an versteckter Stelle, def. orac. 30; 426 d — an der von Aristoteles begründeten *Noûs*-Theologie (vgl. vorige Anm.) Kritik geübt; ihm ist ein Gott, der nur sich selbst betrachtet, unannehmbar; er fordert einen Gott, der seine Fürsorge — πρόνοια und ἐπιμέλεια — auf diese Welt richtet, um ihre Fehlerhaftigkeit, wenn nötig, zu verbessern.

Nun aber wird dieses Axiom mit allen Konsequenzen auf die Seele übertragen; wenn man sie, wie den *Noûs*, als transzendente Wesenheit betrachtet, dann muß allerdings die ontologische Aussage auf das strikteste auf die Seele zutreffen. Um das, was hier vorging, auf eine recht knappe Formel zu bringen: Mit dem Versuch, die Realität der Seele auf das höchste zu steigern, nämlich ihr transzendentes und damit göttliches Sein zuzuschreiben, entfernte man sich in einer oft absurd anmutenden Weise von dem, was wir psychologische Realität nennen möchten.

Somit befand sich Plotin in einer völlig neuen Situation des Beweisens. Anders als Platon maß Plotin der Seele einen scharf umrissenen Rang im Bereiche der transzendenten Wesenheiten zu. Was bei Platon angedeutet war[63], nämlich daß der Seele Sein zukommt, sofern sie zu sich selbst findet, das ist nun zum Mittelpunkt einer ontologischen Systematik geworden; damit entfällt die Notwendigkeit des Umschreibens oder Andeutens.

So hat Plotin aus Gründen, die für ihn, jedoch nicht für Platon galten, die Gewichtung, so wie sie Platon gewollt hatte, verschoben: Es ist durchweg von der Eigentlichkeit der Seele die Rede; die bedrängende Frage, wie denn die Seele in die Verfremdung, ins Exil gerät, bleibt zwar nicht unerörtert, doch wird sie an den Rand abgedrängt. Klar und deutlich ist das Paradox erkannt worden, das die Vorgänger nicht zu lösen vermochten: Plotins Lösung ist geradezu gewaltsam, denn er leugnet es, daß je eine Verfremdung der Seele ihrer Substanz nach eintreten könne; denn diese ist unwandelbar. Da diese Gewißheit, wie gesagt, unverrückbar feststeht, wird es zu einer Frage zweiten Ranges, wie es zum Fall der Seele kommt — denn bei dieser Frage geht es nur mehr um Akzidenzien. Hier könnte man von einer Hypertrophie platonischer Haltung sprechen: Das, was als geringwertig, als ἧττον, ἐνδεέστερον, μερικώτερον[64] erkannt worden ist, scheidet aus der Betrachtung aus; in dieser Hinsicht ist das Kap. Enn. IV 8, 7 von hoher methodischer Bedeutung; daneben ist der Schluß von Enn. V 8 zu halten. Gewiß, daß die Seele ein Wesen ist, das zwischen der unteilbaren und der teilbaren Wesenheit steht — μεταξὺ τῆς ἀμερίστου καὶ τῆς μεριστῆς οὐσίας —, das wird nirgends geleugnet. Aber strikt hält Plotin an der Forderung fest, daß man die Seele nur dann richtig würdigt, wenn man ihre Substanz würdigt. Dann muß man ihr den gebührenden Platz als die zweite Hypostase des Einen zuweisen und sie in dieser ihrer ontologischen Wertigkeit zu erkennen versuchen; mit anderen Worten, nunmehr dominiert die Betrachtung, die zur These 4 anzustellen war; daneben versinkt alles übrige in die Unerheblichkeit; was ein Paradox zu sein schien, ordnet sich

---

[63] Über den gesamten Bereich, der hier zur Rede steht, hat Platon sich nur in Verschlüsselungen, griech. αἰνίγματα, geäußert. Das Gebot, es gelte alles dieses als ἄρρητον zu betrachten, ist von den Späteren kaum mehr beachtet worden; darum sprechen diese von den ἄρρητα = *arcana* mit zuvor nicht vollziehbarer Präzision.

[64] Was die metaphysische Bedeutung solcher Komparative anlangt, vgl. oben S. 37 f.

fast ohne Mühe in die Geradlinigkeit des plotinischen Systems ein; es braucht nichts Paradoxales angenommen zu werden; daß manche Menschen aus Schwäche — ἀδυναμία — zum Mörder oder zum Sexualverbrecher werden[65] (so Enn. II 9, 9, 12), darf nicht wundernehmen — es ist dies die extreme Ausgestaltung der stoischen Lehre, daß äußere Güter ebenso wie von außen kommende Schädigungen unerheblich sind.

XI

So realitätsfern, so rigoros, so einseitig dieses alles gedacht und formuliert ist — es übte eine ganz ungemeine Wirkung aus. Es war recht eigentlich die plotinische Seelenlehre, welche den Platonismus für das Christentum unangreifbar machte. Denn wer sich die Wertvorstellungen, die der Seelenlehre Plotins zugrunde liegen, wirklich zu eigen machte, der konnte von hoher Warte auf alle Bemühungen um Rechtfertigung und auf alle Hoffnung auf Gnade herabsehen; im Besitz der soeben skizzierten Lehre befand sich der Platoniker in einem Status des Gesichert-Seins, welcher Außenstehenden als unerträglicher Hochmut — *immanissimus tyfus*[66], so Augustin conf. 7, 13 — erscheinen mußte. Augustin notiert es civ. Dei 11, 4 mit einiger Verwunderung, daß Platoniker seiner Zeit nicht auf die Vorstellung verzichten mochten, die Seele sei *deo coaeterna*. Das allerdings war ein kardinaler Punkt im *dissensus* zwischen Platonikern und Christen. Denn wer der Seele im gleichen Maße Ewigkeit zusprach wie der schaffenden Gottheit, mußte ja mit Notwendigkeit ein Gefüge von transzendenten Stufungen annehmen; er kann sich dann nicht die Seele und die Welt als eine Schöpfung Gottes vorstellen, die u.U. in Widerstreit zu Gott zu treten vermag.

Die gleiche Überzeugung spricht aus den Bedingungen, die Synesios dem Klerus von Kyrene stellte[67], als er zum Bischof erwählt werden sollte; zwar verspricht Synesios, er werde niemals die Laien dadurch erschrecken oder verunsichern, daß er ihnen seine vom Christentum abweichenden Meinungen kundtut (er wird sein bischöfliches Lehramt also nicht mißbrauchen); aber er fordert zugleich, daß man ihm seine tief eingewurzelten Überzeugungen nicht verübelt; denn es wäre unehrlich, wenn er sich öffentlich zu Lehren bekennen würde, die er nicht teilt. Drei dieser Überzeugungen, die von den θρυλούμενα δόγματα, von der dogmatischen Vulgata abweichen, führt Synesios im 105. Briefe auf; an erster Stelle steht die Überzeugung, daß die Seele nicht nach dem Körper[68] erschaffen sei, an zweiter die These, daß weder die Welt noch

---

[65] Enn. II 9 [33] 9, 12.
[66] Augustinus, Conf. 7, 13.
[67] Synesios, epist. 105; Fundort: Epistolographi Graeci, ed. R. Hercher, p. 704 f.
[68] Hier beruft sich Synesios, für damalige Leser vollauf verständlich, auf ein durch Platons Timaios 34 C festgelegtes Dogma: Die Seele ist älter (und darum ehrwürdiger) als der Körper; folglich kann Synesios der durch Gen 2, 7 geprägten Vorstellung nicht zustimmen; noch viel weniger kann er sich mit der Leugnung der Weltseele einverstanden erklären.

ihre Teile jemals zugrunde gehen. Dies ist ein deutliches Bekenntnis zum Timaios, aber gegen christliche Lehre. Vom Dogma der ἐξανάστασις τῶν σαρχῶν,
der Auferstehung, möchte er gar nicht sprechen; diesem Dogma liegt ein heili-
ges und geheimes Wissen — ἱερὸν καὶ ἀπόρρητον — zugrunde.

Den verbreiteten, allzu vulgären Vorstellungen hiervon mag Synesios nicht
zustimmen. Es verdient höchste Aufmerksamkeit, daß die Vorbehalte des
Synesios nicht die Christologie, nicht die Trinität betreffen, er scheint mit aller Klarheit erkannt zu haben, daß hier, in der Problematik der Seele, der pri-
märe, unüberbrückbare Gegensatz zum Christentum bestand — und das mit
einigem Recht. Denn auf dem Gebiet der eigentlichen Theologie folgten beide
Seiten wenigstens in einem Punkte der gleichen Gesetzlichkeit: Es geht darum,
Gott die höchste Macht, die höchste Seinsfülle, das höchste Maß an Güte
zuzuschreiben; kam man hier auch im einzelnen zu sehr unterschiedlichen
Ergebnissen, so war doch wenigstens die Absicht die gleiche, nämlich die via
eminentiae bis zum Ende zu gehen.

Für diesen Bereich haben es Justin[69] und Augustin[70] geradezu mit Dank ausgesprochen, daß sie der differenzierten Begrifflichkeit der Platoniker nicht
wenig zu verdanken haben. Zugleich aber wußten sie sehr wohl, daß ungeachtet tangentialer Berührungen christliche und platonische Lehre von einer Kon-
gruenz weit entfernt waren.

Der hauptsächliche Grund dafür ist dieser: Die Konzeption Platons und seiner Nachfolger war monistisch im striktesten Sinne; das will besagen: *Eine* das
Gute bewirkende Ursache entfaltet sich in dieser Welt. Indes ist diese Konzeption, wiewohl monistisch, durchaus nicht monotheistisch im Sinne der mosa-
ischen, der christlichen, der islamischen Religion. Denn der eine Gott der Platoniker ist kein ‚einiger Gott‘: Die Schöpfung und in ihr der Mensch sind nicht
das von Gott losgelöste, von ihm verschiedene Gegenüber, das gar zu Gott in
Gegensatz, ja in Widerstreit zu treten vermag. Der Gott der Platoniker hat
kein Gegenteil; niemand und nichts kann in Gegensatz zu diesem Gott geraten, denn er durchdringt die ganze Schöpfung, und die Seele des Menschen ist
ein Fünkchen von ihm. Damit ist der Punkt bezeichnet[71], in welchem Platonismus und Christentum nie zum gegenseitigen Verständnis, geschweige denn zu
einem Übereinkommen gelangen konnten.

Und es ist gewiß nicht überflüssig zu betonen, daß dieser unüberbrückbare
dissensus in der Frage nach der Seele und ihrer Funktion mit aller Macht
,,aufbricht''. Gewiß ist dieser *dissensus* schon ,,weiter oben'' in der Stufenlei-

---

[69] Justin, dial. 2-6.
[70] Augustinus, civ. Dei 8, 4-9, bes. cap. 7.
[71] Im Vorfeld dieser Problematik hat die Frage Bedeutung, ob Gott als Person vorgestellt werden muß (oder darf) oder nicht; letzten Endes ist diese Frage und die auf ihr beruhende Entscheidung vordergründig. Statt dessen muß so gefragt werden: Ist die Welt, und in ihr die Menschheit,
ein Objekt des Schöpfers, das ontologisch von ihm gesondert ist? Oder wird die Welt ständig —
also ἐνέργεια — durch den göttlichen *Lógos* durchdrungen.

ter der transzendenten Wesen angelegt; er beginnt bei der Frage nach der Modalität, durch die sich das Göttliche in die Welt hinein entfaltet[72]. Aber die unausweichlichen Konsequenzen stellen sich erst da ein, wo nach der Heilsfähigkeit der Seele gefragt wird: Ist das Heil unverlierbar? Vermag es die Seele aus eigener Kraft zu gewinnen? Beide Fragen bejaht der Platoniker mit voller Überzeugung. Die endgültig von Plotin bezogene und begründete Position schloß — was diese Frage anlangt — jegliche Annäherung an christliche Überzeugungen aus —, nicht nur in der Theorie, sondern vor allem in der Praxis. Denn wenn der Seele grundsätzlich ewiges, unveränderliches Wesen zugeschrieben wird, wenn sich in ihr die Substanz des Göttlichen abbildhaft realisiert, dann werden damit nicht nur dogmatisch fixierte Lehrsätze außer Kraft gesetzt. Denn dann braucht kein Heil verheißen zu werden, das sich in Zukunft verwirklichen wird, sondern das Heil ist der Welt von Anfang an widerfahren; dieses Heil ist in der Seele, der Weltseele sowohl wie in der mit ihr identischen Einzelseele, von Anfang an enthalten. Darum braucht der Platoniker keine Rechtfertigung anzustreben; seine Seele ist ja Hypostase, also Verwirklichung des Einen und des Guten. Und er sollte auf keine Gnade im paulinischen Sinne hoffen. Denn die ewige Gerechtigkeit ist so vollkommen, daß sie ihr unumstößliches Urteil nicht durch Gnadenakte zu revidieren braucht. Es braucht darum keine Sakramente zu geben, keine Priester und keine Kirche. Denn die Heilsgewißheit alles dessen, was Seele ist, ist so fest verankert, daß sie durch Hilfe Dritter, durch das Miteinander einer Gemeinde, durch rituelle oder sakramentale Vollzüge gar nicht weiter verbessert werden könnte. Selbstverständlich wird nicht verkannt, daß der Zuspruch eines Freundes, die Argumentation eines Lehrers eine gewisse Hilfe für den Suchenden bedeuten kann.
Aber der Platonismus ist einer jeden Institution feindlich, weil es nur eine einzige von vornherein heilswirksame Institution gibt: Das ist die vom Höchsten Einen herab wirkende ἐνέργεια und die auf das Höchste Eine sich richtende θεωρία, die ebensogut als ὁμοίωσις wie als ἔνωσις beschrieben werden kann.

XII

Hiermit hoffe ich, These und Gegenthese hinreichend klar bezeichnet zu haben. Das platonische Lehrgebäude muß, ungeachtet der vielen Schwankungen, die im einzelnen zu beobachten sind, von seiner Grundkonzeption her verstanden werden: Die Gottheit setzt sich als die wirkende Kraft und als die Güte[73] in diese Welt hinein fort. Damit vollbringt sie nicht etwa eine Heilstat, welche die abgefallene Menschheit in die ursprüngliche Sündlosigkeit zurück-

---

[72] Hierzu konzipierte Plotin die Antwort, daß dieser Vorgang der Entfaltung analog, ja wohl gar gleich sei dem Vorgang, durch den sich die Eins in die Vielheit entfaltet: Die Eins ist ja in jeder Zahl präsent. Schon diese Analogie ist für christliche Theologie unannehmbar.
[73] Gemeint ist damit die Tendenz, unausgesetzt Gutes zu bewirken.

führt. Sondern diese Konzeption läßt den Gedanken gar nicht zu, daß irgend eines Menschen Seele der συγγένεια, die sie mit Gott verbindet, verlustig gehen könnte. Ebensowenig ist es denkbar, daß die Welt, von Gott erschaffen, in ihrer Substanz von Fehlhaftigkeit ergriffen und deformiert werden könnte. So kann sich die Macht des Bösen im Grunde nur in Akzidenzien kundtun[74], jedenfalls nicht eine von Natur gute Substanz[75] verfremden und in ihrem Wert verändern.

Diese in der Tat beeindruckende Geschlossenheit hat Augustin verspürt und auf sich wirken lassen. Er hat freilich alsbald erkannt[76], daß in diese auf den reinen Geist sich gründende Hochreligion kein Weg hineinführt, der für einen Christen gangbar wäre.

Allerdings beschritt Augustin zunächst zuversichtlich den Weg, den platonische Schulpraxis wies; es ist der Weg, der in strikt eingehaltener Rationalität, nämlich λογισμῷ καὶ διανοίᾳ (vgl. oben S. 35 f.), zur Gottesschau führen soll — es ist der gleiche Weg, dem Justin[77] sich anvertraute. Zunächst erfaßt den Adepten ein Hochgefühl, das sich freilich bald als trügerisch erweist[78]. Denn auf diesem Wege bleibt man der *humilitas* fern; statt ihrer erfährt man an sich den *tyfus* — also eben die Haltung, die an Platonikern so abstoßend wirkte.

Der Weg zu Christus ist mithin ein völlig anderer als der, den die Platoniker selbst beschreiten und den sie anderen weisen. Weil dieser Weg nach Augustins Erfahrung nicht zum Ziele hin, sondern in den Untergang führt, darf er die Formulierung wagen, die Platoniker wüßten wohl das Ziel, aber nicht den Weg dorthin. Augustin wäre ein *periturus*, dem Untergange verfallen, wenn er nicht den Weg zu Gott in Christus fände — *nisi in Christo salvatore nostro viam tuam quaererem.*

Die Antithese, um die es in diesem Referat ging, ist durch diese Worte Augustins klar gekennzeichnet.

BIBLIOGRAPHIE

Bibliographie zum Thema „Begriff der Seele" bei Platon und im Platonismus

P. O. KRISTELLER, Der Begriff der Seele in der Ethik des Plotin (Tübingen 1929) = Heidelberger Abhandlungen zur Philosophie und ihrer Geschichte 19.

---

[74] Hier wird die Lücke sichtbar, die in allen Untersuchungen über die Natur des Bösen klafft: Man weiß wohl, daß es nicht zureicht, das Böse als lediglich akzidentiell zu definieren (vgl. oben S. 29 ff.). Andererseits kann und darf man ihm nicht Substanz — *ousía* — zuerkennen; denn dann könnte es *substantialiter* Gegensatz zum Guten sein. Schon Platon bezeichnet das Böse nicht als gegensätzlich, sondern, so Theait. 176 A, als ὑπεναντίον. Die hier bestehende Schwierigkeit ist nie ausgeräumt worden.

[75] D.h. die Seele kann niemals völlig in die Sinnlosigkeit — ἀλογία — absinken.

[76] Conf. 7, 20.

[77] Dial. 2.

[78] Das trügerische Empfinden des Empor-getragen-Werdens und der Hoffnung auf baldigen Gewinn des Heils wird an beiden Stellen gleichartig beschrieben. Justin, a.a.O., beschuldigt sich der βλακεία, Augustin: *garriebam plane quasi peritus.*

P. Thévenaz, L'âme du monde, le devenir et la matière chez Plutarque (Paris 1938) = Collection d'Études Anciennes.

Ph. Merlan, Beiträge zur Geschichte des antiken Platonismus. Poseidonios über die Weltseele in Platons Timaios, in: Philologus 89 (1934) 197-213 = Kl. Schriften (1976) 70-87.

Ders., From Platonism to Neoplatonism (Den Haag ¹1953, ²1960, ³1968); darin bes. die Kap. I: Soul and Mathematicals, II: Poseidonius and Neoplatonism, 8-52.

Ders., Monopsychism, mysticism, metaconsciousness. Problems of the Soul in the neo-aristotelian and neoplatonic Tradition (Den Haag ¹1963, ²1969).

H. R. Schwyzer, Zu Plotins Interpretation von Platons Tim. 35 A, in: Rhein. Museum 84 (1935) 360-368.

J. Pépin, Éléments pour une histoire de la relation entre l'intelligence et l'intelligible chez Platon et dans le néoplatonisme, in: Revue de Philosophie 146 (1956) 39-64.

J. Moreau, L'âme du Monde de Platon aux Stoiciens (Paris ¹1939, Hildesheim ²1965).

P. P. Matter, Zum Einfluß des platonischen Timaios auf das Denken Plotins (Winterthur 1964). Bes. Erstes Kapitel: Die Hypostase der Seele, 18-79.

T. M. Robinson, Plato's Psychology (Toronto 1970).

H. J. Blumenthal, Plotinus' Psychology (Den Haag 1971).

Ders., Soul, World-Soul and Individual Soul in Plotinus, in: Le Néoplatonisme. Colloques internationaux, Royaumont 9.-13. Juni 1969 (Paris 1971) 55-66.

H. Jonas, The Soul in Gnosticism and Plotinus. in: Le Néoplatonisme, a.a.O. 44-53.

H. Dörrie, La doctrine de l'âme dans le néoplatonisme de Plotin à Proclus, in: Revue de Théologie et de Philosophie (1973) 116-134.

Ders., Porphyrios' Lehre von der Seele, in: Entretiens sur l'Antiquité Classique 12 (1967) 165-192 = Platonica Minora (1976) 441-453.

FERNANDO INCIARTE
Münster

DER BEGRIFF DER SEELE IN DER PHILOSOPHIE DES ARISTOTELES

Das Problem der Seele wird von Aristoteles unter zwei Hauptgesichtspunkten behandelt: einmal unter dem Gesichtspunkt des Lebens, zum anderen unter dem des Bewußtseins. Wenn nun Pflanzen zwar leben, aber — nach Aristoteles anders als bei Plato[1] — kein Bewußtsein haben, so muß zwischen beiden Aspekten eine gewisse Spannung bestehen. Außerdem kann man für unser Wort ,,Bewußtsein'' bei Aristoteles keine einheitliche Entsprechung finden. Auch dies deutet auf einen Vorrang des Lebensaspekts bei der Seelenproblematik hin. ,,Leben'' ist mit anderen Worten sowohl umfassender als auch einheitlicher als ,,Bewußtsein''. Andererseits reicht der Lebensbegriff des Aristoteles nicht nur durch alle Seelenarten hindurch, sondern — sofern die Seele immer Seele eines Körpers ist[2] — reicht er bis zum Körperlosen. Auch Gott, und gerade ihm, eignet Leben; sogar die höchste Art des Lebens[3]. Doch obgleich Gott körperlos ist[4], ist er wiederum nicht völlig vom Bereich des Seelischen abgeschnitten. Sein Leben besteht im Denken, zumal im Denken des Denkens[5]; das Denken wird aber, zumindest im allgemeinen, nicht vom Bereich des Seelischen ausgeschlossen, vielmehr als das der Seele Eigentümlichste[6] eigens in es einbezogen[7]. Sieht man zunächst davon ab, daß auch von demjenigen Intellekt (νοῦς), dem Aristoteles Unsterblichkeit zukommen läßt, in der Schrift ,,Über die Seele'' die Rede ist (Buch III, Kap. 5), so läßt sich sagen, daß Seele zunächst nur bei derjenigen Art von Leben auftritt, auf welches der Tod folgt, kurz: nur beim Sterblichen[8]. Das Verhältnis zwischen lebender und toter Materie, speziell lebendem und totem Körper, ist — in positiver und, wie wir sehen werden, auch in negativer Hinsicht — wesentlich für die aristotelische Auffassung von der Seele. Wir wollen folglich mit dem Lebensaspekt der Seelenproblematik beginnen, ehe wir zu dem Bewußtseinsaspekt übergehen.

---

[1] Vgl. *Timaeus*, 77 A-B.
[2] 414a 18-22; vgl. aber auch 413a 6 f. Wenn nicht anders vermerkt, beziehen sich die Ziffern auf *De Anima*.
[3] *Metaphysica* Λ, 1072b 26.
[4] Vgl. a.a.O. 1073a 6.
[5] a.a.O. 1074b 34.
[6] 403a 8.
[7] 414a 12-13.
[8] Vgl. 413a 32.

I. Seele unter dem Aspekt des Lebens

1. *Die Bestimmung der Seele*

Nachdem Aristoteles die überlieferten Auffassungen über die Seele behandelt hat (I. Buch: Über die Seele), versucht er im ersten Kapitel des II. Buches eine möglichst allgemeine Definition der Seele zu geben. Auch wenn es sich dabei nur um einen Versuch[9] handelt, mutet das Unternehmen angesichts der Tatsache, daß Aristoteles wenig später die Suche auch schon nach einer allgemeinen Definition hier wie überall als geradezu lächerlich[10] hinstellt, merkwürdig an. Bedenkt man allerdings, daß die dann doch vorgeschlagene Definition nicht deshalb möglichst allgemein ist, weil sie ein allen Lebensarten durchschnittlich gemeinsames Merkmal wiedergibt, das auf keine so recht paßt[11], sondern deshalb, weil sie nur die einfachste Lebensart, nämlich das vegetative Leben betrifft, das in allen anderen Arten vorkommt, dann verschwindet der Anschein eines Widerspruchs.

Um eine solche — wie wir heute sagen würden - konkret allgemeine Definition zu geben, geht Aristoteles allerdings aus von einem abstrakt-allgemeinen Merkmal: Die Seele gehört zur Gattung, das heißt zum Sachbereich des Substantiellen[12]. Man muß folglich zuerst fragen, was Substanz ist. Diese Frage kann indes zweierlei bedeuten[13]: einerseits, was man unter Substanz verstehen solle, andererseits, was alles Substanz sei oder zur Substanz zählen könne. Unter Substanz kann man nun dreierlei verstehen: erstens die Materie, die für sich betrachtet allerdings kein bestimmtes Etwas, kein Dies oder Jenes (kein Mensch, keine Eiche usw.) ist; zweitens die Form, nach der man erst von einem Dies oder Jenem (einem Menschen, einer Eiche usw.) sprechen kann; drittens das Ganze aus Materie und Form. Die Materie ist Möglichkeit, die Form aber Wirklichkeit, und zwar Wirklichkeit in einem doppelten Sinn: einmal so, wie wenn man sagt, daß jemand etwas weiß oder irgendwelche Kenntnisse besitzt; zum anderen so, daß er von diesen Kenntnissen Gebrauch macht. In dieser knappen Antwort auf die erste Frage[14] sind implizit alle Elemente enthalten, die Aristoteles für seine Definition braucht. Die Explizierung erfolgt am Leitfaden der zweiten Frage.

Was alles als Substanz dazu noch zählen mag, auf jeden Fall gehören dazu die sichtbaren Körper, insbesondere die natürlichen, denn auf diese werden die künstlichen zurückgeführt[15] — so wie der Tisch auf Holz. Nun gibt es un-

---

[9] 412a 3.
[10] 414b 25.
[11] Vgl. 414b 28.
[12] 412a 6.
[13] Vgl. *Metaphysica* VII, 1028b 4-36.
[14] 412a 5-11.
[15] 412a 12 f.

ter den natürlichen Körpern solche, die Leben, und solche, die kein Leben haben, wobei unter Leben hier (rein vegetativ!) so etwas wie Sich-selbsttätig-Ernähren, Wachsen und Abnehmen zu verstehen ist[16]. Substanz, und zwar Substanz im dritten Sinne des aus Materie und Form Zusammengesetzten, wäre somit beispielsweise jedes am Leben teilnehmende Wesen eines natürlichen Körpers. Bis dahin[17] kann man alles, auch mit heutigen Vorstellungen, ohne Schwierigkeit nachvollziehen. Dann kommt aber eine etwas überraschende Wendung: ... also kann die Seele nicht Körper sein[18]. Als Begründung dafür wird ein Doppeltes angeführt. Erstens: Eine solche zusammengesetzte Substanz ist nicht bloß Körper, sondern Körper mit einer besonderen Beschaffenheit[19], nämlich am Leben teilnehmend. Zweitens: Körper wird nicht (wie eine Beschaffenheit) von etwas ausgesagt, sondern ist selber Subjekt der Aussage[20]. Kurz: Wenn es Körper mit und Körper ohne die Beschaffenheit des Lebens gibt, so kommt ihnen das Leben nicht qua Körpern zu; Ursache dafür muß vielmehr etwas anderes sein, nämlich die Seele.

Diese Überlegung ist bemerkenswert nicht nur im Hinblick auf unsere heutigen Vorstellungen, nach denen die Seele eher Prinzip des Bewußtseins als des Lebens ist, sondern auch schon im Hinblick auf Aristoteles' Vorgänger. Aristoteles hält sich nicht wenig darauf zugute[21], daß er als erster nach der Beschaffenheit der Körper gefragt hat, bei denen die Seele als Prinzip des Lebens fungiert. „Beschaffenheit" steht diesmal nicht für das Leben selbst. Diesmal meint das Wort vielmehr die (und zwar körperlichen) Bedingungen der Möglichkeit dafür, daß ein Körper Leben haben, das heißt überhaupt lebendig sein könne. Deshalb lautet die erste Definition, die Aristoteles von der Seele gibt: Diese ist Substanz, allerdings nicht im Sinne der Materie (die ja dasjenige ist, was am meisten Subjektcharakter hat[22]), sondern im Sinne der Form, und zwar als Form eines natürlichen Körpers, der die Möglichkeit zum Leben hat[23].

Aristoteles präzisiert diese Definition in zweierlei Hinsicht. Erstens erinnert er daran, daß die Form das Moment der Wirklichkeit enthält — im Unterschied zur Materie bzw. zum Körper, welcher nur das Moment der Möglichkeit darstellt. Demnach ist die Seele Wirklichkeit oder Verwirklichung dessen, wozu der so und so beschaffene Körper erst die Möglichkeit gibt, nämlich des Lebens[24]. Zweitens verweist er darauf, daß die verschiedenen Organe es sind,

---

[16] 414a 14 f.
[17] 412a 16.
[18] 412a 17.
[19] 412a 16. Wir folgen dem Text bei D. Ross!
[20] 412a 19.
[21] Vgl. 414b 22-25.
[22] Vgl. *Metaphysica* VII, 1029a 2-10.
[23] 412a 19-21.
[24] 412a 21.

wodurch ein Körper erst des Lebens fähig ist[25]. Dabei legt er gemäß seiner Beschränkung auf die niedrigste und allgemeinste Art von Leben Wert auf die
Feststellung, daß auch Pflanzen Organe haben: Zum Beispiel dient die Wurzel
bei den Pflanzen derselben Funktion (der Nahrungsaufnahme) wie der Mund
bei Menschen und Tieren. Nimmt man hinzu, daß die Seele Wirklichkeit, Verwirklichung oder Vollendung solcher in der Organausstattung eines Körpers
angelegter Fähigkeiten ist, nicht schon gleich im Sinne der Tätigkeit (z.B. der
Nahrungsaufnahme) selbst (was bei Avicenna als zweite Verwirklichung bezeichnet wurde), so ergibt sich schließlich[26] die Definition: Seele ist die erste
Verwirklichung eines natürlichen organischen Körpers. Zugleich zeigt sich
hier die Hauptschwierigkeit der aristotelischen Bestimmung der Seele: Erste
Verwirklichung (der in den Körperorganen angelegten Leistungen) ist nicht
schon wirkliche Tätigkeit (oder Leistung: zum Beispiel der Nahrungsaufnahme) als ein Moment des Lebens, sondern erst Möglichkeit dazu (nämlich schließlich zum Leben in dieser oder jener Beziehung: Ernährung oder
was es auch sei). Ist dann aber die Seele (wenn sie schließlich nichts als Möglichkeit zum Leben ist) nicht überflüssig? Wird ihre Rolle nicht bereits durch
den organischen Körper (als Möglichkeit des Lebens) übernommen? Kann
man unter diesen Umständen (da die Seele nicht die Lebenstätigkeit selbst ist,
sondern selber erst die Möglichkeit dazu) zwischen Leib und Seele noch unterscheiden? Allerdings: Wenn man den schon toten Körper als denselben wie
den noch lebenden identifizieren könnte, dann bestünde ohne weiteres die
Möglichkeit, diese Unterscheidung zu machen: Der tote wäre dann der lebende Körper selbst ohne die Seele. Aber gerade diese klare Unterscheidungsmög-
lichkeit wird von Aristoteles unmöglich gemacht: Nicht der Körper, der die
Seele nicht mehr hat — sagt er —, ist der zum Leben fähige, sondern derjenige, der sie (noch) hat[27]. Dieser Standpunkt droht die ganze Theorie zunichte
zu machen. Es besteht kein Zweifel, daß Aristoteles ihn vertrat. Eine andere
Frage ist, ob er für die Theorie selbst unentbehrlich ist.

2. Kann die Aristotelische Seelentheorie wahr sein?

Daß sie zunächst sinnvoll ist, zeigt schon die Tatsache, daß man angesichts
ihrer sich fragen muß, ob sie nicht falsch sei. Sie ist aber nicht nur nachvollziehbar, sie hat sogar eine gewisse Plausibilität für sich. Andererseits kommt
sie uns auf Grund unserer cartesianischen Gewöhnung daran, die Seele nicht
direkt mit dem Leben, sondern vielmehr mit Bewußtsein — und speziell mit
dem Geist — in Verbindung zu bringen, zunächst ungewohnt vor. Merkwürdig scheint uns vor allem, daß auch die Tiere, ja selbst die Pflanzen eine Seele

---

[25] 412a 28-b1.
[26] 412b 5-6.
[27] 412b 25 f.

haben sollen. Aristoteles selbst hat sich in dem Rest des 1. Kapitels des II. Buches bemüht, durch Angabe von Beispielen die Plausibilität seiner Theorie
darzustellen. Die Beispiele sind teils dem Bereich der künstlichen Gegenstände, teils dem der Sinneswahrnehmung, speziell des Sehvermögens, entnommen. Das dabei für künstliche Gegenstände gebrauchte Wort (ὄργανα = Werk-
zeuge) eignet sich so gut für den Vergleich, daß nebenbei auch die Grenze der
aristotelischen Auffassung zum Vorschein kommen kann. Ein Werkzeug wie
etwa die Axt muß für eine bestimmte Leistung — zum Holzspalten also —
ebenso geeignet sein wie beispielsweise das Sehorgan zum Sehen. Man muß jedoch genauer hinschauen, wie der Vergleich gemeint ist, und vor allem, wie er
gemeint sein müßte. Mit der Eignung etwa der Axt zum Holzspalten darf nicht
gemeint sein, daß die Axt durch die Schärfe der Schneide tatsächlich Holz
spalten kann, sondern lediglich die Tatsache, daß sie aus einem genügend har-
ten Material gemacht sein muß; denn die geschärfte Schneide hätte bei dem
Vergleich schon für die Form (für die Seele bzw. für das Sehvermögen) des geeigneten Materials (des organischen Körpers bzw. des Auges) zu stehen. Mit
anderen Worten, auch eine stumpfe Axt ist eine Axt, ein (im Prinzip) geeigne-
tes Werkzeug. Doch Aristoteles sagt das nicht, sondern scheint sogar das Gegenteil zu suggerieren: Wenn die Form (im Sinne der Verwirklichung oder
Vollendung der Geeignetheit des Materials[28]) nicht gegeben wäre, so würde es
sich — sagt er — nicht um eine Axt handeln, es sei denn nur dem Namen nach
(„äquivok'')[29]. Heißt das, daß eine stumpfe Axt keine Axt ist? Man braucht
indes den Text nicht so weit zuungunsten des Aristoteles zu interpretieren.
Einmal vermerkt dieser ausdrücklich, daß das alles nur unter der Voraussetzung gelten würde, daß ein Werkzeug wie eine Axt nicht ein künstlicher,
sondern ein natürlicher Gegenstand wäre[30]. Außerdem könnte man sagen,
daß für die Form hier nicht die geschärfte Schneide allein, sondern die gesamte Axtförmigkeit des geeigneten Materials stehen müßte — allerdings
einschließlich der zum Holzspalten genügend geschärften Schneide; denn
sonst kann die Leistung nicht effektiv erbracht werden. Das Zweite kann ohne
weiteres zugestanden werden: Eine in eine andere Form umgegossene Axt ist,
im Unterschied zur lediglich stumpfen Axt, keine Axt mehr. Aber der wichti-
gere Punkt ist doch der erste. Er betrifft den von Aristoteles zu Vergleichs-
zwecken eingeebneten Unterschied zwischen künstlichen und natürlichen bzw.
zwischen künstlichen und lebenden Körpern[31]. Auf diesen Unterschied
kommt es aber hier an. Wir müssen uns ihm folglich zuwenden.

---

[28] Daß Aristoteles an dieser Stelle nicht mehr von Form oder Verwirklichung bzw. Vollendung
(εἶδος oder ἐντελέχεια) spricht, sondern von der einem so und so beschaffenen (nämlich geeigneten)
Körper zugehörigen Seins- oder Existenzweise (τὸ τί ἦν εἶναι τῷ τοιῳδὶ σώματι, 412b 11), braucht
uns nicht zu irritieren.
[29] 412b 13-15.
[30] 412b 12.
[31] 412b 15-17.

Bei den künstlichen Gegenständen trifft eindeutig nicht das zu, was ihnen Aristoteles nur unter der Voraussetzung, daß sie natürlich wären, zuschreibt. Denn ob man nach Abstumpfung oder gar Verformung noch von einer Axt sprechen kann oder nicht, auf jeden Fall handelt es sich dabei nach wie vor um dieselbe Materie. Das würde Aristoteles nicht bestreiten können. Wohl bestreitet er, daß es sich vor und nach dem Tode eines Lebewesens um dieselbe Materie handle. An der bereits zitierten Stelle[32] ist ausdrücklich die Rede davon, daß unter dem *Seienden*, das *der Möglichkeit nach* Leben hat (was wir als Geeignetheit des organischen Körpers zu einer entsprechenden Lebendigkeit interpretiert haben), nicht der tote Körper zu verstehen ist. Das bedeutet: Das Homonymitätsprinzip (so etwas ist höchstens dem Namen nach dasselbe) bezieht sich nach Aristoteles nicht nur auf das jeweilige Lebewesen im ganzen, sondern auch schon auf die Materie: Vor und nach dem Tod handelt es sich der Sache nach nicht einmal um dieselbe Materie. Mit anderen Worten: Vor und nach dem Tode kann es sich nach Aristoteles nicht nur nicht um denselben Menschen handeln, sondern nicht einmal um dieselbe Materie.

Um die aristotelische Theorie zu retten, würde es nichts nützen zu sagen, unter Materie sei nur der Leib (bzw. die einzelnen Organe, d.h. aber dasjenige, was Aristoteles heterogene oder ungleichteilige Teile nennt) zu verstehen, aber nicht die homogenen oder gleichteiligen Teile, die diese Organe als deren Materie wiederum konstituieren (also etwa Fleisch, Sehnen, Knochen); diese Teile seien doch im Unterschied zu jenen nach wie vor dieselben. Aristoteles selbst dehnt an anderen Stellen das Homonymitätsprinzip auch auf die gleichteiligen Teile aus[33]. Um auf etwas zu stoßen, was den Wechsel vom Leben zum Tod überdauern (und so auch tragen) würde, müßte man hinter die vier Elemente, die ihrerseits die gleichteiligen Teile bilden, also schließlich auf die *materia prima* zurückgehen. Darauf beruht sicherlich die gängige Interpretation der aristotelischen Seelenlehre (*anima forma substantialis materiae primae*). Allein, diese Interpretation widerspricht der aristotelischen Definition, bei der, wie wir gesehen haben, an der Stelle von ,,*materia prima*'' das Gegenteil, nämlich ,,*corpus organicum*'', und das heißt eben ,,*materia ultima*'' steht[34]. Die gängige Interpretation[35] ist nicht nur nicht aristotelisch, sie macht

---

[32] 412b 25 f.

[33] Vgl. z.B. unter ausdrücklicher Kontrastierung mit künstlichen Erzeugnissen (etwa aus Holz oder Stein) *De Generatione Animalium* 734b 25-27.

[34] Vgl. *Metaphysica* VIII, 1045b 18.

[35] Sie wird vielfach noch heute vertreten, vgl. z.B. den sonst ausgezeichneten Aufsatz von S. Mansion: ,,Soul and Life in the *De Anima*'' (in: *Aristoteles on mind and senses, Proceedings of the Seventh Symposium Aristotelicum*, edited by G. E. R. Lloyd and G. E. L. Owen, Cambridge 1978, S. 1-21), in dem auf S. 12 zu lesen ist: ,,... This (nämlich die Definition des Aristoteles) is a puzzling formula for two reasons: first because a sound metaphysics seems to demand that the correlate of a substantial form be a matter deprived of any determination ...'' Für weitere Vertreter dieser unhaltbaren Interpretation vgl. meinen Aufsatz: ,,Metaphysik und Verdinglichung. Zur sprachanalytischen Metaphysikkritik'', in: *Philosopisches Jahrbuch* 1. Halbband 1978,

die Theorie sogar gänzlich unplausibel. Denn eine unbestimmte Materie ist überhaupt nicht geeignet, irgendwelche Leistungen zu ermöglichen, worin nach der Theorie ihr Wesen geradezu besteht. Ein organischer Körper, der mit seinen Geweben usw. lediglich geeignet zum Leben sein sollte, wäre außerdem nur dann schwer zu begreifen, wenn er vom tatsächlich lebenden (d.h. also beseelten) Leib nicht zu unterscheiden wäre. Aber das bedeutet, daß die Schwierigkeit[36] verschwindet, sobald man so etwas sagen kann wie: Vor und nach dem Tod handelt es sich der Sache nach nicht um dasselbe Lebewesen, auch nicht um denselben Leib (was genauso absurd wäre wie zu sagen, vor und nach dem Tod handele es sich um dieselbe Leiche), wohl aber um denselben Körper. Die Schwierigkeiten, in die sich Aristoteles mit seiner extensiven Auslegung des Homonymitätsprinzips verstrickt, sind andererseits um so erklärlicher, als im Griechischen (wie in anderen europäischen Sprachen), anders als im Deutschen, keine Möglichkeit besteht, terminologisch zwischen

---

Freiburg/München 1978 (englisch: ,,Metaphysic and Reification'', in: *Philosophy* 1979). R. Sorabji (,,Body and Soul in Aristotle'', jetzt in: *Articles on Aristotle*, 4. *Psychology & Aesthetics*, edited by J. Barnes, M. Schofield, R. Sorabji, London 1979, S. 63) hält ,,pace Aristotle'' dafür, daß ein vom Körper abgetrenntes Organ, also etwa eine tote Hand oder ein totes Auge weiterhin eine Hand oder ein Auge ist, und zwar unabhängig davon, ob das Organ wieder belebt bzw. in einen lebenden Körper eingesetzt werden kann oder nicht. Letzteres im Gegensatz zu J. L. Ackrill, der die Schwierigkeit sonst am aufschlußreichsten behandelt (vgl. ,,Aristotle's Definitions of *Psuchē*'', jetzt auch im selben Sammelband, S. 65-76). Die Auffassung R. Sorabjis kommt der oben im Text von uns vertretenen am nächsten. Nur würde ich nicht für nötig halten, daß man dabei von demselben Organ spricht. Um die Theorie des Aristoteles zu retten, genügt es, daß es sich vor und nach Abtrennung oder Tod um dieselbe Materie (*materia ultima*) handelt. Parallelisiert man mit Aristoteles Organ und Körper (als Leib!), dann muß man sogar die Kontinuität auf die Materie des Organs (bzw. auf den Körper im Unterschied zum Leib) beschränken.

[36] Sie wird auch von S. Mansion in der Fortsetzung der von uns oben (s. letzte Anmerkung) zitierten Bemerkung so angesprochen: ,,... secondly because the character of ,having life potentially' which is attributed to the organized body, that is to a body made of various tissues and organs, is very hard to conceive.'' Die auch von J. L. Ackrill und R. Sorabji (s. letzte Anmerkung) besprochene Schwierigkeit ist auch schon früher gelegentlich bemerkt worden. Vgl. N. Hartmann, ,,Die Anfänge des Schichtungsgedankens in der Alten Philosophie'', abgedruckt in: *Kleinere Schriften*, Bd. II, Berlin 1957, S. 171 f. (ursprünglich in den *Abhandlungen der Preußischen Akademie der Wissenschaften*, Jahrgang 1943): ,,Sie (die aristotelische Definition der Seele) ist jahrhundertelang in unübersehbar vielen Abwandlungen wiederholt worden und hat bis in die Neuzeit die Geltung eines fast allgemeinen philosophischen Lehrgutes gehabt. In sich selbst betrachtet ist sie merkwürdig genug, und zwar sowohl als Glied der aristotelischen Systematik wie abgesehen von ihr. Erstens (...). Zweitens scheint sie den organisierten physischen Körper als etwas vorauszusetzen, was auch ohne Lebendigkeit besteht und erst durch die Seele lebendig wird (...). Man könnte hier wohl meinen, daß die Orientierung vom ,toten' Körper ausgeht, dem das Leben entflohen ist. Aber das ist nicht notwendig und würde auch den natürlichen Werdegang umkehren. Vielmehr steckt hinter der ,Dynamis des Lebendigseins' die einfache Einsicht, daß die bloße Geformtheit der Körperteile noch nicht die Lebendigkeit ausmacht. Ζωή ist etwas anderes als organische Formung.'' Was man vermißt, ist die Einsicht, daß die aristotelische Theorie zwar der Modifizierung bedarf (jedenfalls vor Einsatz der Verwesung ist der tote Körper identisch mit dem lebenden), mit dieser Modifizierung aber stimmig ist. Was die historische Geltung angeht, so legt die ,,Abwandlung'' ,*forma substantialis materiae primae*'' die Vermutung nahe, daß die aristotelische Theorie oft nicht verstanden wurde — mag die Abwandlung selbst durch eine echte Schwierigkeit veranlaßt worden sein.

dem lebenden und dem toten Körper zu unterscheiden. Unter dem Gesichtspunkt „Leib" kann man selbstverständlich nicht von einer Identität zwischen beiden sprechen, wohl aber unter dem Gesichtspunkt „Körper". Bezüglich der einzelnen Organe kann man im übrigen den Unterschied im Deutschen ebensowenig kenntlich machen wie im Griechischen. Es gibt keinen Ausdruck für das lebende Auge oder irgendein anderes Organ im Unterschied zum toten. Und so kann man hier nicht so präzis wie mit „Leib" und „Körper" angeben, inwiefern es sich dabei um dasselbe Organ handelt und inwiefern nicht. Insofern könnte sich der Vergleich, den Aristoteles zwischen den einzelnen Organen und dem ganzen Körper (bzw. Leib) macht, im Deutschen eher verunklärend auswirken. Was nun für die Organe gesagt wurde, gilt auch für die Teile der Organe (Gewebe, Knochen, Sehnen usw.). Auch hier können wir die Hinsicht, unter der eine Kontinuität (Identität) nicht besteht, nicht terminologisch unterscheiden von der Hinsicht, unter der eine solche doch besteht. Hat man allerdings, ob mit oder ohne terminologische Hilfestellung, diese Unterscheidung gemacht, so verschwindet, wie gesagt, die ganze Schwierigkeit, und die Theorie erscheint nicht nur plausibel, sondern wohl auch möglicherweise wahr. Ob sie tatsächlich wahr ist oder nicht, hängt dann nur davon ab, ob es möglich ist, daß ein organisch (anatomisch) intaktes Lebewesen sterben kann. Und das ist wiederum nicht empirisch zu entscheiden[37]. Denkbar ist es allerdings schon, vor allem wenn man an eine nicht natürliche, sondern an eine künstliche Todesursache denkt, zum Beispiel an Mord durch eine Vergiftung, die keinerlei Spur hinterläßt, nur physikalische Funktionen aussetzt bzw. dieses Aussetzen so herbeiführt, daß die anatomische Veränderung nicht notwendige Bedingung für den Tod ist.

II. Der Bewusstseinsaspekt

1. *Allgemeines*

Daß der Bewußtseinsaspekt für die aristotelische Seelenlehre nicht grundlegend ist, zeigt sich schon daran, daß darin für „Bewußtsein" kein einheitlicher Terminus begegnet. Noch symptomatischer ist, daß der Terminus „Wachsein" (ἐγρήγορσις), welcher zumindest als Gegensatz zu „Schlafen" (nicht unbedingt zu „Träumen") extensional deckungsgleich mit „Bewußtsein" ist, von Aristoteles gerade *nicht* mit der Seele in Verbindung gebracht wird. Die Seele wird vielmehr mit dem Schlafen (ὕπνος)[38], also dem Gegenteil des Bewußtseins, verglichen — ebenso wie schon vorher mit dem Besitz, anstatt mit dem Gebrauch von Wissen. Damit deutet Aristoteles einer-

---

[37] Vgl. meinen Vortrag „Anfang des Lebens. Die Seele aus begriffsanalytischer Sicht". In: H. Seebaß (Hrsg.): *Entstehung des Lebens, Studium Generale* Wintersemester 1979/80, Schriftenreihe der Westfälischen Wilhelms-Universität Münster, Heft 2, Münster 1980.

[38] 412a 25.

seits noch einmal hin auf die Stellung der Seele zwischen der Geeignetheit eines so und so beschaffenen Körpers für diese oder jene Lebensfunktionen auf
der einen und diese Lebensfunktionen selbst auf der anderen Seite — wobei
die Zwischenstellung nicht räumlich verdinglichend zu nehmen ist[39]. Andererseits wird daran noch einmal deutlich, daß sich die allgemeinste Definition —
trotz des illustrierenden Verweises auf das Auge (Sehorgan, Sehvermögen und
Sehakt)[40] — streng genommen nur auf die unterste Lebensart, nämlich auf das
vegetative Leben (ob bei Pflanzen, Tieren oder Menschen[41]), bezieht. Bei den
vegetativen Funktionen macht es am wenigsten einen Unterschied, ob man
wacht oder schläft. Ich kann im Schlaf wohl Stoffwechsel haben, nicht aber
sehen. Auch nicht im Traum; höchstens kann ich träumen, daß ich sehe.

Sobald jedoch die nächsthöhere Lebens- und Seelenart[42] erreicht ist, ist
bereits Bewußtsein da, zumindest Bewußtsein in der elementaren Form einer
wachen Empfindung, d.h. einer Empfindung, deren man sich mehr oder weniger ,,bewußt'' wird. Dieses Stadium wird — unabhängig davon, daß Aristoteles ab Ende des 4. Kapitels von *De Anima* wieder mit der Erörterung der vegetativen und der anderen Lebensarten fortfährt — bereits im 2. Kapitel des II.
Buches erreicht, wo er gegen Ende[43] eine weitere Definition der Seele gibt, die
bereits das Empfinden und sogar das Denken einschließt: Die Seele ist danach
dasjenige, wodurch wir allererst (πρώτως) ,,leben'', empfinden und denken.
Das Adverb ,,allererst'' zeigt allerdings an, daß beim Betreten der Ebene der
Wachheit oder des Bewußtseins die illustrierende Zuordnung gerade nicht der
Wachheit, sondern vielmehr des Schlafens zu der (sensitiven und intellektiven)
Seele nicht hinfällig geworden ist. Daß wir durch die (sensitive und intellektive) Seele allererst empfinden, denken usw.[44], kurz: wachen Bewußtseins leben
können, deutet schon darauf hin, daß die Seele nicht mit Leistungen zusammenfällt, für die dem Vergleich nach das Wachsein an Stelle des Schlafens stehen müßte. Das bedeutet allerdings, daß, solange die Seele selbst mehr als ihre
Funktionen samt deren physiologischer Basis im Vordergrund des Interesses
steht, selbst bei den höheren Lebensarten der Bewußtseinsaspekt im Hintergrund bleibt. Das ist — im Vergleich zu den *Parva Naturalia*, aber auch vor allem zu den *Ethiken* — durchweg der Fall in *De Anima*. Das heißt wiederum

---

[39] Vgl. dazu außer dem oben in Anm. [35] erwähnten Aufsatz auch mein Buch: Forma formarum (Freiburg/Müchen) 1970, v.a. S. 45, 49 ff.

[40] Das vegetative Leben bei Pflanzen, Tieren und Menschen kann allerdings nicht (sozusagen
,,univok'') dasselbe sein. Vgl. oben das in Anm. 39 zitierte Buch, v.a. S. 65 f. sowie: Eindeutigkeit und Variation (Freiburg/München 1973).

[41] Das Wort ,,Art'' ist hier nicht technisch zu nehmen.

[42] 414a 12 f.

[43] Ebd.

[44] Damit soll angedeutet werden, daß die Aufzählung des Aristoteles nicht vollständig ist. Es
fehlt v.a. der praktische oder aktive Aspekt des Lebens (Bewegung und Streben, einschließlich
Wille). Vgl. schon 414a 31 f. im 3. Kapitel sowie weiter unten im Text.

nicht, der bereits besprochene Lebensaspekt würde auch die weiteren Erörterungen des Aristoteles in dieser Schrift beherrschen. Berücksichtigt wurde oben im I. Teil nur der biologisch gefaßte Lebensbegriff bei Aristoteles (Leben-Nichtleben, Leben-Tod). Was (mit Ausnahme des Schlußteils des 4. Kapitels des II. Buches über die Ernährung) im Rest der Schrift erörtert wird, sind die Bedingungen der Möglichkeit der übrigen Lebensleistungen, die nunmehr durchweg wohl waches Bewußtsein einschließen, wenn nicht sogar bilden. Andererseits haben wir nicht von ungefähr das 1. Kapitel[45] des II. Buches ausführlich interpretiert. Die Ergebnisse dieses Kapitels — mögen sie am speziellen Fall des vegetativen, aber eines Bewußtseins unfähigen Lebens gewonnen worden sein — sind in der Tat grundlegend für die weiteren Erörterungen. Das gilt nicht nur in dem inhaltsbezogenen Sinne, daß alle sterblichen Lebewesen sich ernähren müssen[46], sondern vor allem im methodischen Sinn: in dem Sinne nämlich, daß die darin gewonnenen Strukturen sich auf den verschiedenen Ebenen des bewußten Lebens als die eigentlichen Erklärungsprinzipien erweisen und bewähren. Gemeint ist vor allem die Unterscheidung zwischen Materie und Form, Möglichkeit und Wirklichkeit dieser oder jener Lebensweise. So wird zumal die Erkenntnis, auch schon die sinnliche Erkenntnis, als ein Aufnehmen der Materie ohne die Form bestimmt[47]. Doch noch bevor es in dem 5. Kapitel des II. Buches auf die Erörterung des bewußten, sei es sensitiven, sei es intellektiven Lebens bis zum Ende dieses Buches zugeht, werden die vorab gewonnenen Strukturen für die Erörterung der Verhältnisse zwischen den verschiedenen Lebens- und Seelenarten zueinander ausgewertet. Dabei zeigt sich, daß die jeweils höhere Lebensweise bzw. Seelenart zu der jeweils niederen im selben Verhältnis steht wie die vegetative Seele zum Körper, also etwa wie das wirkliche Leben einer Pflanze zu derjenigen Möglichkeit dieses Lebens, welche in der Organisation ihrer Materie enthalten ist. Das allgemeine Prinzip dieser Beziehungen wird von Aristoteles im 3. Kapitel des II. Buches mit den Worten angegeben: Immer besteht im Nächstfolgenden der Möglichkeit nach das Frühere[48]. Man kann dieses Wort leicht im Sinne des Schichtungsgedankens mißverstehen, so als würde die sensitive Seele auf der vegetativen und die intellektive auf jener aufgebaut sein. Doch ebensowenig wie die vegetative Seele auf den Ernährungs- und Fortpflanzungsorganen — um einen Ausdruck Nicolai Hartmanns zu gebrauchen — aufruht, ebensowenig ruhen die anderen Schichten aufeinander auf. Vielmehr: So wie die vegetative Seele nichts anderes ist als die erste Verwirklichung der Möglichkeiten, die in einem ensprechend organisierten Körper angelegt sind, so sind auch die jeweils höheren Seelenarten dasselbe wie die jeweils niedrigen, beide nämlich so und so

---

[45] Die Kapiteleinteilung stammt nicht von Aristoteles, erweist sich aber meist als nützlich.
[46] Vgl. 415a 1 f.
[47] 424a 18 f.
[48] 414b 29 f.

beschaffenes Leben — jene allerdings der Wirklichkeit, diese hingegen nur der Möglichkeit nach. Das Entscheidende der zuletzt herangezogenen Stelle[49] besteht gerade darin, daß die jeweils niedrigeren Seelenarten — nicht weniger als der lebende Körper gegenüber der niedersten Seele — als Wirklichkeit nicht vorhanden sind, so daß es jeweils nur eine einzige wirkliche Seele gibt, welche dem Gesamt der Körperorgane zu demjenigen Leben verhilft, zu dem diese Gesamtorganisation geeignet ist. So haben wir es immer nur mit zwei Faktoren zu tun, nämlich mit *einem* Leib und *einer* Seele, die zudem noch beide inhaltlich dasselbe sind, nämlich Leben dieser oder jener Art[50].

An dieser Stelle sind jedoch zwei Bemerkungen unerläßlich. Die erste betrifft eine Ausnahme. Schon im 1. Kapitel hatte Aristoteles darauf hingewiesen[51], daß das Schema Körper-Seele als Möglichkeit und Wirklichkeit jeweils ein und derselben Lebensweise an einer Stelle durchbrochen wird. Wie sich dann im III. Buch (5. Kapitel) herausstellt, ist dies die Stelle des sogenannten aktiven Intellekts, der keineswegs darin aufgeht, Wirklichkeit einer in irgendeinem Körperorgan angelegten Lebensmöglichkeit zu sein, vielmehr — nach *De Generatione Animalium*[52] — ,,zur Tür herein'' in den Menschen eindringt. Daran knüpft die Frage nach der Unsterblichkeit der Seele an[53], der allerdings bei Aristoteles gegenüber etwa einem Thomas von Aquin[54] eine unvergleichlich geringere Bedeutung zukommt. — Die zweite Bemerkung betrifft den Unterschied zwischen der aristotelischen und der cartesischen Seelenlehre. Dieser Unterschied liegt schon darin begründet, daß umgekehrt wie bei der ersten bei der zweiten der (biologische) Seelenaspekt vollständig zugunsten des Bewußtseinsaspekts verschwindet. Der Unterschied betrifft aber auch diesen letzten Aspekt als solchen. Dessen physiologisch-organische Basis kann bei Aristoteles der Seele unter dem Bewußtseinsaspekt nicht völlig heterogen sein, da die bewußten Tätigkeiten der Seele nichts anderes sind als die (zweite) Verwirklichung eben dieser Basis. Zu einer doppelten Reihe von Ereignissen (hier physiologischen, dort Denk- als Bewußtseinsakten) kann es unter diesen Umständen, anders als bei Descartes, nicht kommen.

Im 4. Kapitel des II. Buches stellt Aristoteles das methodische Prinzip der Untersuchung fest[55]. Es geht darum, sich von den Tätigkeiten ausgehend über die sie ermöglichenden Vermögen bis zum Wesen der Seele (gen. subjectivus et objectivus) selbst heranzutasten. Zuvor gilt es aber, die Gegenstände zu erforschen, auf die die Tätigkeiten selbst gerichtet sind. Das Leben stellt eine Ge-

---

[49] Ebd.
[50] Aus diesem Grunde sagte schon 412b 6 Aristoteles, daß die Frage sich erübrigt, ob Leib und Seele eins sind.
[51] 413a 7.
[52] 736b 27; vgl. 744b 22.
[53] Vgl. 430a 23.
[54] Vgl. unten W. Kluxen.
[55] 415a 18-21; vgl. auch im programmatischen Einleitungskapitel 402b 11-16.

samtleistung dar, die die Existenz eines jeden Lebewesens ausmacht und deren
wesentliche Ursache (Bedingung der Möglichkeit oder Ermöglichungsgrund)
die Seele ist[56]. Das wird in einem metaphysisch wichtigen Satz gesagt: Die Ursache des Seins eines jeden ist das Wesen, Sein aber heißt für die Lebewesen
Leben, dessen Ursache und Ursprung die Seele ist[57]. Im Mittelpunkt dieses
Satzes (*esse viventibus vivere*) hat man[58] mit Recht die spezifische Bedeutung
der Existenz nicht im Sinne des Existenzquantors (Existenz als Prädikat zweiter Ordnung, Eigenschaft eines Begriffs oder Negation der Nullklasse), sondern im Sinne des Seinsvollzugs (*actus essendi* oder, wenn schon Eigenschaft,
dann Eigenschaft eines Individuums) gesehen. Sofern dieses Existieren sensitives oder intellektives Leben ist, ist sich das Lebewesen im Vernehmen seiner
Gegenstände seines eigenen Vernehmens und damit auch seines eigenen Seins
bewußt[59]. Von diesem bewußten Leben handelt der größte Teil von *De Anima*
(vom 5. Kap. des II. Buches bis zum Ende). Aristoteles bringt eine Fülle phä-
nomenologischer Beschreibungen des bewußten Lebens. Für sich allein
genommen könnten die wesentlichen Aspekte etwas konstruiert vorkommen.
Lediglich bezüglich des gewöhnlich weniger berücksichtigten Bewegungs-bzw.
Strebevermögens werde ich auf einige Einzelheiten eingehen.

2. Erkennen und Handeln

Damit die Wahrnehmung selber wahrgenommen wird, bedarf es — ebenso
wie dafür, daß sie überhaupt zustande kommt — eines äußeren Gegenstandes,
welcher der Wirklichkeit nach bereits das ist, was jene zunächst nur (als Wahrnehmungsvermögen nämlich) der Möglichkeit nach ist. So benötigt auch das,
was brennen kann, etwas, was bereits brennt, damit es auch selber brennt[60].
Der Übergang von der Möglichkeit zur Wirklichkeit der Wahrnehmung kann
nur mit Einschränkungen ,,Veränderung'' genannt werden. ,,Veränderung''
schließt immer so etwas wie ,,Erleiden'' ein. Nun kann man von einem Erleiden nur dann sprechen, wenn man etwas empfängt, das man selber nicht ist.
In dem Augenblick aber, in dem man es (z.B. eine bestimmte Wahrnehmung
oder irgendeine Kenntnis überhaupt) (empfangen) hat, ist man es bereits in ir-

---

[56] Dies schließt es aus, daß die Seele in Analogie mit der Harmonie einer Harfe (s. außerdem:
Phaedo, 407b 27-408a 30) verstanden wird (vgl. R. Sorabji, a.a.O., S. 44, Anm. 3).

[57] 415b 12-14.

[58] P. T. Geach, ,,Form and Existence'', abgedruckt in: Aquinas, A Collection of Critical Essays, edited by A. Kenny, London 1969. Vgl. auch: Three Philosophers, Oxford 1967, S. 88-92.

[59] Vgl. *Ethica Nicomachea* IX, 1170a 29-b1: ,,... wenn der Sehende sich des Sehens, der Hören-
de sich des Hörens, der Gehende sich des Gehens bewußt ist und wenn es bei den anderen Funktionen in gleicher Weise eine Empfindung davon gibt, daß wir die Funktion ausüben, so daß uns
also eine Empfindung des Empfindungsvorganges und ein Denken des Denkvorganges gegeben
ist, und wenn die Tatsache des Empfindens oder Denkens uns auch die Tatsache unseres Daseins
[ὅτι ἐσμέν] vermittelt — Dasein [τὸ γὰρ εἶναι] bedeutet uns ja Empfinden oder Denken — und wenn
...'' (Übersetzung von F. Dirlmeier).

[60] 417a 7-9.

gendeiner Weise und kann man, wenn man diesen Besitz betätigt, um wirklich
zu erkennen, nicht mehr von einem Erleiden oder einer Veränderung sprechen. Aber auch schon vorher gilt die Rede davon nur in einem eingeschränkten Sinne. Denn das Vermögen (z.B. die Sehkraft des Sehorgans) hat den entsprechenden Gegenstand (z.B. die Farben) noch nicht empfangen, ist aber gerade darauf angelegt[61]. Aristoteles führt dies im 5. Kapitel des II. Buches aus,
in dem er die sinnliche Erkenntnis allgemein charakterisiert, ehe er in den folgenden Kapiteln desselben Buches und den drei ersten des III. Buches detail-
liert auf die einzelnen Sinnesvermögen (einschließlich des sogenannten gemeinsamen Sinnes und der Vorstellungskraft) eingeht. Die allgemeine Charakterisierung wird im letzten (12.) Kapitel des II. Buches in einer Weise wieder aufgenommen, daß sie durch die Analyse der intellektiven Erkenntnis im
4. Kapitel des III. Buches bestätigt wird. Wahrnehmen ist Aufnehmen der
(wahrgenommenen) Formen ohne die Materie. Wahrgenommenes und Wahrnehmendes — sagt dazu Aristoteles[62] — werden dabei eins, aber die Seinsweise ist verschieden. Anders ausgedrückt: Die Identität ist nicht real, sondern
nur intentional. Durch reale Identität wird man dasjenige, was man aufnimmt, durch intentionale wird man nur so wie das Aufgenommene[63]. Eine
(wechselnde) reale Identität findet statt bei der Veränderung der Substanz.
Das Eigentümlichste der Substanz ist es — laut Kategorienschrift[64] —, daß sie
entgegengesetzte Qualitäten aufnehmen kann, ohne ihre Identität zu verlieren.
Derselbe Mensch kann (real) weiß und schwarz werden[65]. In dieser Weise verändert sich höchstens das Sehorgan (αἰσθητήριον)[66], aber nicht das Sehvermögen (αἰσθητικόν, δύναμις)[67], das in ihm ist. Dieses kann unmöglich die wahrge-
nommene Farbe annehmen, genausowenig wie das Wachs das Eisen wird, aus
dem das Siegel gemacht ist[68]. Zum Vergleich für die intentionale Identität bietet sich am ehesten die Existenzweise der Reflexe im Wasser oder in einem
Spiegel an. Wenn zum Beispiel ein roter Gegenstand darin aufgenommen
wird, entsteht daraus nicht ein roter Reflex, sondern lediglich ein Reflex von
Rot. Mit anderen Worten: Das von Plato ontologisch gedeutete
Abbildverhältnis[69] stellt auf jeden Fall ein intentionales Verhältnis dar. Mögen die Dinge auch nicht, wie Plato will, bloße Angleichungen oder Ähnlichkeiten (ὁμοιώματα) der Ideen sein — gerade das trifft auf die intentionale
Seinsweise zu: Die Erkenntnisbilder sind den farbigen Dingen ebensowenig

---

[61] 417b 2-19; vgl. 417a 14-20.
[62] 424a 25.
[63] 424a 23 f.
[64] *Categoriae*, 4a 10 f.
[65] a.a.O. 4a 19 f.
[66] 424a 24.
[67] 424a 25.
[68] 424a 19 f.; vgl. schon 412b 7!
[69] Vgl. *Politica*, 510 E, 516 A. Vgl. 438E!

ähnlich, wie die Spiegelreflexe selber farbige Reflexe anstatt bloße Reflexe von Farben sind. Beide, Bilder und Reflexe, sind ihren Urbildern (den realen Dingen) nicht ähnlich, sondern sind, im strengen Wortsinne, nur Ähnlichkeiten[70]. Vertreten wird hier also die von F. Brentano[71] erneuerte und von R. Sorabji[72] in Frage gestellte scholastische Interpretation. Dazu paßt der Mitte-Charakter, in dem nach Aristoteles[73] die Möglichkeit *aller* Arten von Sinneswahrnehmung im Unterschied zu den bloß vegetativen Funktionen begründet liegt[74]. Daß sich der Mitte-Charakter, sofern er wiederum die Möglichkeit der Vernichtung durch Übermaß enthält, primär nur auf das Wahrnehmungsorgan[75] bezieht, ist allerdings ebenso sicher.

Das Fehlen dieser Vernichtungsmöglichkeit ist es nun, was Aristoteles veranlaßt zu meinen, das Denken bedürfe im Unterschied zum Wahrnehmen keines körperlichen Organs[76]. Mag die intentionale Interpretation der Sinneswahrnehmung nicht zutreffen, so muß sie schon allein aus diesem Grunde auf jeden Fall auf die intellektive Erkenntnis bei Aristoteles zutreffen[77]. Entsprechend wird der passive, ,,erleidende'' Charakter selbst des sog. *intellectus possibilis* weiter abgeschwächt[78], ja direkt negiert[79]. Dem Intellekt wird sogar irgendwelche Natur abgesprochen, es sei denn die, fähig (nämlich zu allem) zu sein[80]. Er kann nur deshalb (in der Weise der Intentionalität) alles aufnehmen, weil er frei von allem, ,,unvermischt'' (ἀμιγής)[81] ist. Hieran knüpfen die vom frühen Brentano[82] kritisch fortgeführten Versuche an, den Beweis der Unsterblichkeit der Geistseele schon bei dem *intellectus possibilis* anzusetzen. Es darf immerhin nicht übersehen werden, daß auch der sogenannte *intellectus agens*, der nach Aristoteles, wie gesagt, einzig unsterblich ist, mit denselben Prädikaten der ,,Unvermischtheit'' und Leidenslosigkeit bedacht wird, allerdings auch mit dem sonst Gott vorbehaltenen Prädikat, *actus purus* zu sein[83].

---

[70] Vgl. die ὁμοιώματα eingangs von *De Interpretatione*, 16a 7!

[71] Die Psychologie des Aristoteles, insbesondere seine Lehre vom ΝΟΥΣ ΠΟΙΗΤΙΚΟΣ, Mainz 1867, v.a. S. 80.

[72] a.a.O., S. 52.

[73] *Pace* Sorabji, vgl. a.a.O. S. 53.

[74] 424a 32-424b 3.

[75] Vgl. 424a 29.

[76] 429a 27.

[77] Vgl. 429a 16 mit 424a 23 f.; ferner 429a 25 f.

[78] Vgl. 429a 29 f.

[79] 429a 15.

[80] 429a 21 f.

[81] 429a 18.

[82] Vgl. a.a.O. S. 120-131.

[83] Vgl. 430a 18 mit *Metaphysica*, 1071b 20; für die Unterschiede vgl. meinen Aufsatz ,,Kritik und Metaphysik'', in: Wiener Jahrbuch für Philosophie 1968, S. 90 Anm. 21. — Die Grenze der Immaterialität beim Menschen ist damit gegeben, daß jeder intellektive Erkenntnisakt auf die Phantasie angewiesen ist (vgl. 431b 2 u. 432a 8 f.). Dies kann auch für die Frage nach Unsterblichkeit und Vergänglichkeit relevant sein (vgl. schon 408b 24 f.).

Über den aktiven Intellekt ist so viel geschrieben worden, daß eine Zusammenfassung auf engem Raum nicht möglich ist. Zum *intellectus possibilis* sei nur noch so viel gesagt: Sein Charakter als reine Möglichkeit wird von Aristoteles mit verschiedenen Wendungen ausgedrückt: Er sei gewissermaßen alles (intellektiv Erkennbare)[84], Ort der Ideen oder Formen[85], Form der Formen[86]; am bündigsten aber wird er mit einer Schrifttafel verglichen, auf die nichts geschrieben ist[87]. Der Ausdruck *tabula rasa* ist mißverständlich, wenn man sich darunter nur eine blanke Oberfläche aus einem bestimmten Material vorstellt. Das wäre schon eine bestimmte Natur außer der einen von Aristoteles einzig zugelassenen, nämlich (intentionale) Möglichkeit (zu allem) zu sein. Eine Schreibtafel (γραμματεῖον) dagegen ist als solche tatsächlich nichts außer der Möglichkeit, beschrieben zu werden[88].

Was das Handeln angeht, so wird es von Aristoteles im Zusammenhang mit dem Bewegungsvermögen der Seele in den drei letzten ausgeführten Kapiteln von *De Anima* behandelt (III. Buch, Kap. 9, 10, 11, vorbereitet in Kap. 6-8; die Kapitel 12 u. 13 fallen etwas aus dem Zusammenhang). Was wir mit einem späteren Ausdruck Intentionalität genannt haben, dürfte sich auch hier als wesentlich für die Interpretation erweisen. Das grundlegende 1. Kapitel des II. Buches läßt die Frage offen, ob außer im Sinne der Wirklichkeit eines organischen Körpers die Seele nicht auch noch in Analogie zum Kapitän eines Schiffes verstanden werden könnte[89]. Wenn überhaupt, so kommt hier diese Analogie zum Tragen[90].

Auch im Falle der Handlung und überhaupt des Bewegungsvermögens muß man von den Gegenständen ausgehen, die den einzelnen Akten vorausgehen. Als angestrebt bewegt der Gegenstand (τὸ ὀρεκτόν), ohne selber dadurch bewegt zu werden, sofern er vernommen oder vorgestellt wird[91]. Demgegenüber ist das Strebevermögen bewegend und zugleich (vom Gegenstand) bewegt, während das Lebewesen selbst nur bewegt wird[92]. Das Strebevermögen, und damit wohl die Seele, wird auch als das bezeichnet, wodurch das Bewegende bewegt[93]. Diese Bemerkung ist wesentlich, will man verstehen, in welchem

---

[84] 431b 21-23.

[85] 429a 27 f.

[86] 432a 2.

[87] 430a 1.

[88] „So ist auch das Beispiel der Schreibtafel zu nehmen, nicht als der Apparat, auf den der Griffel einwirkt, sondern als die Möglichkeit der Anwesenheit von Geschriebenem": W. Bröcker, Aristoteles, ³1964, S. 163.

[89] 413a 8 f.

[90] Über die Vereinbarkeit der zwei Auffassungen vgl. D. J. Furley, „Self Movers" im oben Anm. 35 angeführten, von G. E. R. Lloyd u. G. E. L. Owen herausgegebenen Sammelband, S. 178, Anm. 3. Für das Folgende ist der Aufsatz im ganzen wichtig.

[91] 433b 11 f.

[92] 433b 13-18.

[93] 434a 13, 434a 19; vgl. 408b 13-29.

Sinne die Lebewesen nicht nur, wie die Naturdinge überhaupt, das Prinzip der Bewegung in sich haben[94], sondern darüber hinaus sich selbst bewegen[95]. Steht dies nicht im Widerspruch dazu, daß der erstrebte Gegenstand das Strebevermögen, die Seele, bewegt (und diese dann das Lebewesen)? Außerdem wird von Aristoteles die Seele als der unbewegte Teil der Lebewesen angesehen[96], wogegen zu sprechen scheint, daß nur der Gegenstand dadurch, daß er als Erkanntes und Erstrebtes bewegt, unbewegt ist. Zu sagen, ,,unbewegt'' und ,,selbstbewegt'' hätten hier nur einen relativen Sinn, ist zu wenig. Um den möglichen Widerspruch zu beseitigen, müßte man die Hinsicht angeben können. Man müßte angeben können, in welcher Hinsicht die Seele als unbewegt und in welcher sie als bewegend angesprochen werden kann, und so auch, in welcher Hinsicht das Lebewesen selbstbewegend und in welcher es nicht selbstbewegend ist. Daß nun die Seele das ist, wodurch das Lebewesen bewegt wird, dürfte den Schlüssel zur Lösung enthalten. Nicht als äußerer bewegt nämlich der Gegenstand das Lebewesen, sondern insofern, als er auf jeden Fall durch Vorstellung (eventuell auch durch geistige Erkenntnis) sozusagen verinnerlicht wird, mit anderen Worten: nicht als extensionaler, sondern als intentionaler Gegenstand. Ein dergestalt verinnerlichter, intentionaler Gegenstand bewegt immer als etwas Gutes. Der als gut vorgestellte Gegenstand kann allerdings auch nur scheinbar gut sein. Was angestrebt wird, ist entweder wirklich oder nur scheinbar gut[97]. Letzteres kann wiederum aus einem doppelten Grund vorkommen: Entweder weil das Strebevermögen sich nicht an das geistig Erkannte hält oder weil der Gegenstand nicht geistig erkannt, sondern nur vorgestellt wird. Zwar trifft nämlich der Geist, oder die Vernunft (νοῦς), immer nur das Richtige, nicht aber die Vorstellungskraft oder das Strebevermögen[98]. Wie wir uns die Dinge vorstellen und was wir als gut anstreben, das liegt an unserem Charakter. Dieser wiederum liegt an uns selbst[99]. So kann der Mensch bis in den Bereich der moralischen Verantwortung hinein als ein Lebewesen angesehen werden, das, auch wenn es durch äußere Gegenstände angetrieben wird, sich dennoch durch seine Seele selbst bewegt[100]. Dieses Ergebnis stellt eine zusätzliche Absicherung gegen eine reine Abbild-Deutung der aristotelischen Theorie dar; denn die Vorstellung der Lebensweise, zu der man sich als verantwortlicher Mensch jeweils entscheiden mag, darf nicht mit dem Bild eines zu erstellenden Gegenstandes verwechselt werden,

---

[94] Vgl. *Physica*, 192b 13-33.
[95] 434a 28; vgl. *Physica*, 255a 5-10.
[96] Vgl. 434a 24-26 mit *De Motu Animalium*, 698a 14-b 4 u. 702a 22-b 1. S. auch 408b 30.
[97] 433a 28.
[98] 433a 26 f.
[99] Vgl. *Ethica Nicomachea*, 1114b 1-3.
[100] Für eine umfassende Interpretation der Theorie der (v.a. praktischen) Selbstbewegung siehe jetzt A. W. Müller, Praktisches Folgern und Selbstgestaltung nach Aristoteles, Freiburg/München 1982.

welches selbst wieder ein Abbild bereits hergestellter Gegenstände derselben
Art sein kann und meistens auch ist[101]. Daß nicht die äußeren Gegenstände als
solche es sind, durch die wir zum Handeln angetrieben werden, sondern ,,so-
zusagen'' die verinnerlichten Gegenstände, darf nicht in dem Sinne
mißverstanden werden, als ob der Handlungsablauf bei Abbildungen der Gegenstände und nicht bei den Gegenständen selbst seinen Anfang nähme. Im
Regelfall[102] (Halluzinationen und dergleichen einmal beiseitegelassen) sind
wir sowohl erkennend wie erstrebend intentional gerichtet auf existierende Gegenstände, nur daß sie uns jeweils ,,unter einer bestimmten Beschreibung'' an-
sprechen, bei der nicht so sehr passive Reproduktion als vielmehr aktive Interpretation am Werke ist. In diesem Zusammenhang kommt der Vorstellungskraft (,,Phantasie'') eine zentrale Rolle zu. Es stimmt nun, daß vor allem im 3.
Kapitel des III. Buches Aristoteles die Vorstellungskraft als eine mittlere Instanz zwischen Sinnlichkeit und Verstand[103] von da her versteht, daß sie imstande ist, sich den Gegenstand auch in dessen Abwesenheit nach Belieben vor
Augen zu führen[104], so daß sich der Gegenstandsbezug bei ihr ebenso ver-
flüchtigen kann wie bei einem gemalten Bild[105]. Doch, wie H. Cassirer[106]
schreibt: ,,Wenn wir ausschließlich auf die Schrift ‚Über die Seele' angewiesen
wären, so wäre es fast unmöglich, genau zu erkennen, welche Bedeutung der
‚Einbildungskraft' innerhalb der aristotelischen Philosophie zukommt''[107].
Aber auch schon die Erörterungen über das Bewegungsvermögen in den Kapiteln 7-11 von De Anima III sind ohne Zugrundelegung einer erweiterten, nicht
auf der Ähnlichkeit eines Bildes aufbauenden Auffassung von der Vorstellungskraft kaum verständlich. Schon allein, daß die Phantasie überall, wo es
Erkenntnis gibt, beteiligt ist, spricht gegen die Abbildtheorie, die ja auf jeden
Fall im Bereich der intellektiven Erkenntnis[108] versagt. Bewegung muß es aber
überall geben, wo es sinnliche Erkenntnis und damit auch Lust und Schmerz
und Begehren[109] gibt, denn sonst würden die Lebewesen nicht dem Schmerz-

---

[101] Vgl. A. W. Müller über die Bedeutungsbreite des Terminus ,,Gestalt'' in der Rede von
,,Selbstgestaltung'', a.a.O. S. 195, 204, 206, 233, 275 (mit Bezug auf das Vorstellungsvermögen),
288, 301-304.

[102] 428a 12.

[103] 427b 14 f.

[104] 427b 18-20.

[105] Vgl. 427b 21-24.

[106] Aristoteles' Schrift ,,Von der Seele'' und ihre Stellung innerhalb der aristotelischen Philosophie, Tübingen 1932, S. 108.

[107] Unter den neueren Interpreten sind hier vor allem zwei zu nennen, bei denen die Akzentset-
zung allerdings erheblich divergiert, einmal M. Nussbaum (Aristotle's De Motu Animalium, Text
with Translation, Commentary, and Interpretative Essays, Princeton 1978, S. 221-269), der die
Grenzen der Abbildungstheorie, die H. Cassirer noch vertritt, aufweist, und zum anderen M.
Schofield (,,Aristotle on Imagination'', in den zwei oben Anm. 35 angegebenen Sammelbänden).

[108] 431a 16 f.

[109] 413b 21-24, 414b 2-5.

vollen entfliehen und dem Lustvollen nachstreben können[110]. So muß es auch
überall, wo es Bewegung gibt, Wahrnehmung, und sei es nur, um entfernte
Nahrung suchen zu können, geben[111]. Sonst würde die Natur Unnützes
machen[112]. Nun sind aber Phantasie und sinnliches Erkenntnisvermögen so
eng miteinander verbunden, daß man auf sie die Aussage beziehen kann, die
Phantasie sei dem Sein nach verschieden von allen anderen Vermögen, mit
manchen aber sei sie dasselbe Vermögen[113]. Dies spricht dafür, daß sich beide
auf dieselben Gegenstände jeweils unter verschiedenen Aspekten oder Beschreibungen beziehen — was die interpretierende Funktion jedenfalls der
Vorstellungskraft unterstreicht. Die Betonung der Konzentration der Vermögen und damit auch der Einheit der Seele erreicht einen Höhepunkt da, wo
Wahrnehmungsvermögen, Intellekt und Vorstellungskraft als kritisches Vermögen zusammengenommen und dem Bewegungsvermögen entgegengestellt
werden[114], wobei gelegentlich sogar das Bewegungs- samt Begehrungsvermögen mit dem kritischen Vermögen unter Wahrung ihrer modalen Unterschie-
denheit in eins gefaßt werden[115]. So stellt sich die Frage, was denn nun bei der
menschlichen Bewegung bzw. bei der menschlichen Handlung den Ausschlag
gebe. Es stellt sich nun heraus, daß die Antwort: der Verstand (einschließlich
der Phantasie) und das Strebevermögen[116], nicht ohne Qualifizierung an-
nehmbar ist. Der Verstand bewegt ohnehin nur über das Strebevermögen, gibt
aber oft nicht den Ausschlag. Bei der Selbstbeherrschtheit ist es so, daß unser
Begehren, welches doch eine der Arten von Erstreben ist[117], sich nicht durchsetzt, sondern der Verstand[118]. Bei der Unbeherrschtheit dagegen ist es der
Verstand, der, auch wenn er den Befehl erteilen mag, diesem oder jenem zu
folgen oder zu entfliehen, sich nicht durchsetzt[119]. Nun gibt es im ersten Fall
neben dem Begehren (ἐπιθυμία) auch den Willen (βούλησις), der doch mit dem
Verstand konform geht[120]. Auch der Wille ist aber eine Art von
Strebevermögen[121]. Und so ist es schließlich immer das Strebevermögen, welches stets den Ausschlag gibt, manchmal in Übereinstimmung mit dem Verstand, manchmal wieder nicht. Daher ist das Lebewesen zunächst nur insofern

---

[110] 431a 6-10; vgl. allerdings 432b 20!
[111] 434a 32-b2.
[112] Ebd.; vgl. *De Motu Animalium*, 700b 9-16.
[113] 432a 31-b2 in Verbindung mit *De Insomniis*, 459a 15.
[114] 432a 15-19 zusammen mit 432a 8 f. u. 431a 14-16.
[115] Vgl. 431a 8-17. Überhaupt ist es eine schwierige Frage, was denn „Teile der Seele zu sein"
bedeute (u. wieviele die Teile seien): 432a 22 f.
[116] 433a 9 f.
[117] 433a 25 f.
[118] 433a 6 f.
[119] 433a 1-3.
[120] 433a 25 f.
[121] 433a 23.

selbstbewegend, als es Strebevermögen hat (welches Vorstellungskraft einschließt)[122]. Insofern aber das Strebevermögen (widerstrebend oder nicht) dem Verstand (als Wille) gehorcht oder (als Willensschwäche bzw. besser als Mangel an Willen) nicht[123], so ist auch der Verstand, aber nur so, nämlich als praktischer Verstand[124], bewegend, ohne selbst je bewegt zu werden[125]. Die Diskrepanz zwischen Verstand und Streben kann indes nur unter der Voraussetzung zustande kommen, daß man die Zeit wahrnimmt[126]; denn nur so kann der Verstand im Hinblick auf das Künftige seine Befehle erteilen, während das Begehren in der Gegenwart verharrt (Realitäts- und Lustprinzip könnte man sagen)[127]. Und so kommt es zu einer Konkurrenz von Gesichtspunkten, wobei die stärkste Motivation den Sieg davonträgt[128] (Prinzip der Güterabwägung bzw. dessen, was jeweils als besser erscheint). Das bedeutet allerdings nicht, daß Aristoteles das Prinzip der Güterabwägung als einziges moralisches Entscheidungsprinzip anerkennen würde. Die Grenzen des Prinzips der Güterabwägung sind für Aristoteles zugleich die Grenzen der Theorie der Mitte in bezug auf die moralische Handlung: ,,... Indes kann unsere Theorie der Mitte nicht auf jedes Handeln und auf alle irrationalen Regungen angewendet werden, denn letztere schließen bisweilen schon in ihrem bloßen Namen das Negative ein, z.B. Schadenfreude, Schamlosigkeit, Neid — und auf der Seite des Handelns: Ehebruch, Diebstahl, Mord. All diese und ähnliche Dinge werden ja deshalb getadelt, weil sie in sich negativ sind und nicht nur dann, wenn sie in einem übersteigerten oder unzureichenden Maße auftreten. Es ist also unmöglich, hier jemals das Richtige zu treffen: es gibt nur das Falschmachen. Und es ist auch über den sittlichen oder unsittlichen Charakter solchen Tuns kein Schwanken möglich, etwa ob es Ehebruch mit der richtigen Frau oder zur rechten Zeit oder in der richtigen Weise gebe — sondern das einfache Vollziehen irgendeiner derartigen Handlung bedeutet falsches Handeln. Ähnlich sinnlos ist ferner die Annahme, es gebe beim ungerechten, feigen und wollüstigen Handeln Mitte, Übermaß und Unzulänglichkeit, denn auf diese Weise käme man zu dem Ansatz einer Mitte auch für Übermaß und Unzulänglichkeit und weiter zum Übermaß des Übermaßes und zur Unzulänglichkeit der Unzulänglichkeit. Wie aber ein Akt der Besonnenheit oder Tapferkeit nicht aufgespalten werden kann in ein übersteigertes und ein unzulängliches Tun, weil ja das Mittlere im Grunde ein Äußerstes ist, so gibt es auch bei den vorher aufge-

---

[122] 433b 27-29; vgl. 433b 10.
[123] Vgl. v.a. *Ethica Nicomachea*, 1102b 29-1103a 10.
[124] 433a 14, 16, 18.
[125] Vgl. 434a 16.
[126] 433b 7.
[127] 433b 7-10.
[128] 434a 7-9.

zählten Beispielen kein Übermaß und keine Unzulänglichkeit; man handle hier wie man wolle, es ist falsches Handeln" [129] (Übersetzung von F. Dirlmeier) [130].

---

[129] *Ethica Nicomachea*, 1107a 8-25.
[130] Eine vorzüglich ausgewählte und knapp kommentierte Bibliographie zur aristotelischen Psychologie findet sich am Schluß des oben S. 52 Anm. 35 zitierten, von J. Barnes, M. Schofield u. R. Sorabji herausgegebenen Sammelbandes.

WOLFGANG KLUXEN
Bonn

SEELE UND UNSTERBLICHKEIT BEI THOMAS VON AQUIN

I

Die Frage nach der Seele und ihrer Unsterblichkeit gehört zu den großen Themen unserer metaphysischen Tradition. Sie besitzt daher ein bedeutendes historisches Interesse, zumal an diesem Kreuzungspunkt metaphysischer, anthropologischer und gnoseologischer Ansätze Auswirkungen der jeweiligen Positionen erkennbar werden, die das historische Urteil über eine gegebene Philosophie mitbestimmen müssen. Philosophisch wird man sich aber mit bloß historischem Urteil, wie es denn gewesen sei, nicht begnügen dürfen. Mindestens wird man zu fragen haben, welches Interesse dieses Stück Historie in Bezug auf jenen Diskussions- und Erfahrungshorizont hat, in dem wir uns gegenwärtig bewegen.

Für die Mehrheit unserer philosophierenden Zeitgenossen dürfte ein metaphysischer Seelenbegriff so gut wie abgetan sein, spätestens durch die scharf polemische sprachanalytische Kritik von *G. Ryle* in ,,The concept of Mind'' (1949). Nun wendet sich Ryle mit der einprägsamen Formel vom ,,Gespenst in der Maschine'' gegen die ,,offizielle Lehre'' eines cartesischen Dualismus von Leib und Seele, die typisch neuzeitlich ist, von der man aber nicht sagen kann, sie sei die einzig mögliche metaphysische Seelenlehre. Es gibt andere Möglichkeiten, die von Ryles Kritik nicht betroffen werden, und sicher gehört die aristotelische dazu. Doch ist es für Anhänger der analytischen Kritik bedeutsamer, wenn ein unverdächtiger Naturwissenschaftler wie *John Eccles*, sekundiert von einem metaphysikfernen Philosophen wie *Karl Popper*, bestimmte Erkenntnisse der Hirnphysiologie nicht anders glaubt interpretieren zu sollen denn als Verweis auf einen ontisch-ontologisch selbständigen Träger, dem das Gehirn als Organ dient[1]. Das läßt sich nicht einfach abtun: Die Frage muß wieder als offen gelten, die analytische Kritik zeigt sich als nur begrenzt berechtigt.

Im deutschen Bereich hat man Ryle nie wichtig genommen, denn schon lange vor Erscheinen seines Buches galt die von ihm bekämpfte dualistische Position als obsolet. Das lag vorzüglich an der Entwicklung einer neuartigen philosophischen Anthropologie, die mit den Namen von *Scheler, Plessner* und *Gehlen* verbunden ist. Der Leib-Seele-Dualismus ist hier in einem ganz anders strukturierten Stufen- oder Schichtenmodell aufgehoben, bei dem es unter der

---

[1] Vgl. J. C. Eccles/K. R. Popper, The Self and its Brain. An Argument for Interactionism (Berlin — New York 1977).

leitenden Frage nach einem einheitlichen Begriff des Menschen darauf ankommt, empirisch-humanwissenschaftliche Erkenntnisse zu integrieren. Ein
solches Modell kann durchaus metaphysisch offen sein, wie das Beispiel Sche-
lers zeigt. Offen ist es aber auch für den Zuwachs der wissenschaftlichen Erkenntnis, und gerade das hat zur Folge gehabt: Die Weiterführung anthropologischer Forschung ist an die Humanwissenschaften abgetreten worden, die
philosophische Anthropologie ist an ihr Ende gekommen[2]. Sie hat, auf andere
Art als die analytische Philosophie, ihre Begrenztheit erwiesen.

Immerhin bleibt das Entscheidende des anthropologischen Ansatzes auch
jetzt noch erhalten, nämlich die Einsicht, daß die Frage nach dem Menschen
unter der Prämisse der *Einheit* zu stellen ist. Strikt geschlossen und abgeschlossen gegen metaphysische Deutung wird diese Einheit aber erst in einer
Philosophie, welche sie radikal als endlich, als ,,Dasein zum Tode'' faßt[3].
Wenn mit dem Tode ,,alles'' zu Ende ist — dabei ist gleichgültig, ob man phänomenologisch, existentialanalytisch oder ,,wissenschaftlich'' zu diesem Ergebnis kommt —, verliert der Dualismus jedes Interesse. Von ,,Seele'' braucht
nicht mehr die Rede zu sein, es sei denn im Sinne eines in jener Endlichkeit
befaßten Momentes.

Die Position der Endlichkeit tritt vollends, als sein negatives Korrelat, an
die Stelle des Unsterblichkeitsgedankens, wenn sie auch das
,,Transzendieren'' des Denkens ontologisch auf den Horizont der Endlichkeit
des Daseins bezieht. Was immer transzendentalphilosophisch als Geltung, als
apriorisch-überzeitliche Möglichkeitsbedingung oder als ,,Sinn'' bestimmt
werden mag, es gewinnt dann ,,Bedeutung'' gerade für eine Existenz, die sich
endlich und in ,,Sorge'' weiß; Unsterblichkeit wäre ,,unbesorgt'' und ,,unin-
teressiert'', nichts wäre für sie ,,bedeutsam''. Sofern jedoch unleugbar die eigene Existenz transzendiert wird, geschieht das auf andere, ebenso endliche
Existenz hin, freilich ohne angebbare Begrenzung: Der Horizont der Bedeu-
tungstranszendenz ist die ,,unbegrenzte Kommunikationsgemeinschaft'', oder
es ist die ,,Gesellschaft'' — und der Modus des Transzendierens wird dann am
Ende die gesellschaftliche Praxis.

Höchst bedeutsam ist, daß die These der ,,Einheit als Endlichkeit'' auch
von Theologen aufgenommen wurde, und nicht nur von solchen, welche die
Eschatologie zugunsten der gesellschaftlichen Utopie abgeschrieben haben.
Unter philosophischem Einfluß wird erkannt, daß der Unsterblichkeitsgedan-
ke, der sich an den metaphysischen Seelenbegriff knüpft, dem biblischen
Menschenverständnis fremd ist. Der Auferstehungsglaube ist davon unabhän-

---

[2] Ich folge mit dieser Beurteilung W. Schulz, Philosophie in der veränderten Welt (Pfullingen
1972) 457.
[3] Vgl. dazu die Sammlung: Der Tod in der Moderne, hrsg. u. eingel. v. H. Ebeling (Meisenheim 1979); hier einschlägig bes. die Beiträge von W. Schulz, Zum Problem des Todes, 166-183,
und K.-O. Apel, Ist der Tod eine Bedingung der Möglichkeit von Bedeutung? 226-235.

gig festzuhalten; seine Verbindung mit der metaphysischen Unsterblichkeit wird gelöst, und so wird dieser überhaupt der religiöse Boden entzogen, auf dem sie nicht nur in der christlichen Tradition stand. Um den Wandel zu ermessen, der sich darin äußert, muß man sich erinnern, daß noch die deutsche Aufklärung den Unsterblichkeitsgedanken für ein Kernstück der Religion gehalten hat.

Theologisch hat sich nun zwar die Auffassung der Einheit des Menschen durchgesetzt, aber die Mehrheit der Theologen scheint nicht bereit, die radikale Trennung des Auferstehungsglaubens vom Unsterblichkeitsgedanken mitzuvollziehen. Es stellt sich ja die Frage der Identität des Auferstandenen mit dem, der „gänzlich" gestorben war; ist er dann nicht auch „gänzlich" neu geschaffen, so daß er nur durch ein irrationales Wunder mit der Geschichte und sogar der Schuld beladen werden kann, die der Tote hatte? Um ein bekanntes Beispiel abzuwandeln: Niemand wird einen neuen Anzug für „denselben" halten wie den alten, den er gänzlich ersetzt; wohl aber wäre denkbar, daß der alte stückweise geflickt und am Ende gänzlich ersetzt würde und doch in einer einzigen Geschichte mit dem ursprünglichen verbunden, also immer noch „derselbe" wäre. Identität wird im Wandel bewahrt durch geschichtliche Kontinuität. Theologisch ist die Unsterblichkeitslehre jene, welche an der Kontinuität eines Überbleibsels des Menschen dessen Identität auch für das neugeschaffene Leben festmacht. Es gibt also immer noch ein theologisches Interesse an einer metaphysischen Unsterblichkeitslehre, wenn nämlich die Theologie nicht darauf verzichten will, den Glauben „vernünftig" zu denken.

Immerhin steht nicht nur ein rationales, sondern ein religiöses Interesse hier in Frage. Religiös geht es dem Menschen um seine Identität — oder auch um die Identität der anderen, um sein und um deren Heil. In der Heilsreligion kommt es darauf an, die Kontingenz dieser Identität dadurch zu bewältigen, daß ihr eine nicht-kontingente Bedeutung im Horizont einer die Kontingenz überschreitenden Transzendenz zugewiesen oder ermöglicht wird. In dieser Perspektive ist die „Einheit" des Menschen durchaus von sekundärer Bedeutung, denn sie gehört zu seiner „Natur" und ist noch nicht die Identität; es sei denn, diese einheitliche Natur sei als solche notwendige Bedingung und Ort oder auch „Form" der Identität.

Das wird von der Endlichkeitsphilosophie vorausgesetzt, und zugleich wird durch sie die Kontingenz radikalisiert: Die Möglichkeit des Transzendierens wird auf den Horizont der Endlichkeit eingeschränkt. Die religiöse Heilsperspektive kann dann nicht mehr als „menschliche" gedacht werden (woraus die „dialektische Theologie" die Konsequenz zieht), Religion muß umgedacht und umgedeutet werden (was seit Feuerbach geschieht). Mit ihr zugleich bleibt die Transzendenz auf der Strecke, aber auch die Identität wird dann angerührt: Sie verliert die Möglichkeit, sich aus der Kontingenz zu retten, und sie steht in Gefahr, im „Gattungsmäßigen" unterzugehen.

Wer das hinnimmt oder gar bejaht, muß allerdings mit Erfahrungen fertig werden, die dem widersprechen. Ein Signal ist, daß auch angesichts der neuen ,,offiziellen Lehre'' (die längst nicht mehr die dualistische ist) von der Einheit in Endlichkeit die weitertreibende Frage nicht aufhört, und zwar gerade außerhalb der philosophischen Seminare und gerade bei der jüngeren, nicht durch den Dualismus affizierten Generation. Die viel besprochene ,,Sinnkrise'' zugleich mit der ,,Identitätskrise'' gehört hierher; ebenso das Phänomen der ,,Jugendreligionen'' einschließlich des Interesses für östliche Meditationspraktiken — zuweilen gar ,,transzendental'' genannt — und damit ein neues Fragen nach ,,Seele''. Negativ ist das ,,Aussteigertum'' ein Indiz für den Zweifel daran, in ,,Gesellschaft'' einen zureichenden Daseinshorizont zu finden. Im intellektuellen Bereich ist die kritische Haltung gegenüber der Wissenschaft symptomatisch, mit der eine zunehmende Hinwendung zu anderen Weisen von Weltorientierung verbunden ist; Mythen und Geschichten, Identitätsbestätigungen werden wichtiger als Objektivierungen.

Wie immer man die bezeichneten Erscheinungen bewerten und gewichten mag, jedenfalls zeigen sie an, daß mit der Position der Einheit die Frage nach der Identität und daß mit der Position der Endlichkeit die Frage nach dem Sinn — und das ist nichts anderes als die Frage auch nach der Transzendenz — nicht zur Ruhe kommt. Die philosophische Reflexion hat daher Anlaß, sich für die kritische Revision jener Positionen offen zu halten, deren Auswirkungen zu einer Verengung des Frageraums führen. Dieser Frageraum ist durch Verweisungszusammenhänge charakterisiert, die nicht einlinig sind und nicht einseitig auflösbar. Wir haben es mindestens mit einem Ternar zu tun: die Einheit in Endlichkeit, traditionell die ,,Natur'', steht in Spannung zur kontingenten Identität, die der Ort des ,,Personalen'' ist; und beide verhalten sich zumindest in Weise der Frage zur Transzendenz, zum Sinn, zum transzendentalen Bereich von ,,Geist''. In den ternarisch bezeichneten Raum zeichnen sich die Doktrinen als Lösungsentwürfe oder Orientierungsversuche ein, die jeweils bestimmte Einsichten bevorzugt zur Geltung zu bringen suchen, die aber zugleich der Forderung nach Integration aller Erfahrungen gerecht zu werden haben. Es liegt auf der Hand, daß hier die Gefahr einer Verkürzung besteht, wenn der Begriff die Erfahrung bestimmt. Es kann dann sein, daß abgelegte Entwürfe wieder wichtig werden, sofern verdrängte Erfahrungskomplexe durch sie in Integrationsmodellen bewahrt werden, deren Leistung von den herrschenden nicht mehr erbracht wird. Sie sind dann erinnernswert, auch wenn ihre spezifische Begrifflichkeit nicht mehr nachvollziehbar sein sollte. Sie sind Zeugnisse der Erfahrung des Denkens.

In diesem Sinne soll hier die Lehre des Thomas von Aquin erinnert werden, dessen Seelenlehre aus bestimmten geschichtlichen Vorgaben und mit Begriffen einer bestimmten Metaphysik eine exemplarische Integrationsleistung vollbringt.

II

Die Geschichte der metaphysischen Seelenlehre, die Thomas gegenwärtig ist, fängt mit *Platon* an. Mit ihm beginnt die dualistische Auffassung des Leib-Seele-Verhältnisses, die in mannigfachen Abwandlungen bis an die Schwelle der Gegenwart fortwirkt, und sie beginnt in einer charakteristischen Weise, nämlich mit der Frage nach der ,,Identität''.

Vielleicht am deutlichsten ist das im ,,Alkibiades'', wobei nicht ins Gewicht fällt, daß man diesen Dialog für unecht halten muß; um so mehr bezeugt er das Verständnis, das der Ansatz fand. Ausgehend von der Forderung des Gottes, sich ,,selbst'' zu erkennen, und dem Verlangen, für sich ,,selbst'' — oder auch das Selbst des anderen — Sorge zu tragen, wird die Frage gestellt, was denn der Mensch ,,selbst'' sei. Das ist gewiß nicht, was ihm bloß angehört, was er beherrscht und dessen er sich bedient, was er etwa als Werkzeug einsetzt: Das alles kann vom Leib gesagt werden. Der Mensch ,,selbst'' ist jenes, das den Leib beherrscht und benutzt: die Seele[4].

Die eindrucksvolle Herleitung dieses Resultats schließt mit der Bemerkung, hier sei zwar zureichend vom ,,einzelnen'' Selbst gesprochen worden, Genauigkeit und Sicherheit in strengem Sinne gäbe aber erst eine vorherige Untersuchung dessen, was das Selbst ,,selbst'' sei. Es wird also eine ontologische Bestimmung verlangt, wie sie Platon im ,,Phaidon'' für die Seele gibt. Auch der ,,Phaidon'' setzt im Umkreis der Identitätsfrage an, denn es geht um das Fortleben nach dem Tode, für das sogar eine persönliche Leistung verlangt wird: Der Philosoph soll das Sterben lernen. Dafür ist die Voraussetzung, daß die Seele von grundsätzlich anderer Seinsart ist als der vergängliche, veränderliche, teilbare Leib. Sie ist, positiv gesehen, der Ideenwelt ähnlich, und ihre Zugehörigkeit zu dieser Dimension weist sie dadurch auf, daß sie der Erkenntnis der Ideen fähig ist. Die ontologische Sicherung der Identität wird gnoseologisch begründet, die transzendentale Dimension in metaphysischer Transzendenz befestigt.

Die zeitweilige Vereinigung der ontologisch selbständigen, prä- und postexistenten Seele mit dem Leibe wird dann schwierig zu denken. Die Seele allein ist Leben, Tätigkeit, ,,sich selbst bewegend''; auch wenn sie sich durch den Leib und dessen Sinnesorgane auf die materielle Welt bezieht, so ist doch selbst in der Sinneserkenntnis sie der aktive, zugreifende Teil, und erst recht dann, wenn sie anläßlich der Erkenntnis dieser Welt sich an die Idee ,,erinnert''. Der Leib ist passiv, Beschränkung oder gar ,,Kerker'' der Seele. Welchen Sinn hat es, daß sich die Seele mit ihm verbindet?

Wenn der Seele zugemutet wird, sich durch ihre Lebensführung vom Leibe zu lösen — im ,,Sterbenlernen'' — und zur Unsterblichkeit zu erheben, so

---

[4] Vgl. Alkibiades I 129-130; die hier vertretene Lehre scheint mir durchaus authentisch im Sinne Platons.

kann umgekehrt ihr Eingehen in den Leib als Abstieg, ja als Fall und Folge einer Fehlleistung gedeutet werden. Sie ist „schuld" an ihrem Geschick. Platon äußert sich in diesem Sinne, allerdings in mythischer Rede, und der Gedanke wird in späteren Platonismen aufgenommen, auch im christlichen: so bei Origenes und abgewandelt bei Eriugena. Das Unbefriedigende dieser Antwort liegt darin, daß hiernach die Einheit von Leib und Seele, welche den „Menschen" kennzeichnet, nur ein kontingentes Ereignis ohne eigenen Sinn ist. Pointiert gesagt, wird der Mensch zum zu überwindenden „Unwesen".

Deshalb hat sich in der Wirkungsgeschichte des platonischen Ansatzes — insbesondere im Neuplatonismus — eine ganz andere Auffassung durchgesetzt, welche den Sinn des leibseelischen Menschenwesens durch dessen Einordnung in eine metaphysische Kosmologie verständlich macht. Wenn sich metaphysisch die körperlich-sinnliche, sichtbare und vergängliche Welt und die ideenhaft-geistige, unsichtbare und unvergängliche gegenüberstehen, so hat der Mensch an beiden teil und ist damit jenes Wesen, in dem sich beide Welten verbinden. Die ausgezeichnete Stellung, die ihm damit zugesprochen wird, kann in verschiedener Weise beschrieben werden, je nach der Struktur des metaphysischen Entwurfs, in dem sie eingeordnet wird: im emanatistischen Modell etwa als Ende des Hervorgangs der Geistwelt und Anfang der Rückkehr; in mehr statischem Denken als Mitte oder als Grenzstellung zwischen Zeit und Ewigkeit („in horizonte aeternitatis et temporis"); auch kann der Gedanke des Menschen als Mikrokosmos hier anknüpfen. Stets ist es aber gerade die dualistische Auffassung vom Menschen, welche diese Position ermöglicht, und umgekehrt wird diese durch die vorausgesetzte dualistische Metaphysik stabilisiert.

Freilich folgt aus dieser, sozusagen aufwendigen, metaphysischen Interpretation des Menschen noch nicht ein Verständnis seines Wesens als Einheit; denn diese müßte als Folge des Wesens selbst, der ihm innewohnenden Prinzipien oder Teile begriffen werden. In der platonischen Tradition wird weiterhin der Mensch als „anima utens corpore" bezeichnet werden können, und die Seele ist nach dem gängigsten Vergleich so im Leibe wie der Schiffer im Schiff: „sicut nauta in navi". Hingegen hat die Orientierung am kosmisch-metaphysischen Gesamtentwurf eine gegenteilige Folge: Für die vermittelnde Rolle zwischen Geistwelt und Körperwelt ist nicht die Identität des Menschen wichtig, sondern die Zugehörigkeit einerseits zur transzendent-transzendentalen Sphäre, zur materiellen andererseits. Die Sorge um die persönliche Unsterblichkeit — sicher ein platonischer Ausgangspunkt — ist dann nicht mehr metaphysisch bedeutsam, sondern nur die Präsenz des „von oben" kommenden „Geistes" im Menschenwesen, das als körperliches der unteren Welt entstammt, auch sofern es „beseelt" ist. Das ist die Position der führenden arabischen Denker, die freilich die Integration des aristotelischen Seelenverständnisses zur Voraussetzung hat.

Dies ist allerdings dem Platonischen entgegengesetzt oder besser gesagt, *Aristoteles* spricht von ,,Seele'' aus einem anderen Blickwinkel, aus einem anderen Interesse; er redet insofern von etwas anderem. Die Seele ist Grund des Lebens, daher in allem Lebendigen anzutreffen und zu untersuchen; sie gehört zu seiner ,,Physis''. Ganz klar steht die Frage nach der Natur und damit der Einheit des ,,Beseelten'' am Anfang, und es ist nicht nur die Natur des Menschen, die in Frage steht.

Diese Blickrichtung führt nun zunächst dazu, daß die Seele nicht als ein Für-sich-Seiendes zu betrachten ist, sondern als jenes im Lebendigen, das als das Bestimmende seine ,,Form'' ist. Von Form kann nicht ohne jenes die Rede sein, dessen Form sie ist, also ihren Träger; sie ist demnach ,,Form des Leibes''. Als solche ist sie dessen ,,Erfüllung'' (Entelechie), die grundlegende Verwirklichung seines Vermögens, Leben zu haben, Grundlage also aller Lebensprozesse, zu denen das Lebendige durch seine körperlichen Organe fähig ist. Diese Prozesse sind damit aber noch nicht die Prozesse der Seele; nicht sie wächst und vergeht, nicht sie ernährt sich oder nimmt wahr, sondern das Lebendige. Die Seele ist auch nicht mehr das in sich Bewegte, denn das wäre sie nur als Für-sich-Seiendes. Sie ist nicht ,,abtrennbar'' vom Ganzen, dem sie zugehört, sie entsteht und vergeht daher mit ihm. Die Frage, wie sie denn mit dem Leib zur Einheit komme, ist nicht sinnvoll zu stellen; sie ,,ist'' nur in dieser Einheit.

Dies Seelenverständnis ermöglicht es, die ganze Breite unserer Erfahrung mit seelischem Leben, auch außermenschlichem, unter einen Begriff zu bringen; es ermutigt ,,erfahrungswissenschaftliche Forschung'', wenn man aristotelische Physik so nennen will, und jedenfalls ist es brauchbar, wenn man Brücken zu erfahrungswissenschaftlichen Disziplinen wie der Medizin, der Physiologie, der Zoologie schlagen will. Zugleich wird aber die Seele ontologisch mit den begrifflichen Mitteln der Substanzanalyse bestimmt: Gestalt und Träger, Form und Stoff, Akt und Potenz. Es macht die Stärke der aristotelischen Auffassung aus, daß sie die Kontinuität von Wissenschaft und Philosophie (wie man heute sagen würde) oder von Physik und Metaphysik wahrt. Aber sie stößt dabei auf Schwierigkeiten.

Der Gattungsbegriff, den die aristotelische Definition der Seele bestimmt, ist nämlich nicht ohne weiteres in der Lage, die spezifische Differenz des ,,Denkfähigen'' aufzunehmen, wenn das Denken in der transzendentalen Dimension und in seiner metaphysischen Bedeutung anerkannt wird. Es ist zwar klar, daß Denken zu den Tätigkeiten der menschlichen Seele gehört, und Aristoteles führt es oft so an, aber andererseits ist der denkende ,,Geist'' durchaus anders geartet als alles ,,physische'' Seelenwesen. Dies kann entstehen und aus seiner Entwicklung begriffen werden; der Geist tritt von außen hinzu, unvermischt und ,,getrennt'', nicht betroffen von Bewegtheit und Vergänglichkeit des Leibwesens. Zwar hat das Denken seinen Gegenstand nicht ohne den

Leib, und Denken ist nie ohne Vorstellung, nie ohne Phantasie, die es mit der Sinnlichkeit vermitteln. Aber seine Seinsart ist dennoch ,,für sich'', und man kann sich daher fragen, ob dies dasselbe sei wie das ,,Für-sich'' des Leibes.

Daß der Geist nicht einer Ideenwelt zugeordnet wird, sondern seine Inhalte durch Vermittlung der Sinnlichkeit aus der physischen Welt bezieht, macht die Sache nicht einfacher. Denn nun muß der Geist zugleich als aufnehmend und als tätig gedacht werden, sofern diese Inhalte ins ,,Ideenartige'' zu überführen und erst als solche dem Geist gemäß und somit aufnehmbar sind. Der Geist wird zweifach und die Frage nach der Identität schwieriger. Liegt sie nicht primär bei jenem leibseelischen Wesen, das entsteht und vergeht? Und wenn der Geist unzerstörbar und unsterblich ist: Ist das Unsterbliche dann ,,dasselbe'' wie die vergängliche Physis des Menschen? Das ist schwer zu denken.

Anläßlich der Geistlehre bleiben Fragen offen, die Aristoteles nicht beantwortet, und es ist schwierig, die Antwort in Einklang mit seinen Ansätzen zu geben, wenn man andere Fragen hat als er. Das christliche Denken über die Seele hat sich daher bis zur Zeit der Hochscholastik an die platonische Tradition gehalten. Dagegen haben die arabischen Aristoteliker einerseits den ,,physikalischen'' Seelenbegriff aufgenommen, andererseits die Geistlehre metaphysisch ausgebaut, wobei sie sich mit neuplatonischen Gedanken treffen. So gilt bei *Avicenna* der ,,intellectus agens'' als die unterste Geistemanation, die aus dem einen schöpferischen Ursprung hervorgeht. Er ist der ,,dator formarum'' der sublunarischen Welt, und das gilt sowohl ontologisch als auch gnoseologisch: Die Dinge ,,formt'' er ebenso wie unsere Begriffe in dem uns eigenen passiven Geistvermögen, das unserer vergänglichen Physis zugehört. Rigoroser und ontologisch konsequenter trennt *Averroës* den Geist überhaupt, auch den ,,intellectus possibilis'', von der vergänglichen Physis und der dieser zugehörenden Seele ab. Sein Für-sich-Sein wird als substantiell eines aufgefaßt, so daß nur *ein* Geist bei oder besser über allen Menschen besteht. Sie können nur in ein Verhältnis der ,,continuatio'' mit ihm kommen, zu welchem die Seele passiv gelangt, sofern die ontischen Bedingungen in ihrer Sinnlichkeit vorliegen.

Die Frage nach der Identität ist bei den Arabern klar beantwortet: Sie liegt bei der leibseelischen Physis, die entsteht und vergeht. Aber diese ist nicht, wie in der modernen Philosophie der Endlichkeit, Ort und Horizont der ,,Bedeutung'', die vielmehr gänzlich im ,,Geiste'' liegt. Menschliche Existenz perpetuiert ihren transzendenten Sinn durch Aufgabe der Identität, durch Aufgehen im Allgemeinen. Genau das geschieht schon im Prozeß der wissenschaftlichen Erkenntnis. Im Averroismus wird so das ,,theoretische Leben'', und darunter ist das des Wissenschaftlers zu verstehen, zur Erfüllung des metaphysischen Existenzsinnes. Es ist wohl verständlich, daß solche Auffassung gerade für Wissenschaftler attraktiv ist, auch wenn von einer individuell-persönlichen Unsterblichkeit nicht mehr zu reden ist.

Dies Resultat ist dem, was im ursprünglichen platonischen Ansatz liegt, ganz konträr. Aber der Gegensatz entsteht durch eine Verschiebung der Fragestellung, die einer Verlagerung des Interesses folgt, welchem andere Interessen geopfert werden. Daher widerlegen die späteren Positionen nicht die früheren derart, daß diese obsolet würden; sie bleiben diskussionswürdig, und zwar entscheidend deshalb, weil sie je legitime Aspekte der Sache selbst — wenn auch nicht immer in legitimer Weise — vergegenwärtigen. Dem Erben dieser Traditionen stellt sich die Aufgabe, nicht zwar die widerstreitenden Doktrinen und Begriffe, wohl aber die Aspekte der Sache selbst zu integrieren. Als Lösungsversuch für solche Aufgabe läßt sich die Lehre des Thomas von Aquin lesen.

III

Bei dieser „Lektüre" kommt es nicht darauf an, der Darstellung — oder den verschiedenen Darstellungen — zu folgen, welche Thomas von seiner Seelenlehre gibt, was eine besondere Aufgabe von einigem Interesse wäre[5]. Noch auch soll die Doktrin im Ganzen vorgeführt werden; es fehlt ja nicht an historischen und systematischen Untersuchungen zur Doktrin, die man also nicht erst bekannt zu machen braucht[6]. Es geht lediglich um die Vergegenwärtigung einiger Schlüsselpositionen, deren strukturelle Verbindung die Lehre unter dem dreifachen Gesichtspunkt charakterisiert, der entwickelt worden ist. Das ist die Voraussetzung für die Abschätzung der philosophischen Leistung dieser Lehre.

Die Absicht ist also nicht in dem engeren Sinne historisch, in dem die Erkundung eines Geschehens so heißt. Wohl aber ist sie selbstverständlich insofern auf Historie bezogen, als die doktrinelle Leistung zugleich in ein Verhältnis zu den geschichtlichen Vorgaben gesetzt werden muß, auf die sie sich bezieht und auch an ihnen zu messen ist. Dabei kommt es nicht nur auf den Inhalt dieser Vorgaben, sondern auch auf die Weise an, wie sie der Epoche gegenwärtig sind und in ihrem Horizont erscheinen. Doktrinelle Entscheidungen sind selten allein aus der speziellen Problemgeschichte, sie sind zugleich aus der Gesamtsituation der Epoche zu verstehen. Dies ist auch in unserem Falle bedeutsam.

Denn die intellektuelle Gesamtsituation dieser Epoche der Scholastik ist maßgeblich durch den Eindruck gekennzeichnet, welchen der Aristotelismus nicht nur als bestimmte Doktrin, sondern mehr noch als Gestalt einer auto-

---

[5] Vor allem scheint mir die Quaestio de anima der Linie eines aktuellen Diskussionsinteresses zu folgen, im Unterschied zur Summa theologiae, die ganz der eigenen systematischen Absicht folgt.

[6] Ich hebe hervor J. Mundhenk, Die Seele im System des Thomas von Aquin (Hamburg 1980), der alle einschlägigen Texte behandelt; ferner zu einem wichtigen Sonderproblem, das ich hier nicht berücksichtige, R. L. Fetz, Ontologie der Innerlichkeit (Freiburg Schweiz 1975).

nom auftretenden, objektive Geltung beanspruchenden profanwissenschaftlichen Rationalität machte. Die aristotelische Seelenlehre, einschließlich der von den Arabern mit ihr verbundenen Intellektlehre, erscheint in diesem Zusammenhang, und dies gibt ihr ein in spezifischem Sinne „wissenschaftliches" Gewicht. Welchen Einfluß man ihr einräumt, wird entscheidend davon abhängen, wie man überhaupt die Bedeutung profanwissenschaftlicher Rationalität bestimmen und einordnen wird.

Die Seelenlehre des Aristotelismus tritt sogleich in mehreren Varianten auf, welche die Doktrin des Aristoteles in verschiedener Weise komplettieren. Die „Rezeption des Aristoteles" — die eben die positive Aufnahme nicht nur des Aristoteles, sondern der in aristotelischer Begrifflichkeit ausgedrückten Wissenschaft meint — führt daher zu einer Vielzahl je umstrittener Positionen der Scholastiker, die in verschiedener Weise die Elemente der Vorgaben kombinieren, miteinander vermitteln oder entwickeln. Die Extremposition eines „reinen" Aristotelismus, der sich ganz an die averroistische Intellektlehre hält, bildet sich relativ spät, zu Lebzeiten des Thomas; sie hat im christlichen Kontext keine Chance und findet in Thomas selbst den wichtigsten Gegner. Sie belegt nur die Anziehungskraft der Doktrin, die damit, gleichsam als Gegenbild, zum Gesamtbild der Epoche gehört. Von Interesse anderer Art sind Versuche, den avicennischen „intellectus agens" in eine von Augustin inspirierte Illuminationslehre einzubauen. Dieser „Augustinisme avicennisant", wie ihn Gilson genannt hat, zeigt die Möglichkeit, im aristotelischen Kontext traditionsbestimmte Positionen einzubringen, die im lateinisch-christlichen Bereich zum patristischen Erbe gehörten. Dies ist vor Thomas und vielfach auch nach ihm die vorherrschende Einstellung: Der platonisch-neuplatonische Ansatz, mit seinem Dualismus und seiner Identitätssorge, wird mit Begriffen der aristotelischen Wissenschaft reformuliert, modifiziert und so prinzipiell festgehalten. Dabei kann man im Hinblick auf die „Biopsyche" sehr verschieden weit in der Übernahme aristotelischer Resultate gehen, so wie auf der anderen Seite die Intellektlehre unterschiedlich interpretierbar ist; der entscheidende Punkt ist die Auffassung von der Substantialität der individuellen Geistseele, an welcher die Unsterblichkeitslehre hängt. Im übrigen ist die philosophische Deutung des Gesamtbereichs der „Seele" ein Hauptfeld der Auseinandersetzung und des Streites, und dieser endet nicht mit dem Siege *einer* Position.

Die Position des Thomas ist eine unter mehreren, nicht etwa „die" Lösung des Problems der Epoche; sie ist sogar heftig umstritten und bestritten, über seinen Tod hinaus[7]. Schon aus diesen Anzeichen läßt sich absehen, daß Thomas einen sehr eigenen, originellen Weg geht — was nicht ausschließt, daß dieser zugleich zu einer Lösung des allgemeinen Problems der Epoche führt,

---

[7] Vgl. dazu Th. Schneider, Die Einheit des Menschen (BGPhThMA, NF 8, Münster 1973).

daß diese darüber hinaus in der Problemgeschichte allgemeinen Rang gewinnt.

Das erste Charakteristikum seiner Position ist die weitestgehende Annahme und Aneignung des ,,wissenschaftlichen Ansatzes'' des Aristotelismus und seines Rationalitätsanspruches. Das gilt durchaus für die aristotelische ,,Physik'', also für die ,,Naturphilosophie''[8]. Dabei ist Thomas stets besorgt, auf Aristoteles zurückzugehen und ihn auch gegen seine Fortsetzer ins Spiel zu bringen. So kann er die Intellektlehre ganz anders ,,lesen'' als die Araber, er kann Aristoteles auf eine Weise komplettieren, welche aus seinen Prinzipien heraus die Position geeignet macht, auch die zuvor im platonischen Traditionsstrang bewahrte Identitätsfrage zu beantworten.

Dazu bedurfte es einer ,,Komplettierung'' auch der Ontologie und ihrer begrifflichen Mittel, die freilich aus der historischen Sicht eher eine Transformation der aristotelischen ist. Zentral ist Thomas' Begriff des Seins, als ,,actus essendi'' oder ,,ipsum esse'', der in die Lehre von der Konstitution des Seienden eingeführt wird und die aristotelischen Begriffe von Substanz und Wesen, Akt und Potenz, Form und Materie gewissermaßen herabstuft, sie aber auch zu präzisieren gestattet[9]. Maßgebliche Interpreten dürften mit der Ansicht recht haben, daß hier die Wurzel der Originalität des Thomas liegt, auch wenn er dabei neuplatonische und arabische Motive verarbeitet — sie sind eben nur Motive für seine Stellungnahme. Jedenfalls wirkt sich auch in der Seelenlehre die Prinzipienlehre und die Einführung einer ,,letzten'' metaphysischen Bezugsebene aus.

Das merkt man schon in der Weise, wie Thomas den Satz erläutert, daß die Seele ,,Form'' und ,,Akt'' des Leibes ist. Als Form ist sie jenes Prinzip, auf Grund dessen ein lebendiges Leibwesen von einem unlebendigen Körper unterschieden wird; sie gibt jene Bestimmtheit und Besonderheit, die uns einen bestimmten und besonderen Begriff zu bilden gestattet, vermittelt also die ,,species''. Zu dieser gehört freilich nicht nur das Bestimmend-Gebende, sondern auch das Empfangend-Aufnehmende. Die Form ,,gibt das Sein'', die Materie ,,nimmt es auf''; das Seiende ist dann das aus beiden Konstituierte und hat durch sie sein Wesen, und auch: Die Wesensprinzipien konstituieren das Sein, durch welches das Seiende ,,ist''.

Als so gekennzeichneter ,,Wesensform'' ist es der Seele wesentlich, Form eines Leibes zu sein, und das durch sie vermittelte Sein ist das des Ganzen, dessen Akt sie ist. Selbstverständlich ist die Seele selbst nicht materiell; sie wird

[8] Gerade in der Naturphilosophie ist Thomas bis zur Kritiklosigkeit ,,Aristoteliker'', vgl. F. van Steenberghen, La philosophie de la nature au XIIIᵉ siècle, in: La Filosofia della Natura nel Medioevo (Mailand 1966) 128.
[9] Die von mir vertretene, hier zu Grunde gelegte Auffassung habe ich dargelegt in meinem Beitrag: Thomas von Aquin: Das Seiende und seine Prinzipien, in: Grundprobleme der großen Philosophen, hrsg. v. J. Speck. Philosophie des Altertums und des Mittelalters (Göttingen ²1978) 177-220.

auch nicht zerstört wie ein Materielles. Aber das Ganze kann natürlich zerstört werden, und sofern die Form darin aufgeht, sein Akt zu sein, kann sie
,,per accidens'' zugleich mit diesem auch zu sein aufhören; als unselbständiges
Prinzip, als bloßes ,,quo est'', ist sie eben nicht selbst und für sich
,,Seiendes''.

Dies Seiende ist das Ganze, das da lebt, und es ist damit zugleich Eines; daher kann es nur eine einzige Wesensform und nur ein Sein haben. Daher erschöpft sich auch das Aktsein der Seele als Wesensform in der Konstitution
des einen Ganzen als dessen ,,erster Akt''. Die Mannigfaltigkeit der Lebens-
tätigkeiten gründet nicht unmittelbar in der Seele selbst, sondern wird durch
akzidentelle Potenzen vermittelt, und sofern deren Akte mit dem Leibe und
seinen Organen verbunden und durch sie zu leisten sind, ist überhaupt nicht
die Seele der eigentliche Träger, sondern eben das lebendige Ganze, das Lebewesen. Es ist das ,,suppositum'', dem Tun und Leiden zuzuordnen sind. Freilich liegt es an der Seele und ihrer Artung, welche Potenzen entstehen; sie ist
deren Prinzip, aber jene wiederum sind als von ihr unterschiedene die unmittelbaren Prinzipien dieser Akte. Gerade diese Deutung erlaubt es, ontologisch
die Einheit des Ganzen wie die Einzigkeit der Wesensform streng festzuhalten,
und dennoch kann die Seele als strukturiert, können Seelenarten als wesentlich verschieden gedacht werden.

Natürlich ist die menschliche Seele als denkfähig, als ,,intellectivum principium'', wie Thomas gern sagt, durchaus wesensverschieden von den Lebens-
prinzipien der Tiere. Aber die allgemeine Analyse gilt uneingeschränkt auch
für sie. Das kann gar nicht anders sein, wenn diese Analyse ontologischen
Rang hat. Ihre Allgemeinheit muß dann auch die menschliche Seele umgrei-
fen, sofern sie Lebensprinzip des Körperwesens ,,Mensch'' ist. Die Seele gehört zum Wesen des Menschen als jenes ihm innewohnende Prinzip, das ihm
die ,,species'' gibt, durch welche sich der Mensch von anderem Lebendigem
unterscheidet. Das tut er aber durch die Denkfähigkeit, und daher muß das
,,principium intellectivum'' — welches die Seele ist — der seinsgebende Akt
des Menschen, die ,,Form'' dieses Körperwesens sein, und dies wesentlich. Es
ist deshalb auch einzige Wesensform, der die substantielle Einheit der menschlichen Natur zu verdanken ist.

Die Seele ist daher auch in sich ,,eine'': Es ist die ein und selbe, durch die
wir fähig sind, uns zu ernähren und fortzupflanzen, uns zu bewegen und zu
empfinden, wahrzunehmen und zu denken. Es geht nicht an, ,,Biopsyche''
und Geistseele zu trennen, denn dann wären diese Akte nicht mehr alle die unseren. Durch die eine Seele sind sie Akte ,,des Menschen'', dessen Wesensform diese ist, und wiederum sind sie die seinen nur, weil sie seine Wesensform ist. Die mannigfaltige Verschiedenheit der Akte kommt durch Vermittlung der Potenzen zustande, also auf der Ebene der Akzidentien. Allerdings
ist es wiederum nicht so, daß die Seele nur als unbestimmtes, unbekanntes

,,x" hinter den Potenzen stünde; vielmehr kommt durch Potenzen und Akte hervor, was sie als Ursprung der Akzidentien wesentlich ist. Wir können vom Akt auf das Wesen rückschließen, und wir vollziehen ständig diesen Rückschluß; er bekommt besondere Bedeutung anläßlich des Denkens.

Bei allen anderen Lebensäußerungen ist der Akt, der seinen letzten Ursprung in der Seele hat, immer zugleich der Akt eines körperlichen Organs. Er steht damit unter den einschränkenden Bedingungen, die der Natur dieses Organs entsprechen. Sehen können wir nur, was das Auge aufnehmen kann, nämlich Farbiges, das sich im Licht befindet. Das Auge sieht aber nur deshalb die verschiedenen Farben, weil es selbst nicht schon eine bestimmte Farbe in sich hat; wäre das der Fall, so erschiene ihm alles unter dieser bestimmten Farbe. Das Denken aber ist keinesfalls durch eigene Körperlichkeit eingeschränkt; es ist fähig, alle Körper zu erfassen. Schon das beweist, daß es nicht zugleich Akt eines Körperorgans sein kann. Es ist durchaus ein ,,körperfremder" Akt.

Mit diesem Argument nimmt Thomas — übrigens ausdrücklich — die Platon und Aristoteles gemeinsame Überzeugung auf, daß der Geist, das Denkende, grundsätzlich anderer Art ist als sonstiges Seelenleben. Dabei ist er mit Aristoteles durchaus der Meinung, daß Denken ,,nie ohne Phantasmen" stattfindet, daß der Geist des Menschen also auf den Körper insofern angewiesen ist, als er durch ihn und seine sinnliche Wahrnehmung allererst Objekte hat. Wenn der Geist aber aus diesem ,,Material" Begriffe bildet, und zwar gerade durch ,,Abstraktion" von der Materialität, wenn er fähig des Allgemeinen bis hin zum allgemeinsten Begriff des ,,Seienden" ist, so überschreitet er damit jede materielle Einschränkung, und er kann nicht selbst als einer solchen unterliegend gedacht werden. Er ist als ,,abgetrennt", als etwas ,,für sich" zu denken, das insoweit weder im Sein noch im Akt von der Verbindung mit einem Körperorgan abhängt.

Für unsere Zeitgenossen ist dies sicher ein wenig einleuchtender Gedanke. Es ist ihre wissenschaftlich gesicherte Überzeugung, daß es kein Denken ohne Gehirn gibt, keinen Denkvorgang ohne entsprechende, physiologisch feststellbare Veränderung der Gehirnzellen, ihres chemisch-physikalischen Zustandes. Vielleicht können sie aber einsehen, daß ein physiologischer Vorgang eben kein Gedanke und kein Denkvorgang ist und daß er auch nicht dessen Element oder Teil sein kann. Das ist beim Verhältnis des Sehens zum Auge anders: Der physiologische Vorgang ist durchaus Teil des Sehaktes. Es wäre aber ganz absurd, logische Charakteristika des Begriffs oder des Satzes, wie Allgemeinheit oder Wahrheit, in ähnlicher Weise auf physiologische Vorgänge zu beziehen. Sie sind ja nicht einmal ,,Vorgang", der als solcher einen eindeutigen Bezug auf die materielle Zeit haben müßte. Selbst wenn wir also nicht umhinkönnen, das Gehirn unter anderem als ,,Denkorgan" zu betrachten, braucht das keine weiterreichende Bedeutung zu haben als was Thomas mit der Aussage meint,

die Geistseele bedürfe des Leibes „ratione obiecti". Denn daß unser Gehirn
als physiologischer Komplex im eigentlichen Sinne „Subjekt" von Denken,
von Erkennen, von Wahrheit sei und in diesem Sinne das, „womit wir denken", das kann im Ernst nicht gedacht werden[10].

Kurz gesagt: Logik kommt zwar in unserem Erfahrungsbereich nicht ohne
Physiologie vor, aber darum „ist" die Logik noch nicht Physiologie, stammt
nicht aus ihr und wird in dem, was sie zur Logik macht, nicht durch sie bedingt. Thomas hat also auch heute nicht Unrecht, wenn er das Denken „unabhängig von Körperorganen" nennt. Daraus schließt er nicht nur, daß die Seele
immateriell ist — das gilt ohnehin von jeder Seele —, sondern daß sie als
Geistseele sich nicht darin erschöpft, Form des Leibes zu sein. Mit der räumli-
chen Metapher gesprochen: Sie „übertrifft" oder „überschreitet" (excedit,
supergreditur) den Leib, sofern sie „intellectivum principium" ist.

Die räumliche Metapher darf nicht dazu verleiten, nun dieses „Überschreiten" dem Geist als besonderem „Teil" der Seele zuzusprechen. Es hieß ja gerade vom „intellectivum principium", es sei wesentlich Form des Leibes, und
diese Form ist eine und einheitlich — sonst wäre der Mensch nicht, was er ist.
Das ist festzuhalten. Aber ontologisch folgt nun, daß jenes Sein, welches die
Seele als Akt dem Ganzen vermittelt, so daß es das Sein des Ganzen und nicht
nur das der Seele ist, doch nicht vollständig in diese Vermittlung eingeht. Soweit die Seele den Leib „überschreitet", ist sie nicht dessen Akt, und genau insoweit hat sie das Sein, das sie als Akt besitzt, für sich. Sie geht nicht darin
auf, unselbständiges Prinzip und reines „Wodurch" (quo est) zu sein; sie
„subsistiert", sie ist selbst ein „hoc aliquid", ja eine „Substanz".

Das letztere kann man nur mit Vorsicht und unter Einschränkung sagen,
und man muß es erläutern. Auch Teile von Substanzen fallen unter die Kategorie der Substanz; auch Hand und Fuß „subsistieren" und sind „hoc aliquid". Wenn die Seele subsistiert, hört sie nicht auf, Teil des Menschen zu
sein. Dann ist aber auch das Sein des Teiles — wie bei Hand und Fuß — nicht
ein anderes als das des Ganzen. Die Seele hat kein „anderes" Sein als der
Mensch; es ist dasselbe Sein, das sie dem Körper vermittelt und in Gemeinschaft mit ihm besitzt. Allerdings ist der Körper zerstörbar und vergänglich,
und wenn er vergeht, hört der Mensch auf zu sein: Der Tod ist die Vernichtung seiner Substanz. Trotzdem wird die Seele das Sein nicht zugleich mit ihm
verlieren. Die Form kann nicht verlieren, was ihr als Form eigen ist; ist dem
„intellectivum principium" das Sein als Subsistenz eigen, so kann es ihm sowenig genommen werden wie der Zahl zwei die Eigenschaft, gerade zu sein.
Die Seele, wiewohl „Teil" einer zerstörbaren Substanz, ist dennoch substantiell unzerstörbar.

---

[10] Vgl. dazu P. Geach, What do we think with? in: P. Geach, God and the Soul (London 1969)
30-41.

Das ist der Kern dessen, was man den Unsterblichkeitsbeweis des Thomas zu nennen pflegt. Dabei handelt es sich nach Thomas um einen ,,Beweis" im strengen Sinne, und formal ist er das sicher. Inhaltlich hängt er natürlich von den Voraussetzungen ab, die man zuvor annehmen muß: die ontologische Prinzipienanalyse; die Auffassung des Verhältnisses von Form und Sein, die Auffassung der Seele als Form und Akt, die körperunabhängige Subsistenz, bewiesen aus der ,,Immaterialität" des Denkens. Das Ergebnis des Beweises ist aber noch nicht die ,,Unsterblichkeit", welche die Tradition mit positiven Konnotationen verbindet, sondern nur die rein negative ,,Unzerstörbarkeit" (incorruptibilitas); nur ein ontologisches Minimum gilt als streng bewiesen und wird behauptet.

Die unzerstörbare Form, als welche die abgeschiedene Seele fortexistiert, hört nicht auf zu sein, was sie wesentlich war. Sie war Teil einer Substanz, zu der der Leib gehörte; auch als selbständig Subsistierendes behält sie daher die Eignung, Form eines Leibes zu sein. Das Sein, das ihr eigen ist, ist immer noch kein anderes als das des Ganzen, dessen Teil sie war. Nach wie vor gehört zu ihrem ontologischen Sinn der Bezug zur ,,species" des Ganzen. Das ist auch ein Grund, warum es keine Praeexistenz der Seele geben kann: Sie kann sinnvoll nur zugleich mit dem Leibe entstehen. Freilich entsteht sie nicht durch körperliche Zeugung, die eine körperunabhängige ,,forma subsistens" nicht hervorbringen könnte; sie kann nur durch Schöpfung entstehen, aber dann doch in Zuordnung zur Zeugung.

Gegen eine Praeexistenz spricht auch die Individuationslehre: Der Form verdankt das Seiende seine ,,species", aber gerade deshalb verdankt das *materielle* Seiende, in dem die ,,species" in einer Mehrzahl von Individuen ausgeprägt ist, dieser nicht die innerhalb der gleichen ,,species" unterscheidende Individualität, deren Prinzip vielmehr in der bestimmten Materialität, der ,,materia signata" zu suchen ist. Daher gewinnt die Seele ihre individuelle Bestimmtheit durch das und in dem Leibwesen, dem sie eingeschaffen wird. Das bedeutet, daß ihre ursprüngliche und wesentliche Zugehörigkeit zum Leibe ihre Existenzbedingung ist. Denn ,,sein" im Sinne von ,,subsistieren", für sich sein, können nur Individuen.

Es wird nun Zeit, von Identität zu sprechen. Es ist offensichtlich, daß sie durch die Individualität zustande kommt. Dem Individuum, *diesem* Menschen, kommt der Eigenname zu, mit dem auf die Frage geantwortet wird, wer einer ist: Sokrates oder Petrus. Individualität aber, wiewohl außerhalb des *Begriffes* der Natur liegend — der ,,species" —, ist doch nichts, was außerhalb der konkret existierenden Natur läge. Sie ist die Konkretion der Natur selbst, und daher ist ihr Prinzip ein Wesensprinzip: bei den reinen Geistern die Form, bei materiellen Substanzen die Materie. Der Mensch besitzt seine Identität daher in der konkreten Fülle seines individuellen Wesens, in dem alles, was sein ist, individuell ist — ,,quidquid est in Socrate, individuatum est".

Der individuellen Substanz des Menschen als „Vernunftnatur" kommt daher die Bezeichnung „Person" zu, welche die Identität bezeichnet. Personale Identität und Einheit der Natur sind konkret dasselbe.

Die Frage des platonischen Alkibiades, was denn der Mensch „selbst" sei, muß demgemäß von Thomas anders beantwortet werden. Der Mensch „selbst" ist, was ihm wesentlich in der Einheit seiner Natur angehört. In diesem Sinne „ist" er durchaus, was er „hat". Und wenn er so das Ganze und durch dieses und in diesem seine Teile „ist", so gilt umgekehrt, daß er seine Teile und auch die Seele ebenso „hat". Keinesfalls „ist" er die Seele, die einen Körper „hat", so daß Sein und Haben eindeutig verteilt, Identität und Natur auseinanderzunehmen wären: auch wenn man wiederum sagen kann, daß der Mensch als Individuum jene Natur, die in der Allgemeinheit der „species" begriffen wird, insgesamt „hat".

Gegen Platons Auffassung, der Mensch sei die Seele, wird von der Einheit der Natur aus argumentiert: Der „körperfremde" Denkakt gehört derselben Seele an, die auch körperverbundene Akte, wie solche der sinnlichen Wahrnehmung, begründet; sie muß als einheitlich-eine Form des einen Menschenwesens gedacht und in der Einheit dieses Wesens muß die Identität gesehen werden. Umgekehrt wird der Gedanke der Identität zum Angelpunkt der Widerlegung jener Auffassung, die den Geist als wirklich „getrennte" Substanz ansetzt, seine Transzendentalität metaphysisch als Transzendenz befestigt. Wer so die geistige Erkenntnis wesentlich außerhalb des Menschen geschehen läßt, muß angeben können, wie sie dann die Erkenntnis „dieses" Menschen werden kann, wie sie sich ferner als „meine" Erkenntnis von „deiner" unterscheidet. Die getrennte Substanz, wie der averroïstische eine Intellekt, hat als Substanz mit ontologischer Notwendigkeit eigene Individualität und Identität: Was *er* hat, ist nicht *meines*. Das kann es nur sein, wenn „ich" der Träger, das „Subjekt" bin; geistige Erkenntnis kann nur meine sein, wenn ich selbst Geistsubjekt bin. Thomas zeigt, daß die Erklärungsversuche der Araber das nicht leisten. *Diesen* Menschen als Geistsubjekt und doch den Geist als „getrennt" zu denken, das ist nur derart möglich, daß der Geist — sowohl als intellectus possibilis wie als intellectus agens — als Vermögen der Seele gedacht wird, und zwar einer solchen Seele, die zugleich ontologisch leibverbunden und leibüberschreitend gedacht wird.

Thomas' Ontologie, zentriert auf die individuelle Substanz als alleinigen Träger selbständigen Seins, läßt eine Eigenständigkeit der Dimension des „Transzendentalen" nicht zu; sie sieht keine Notwendigkeit, diese in einem „intellectus separatus" zu verankern. Es handelt sich um nichts anderes als um die Struktur der Intentionalität, welche dem menschlichen Geist als Geist eigen ist und ihren ontologischen Grund in seiner immateriellen Subsistenz hat. Es gibt keine „Dritte Welt", zu der sich der Geist verhält; er verhält sich zur realen Welt, und das transzendentale Reich der Allgemeinbegrifflichkeit

ist als solches sein Produkt, gemäß dem Grundsatz: ,,intellectus agit universa-
litatem in rebus''. Vom Allgemeinen als Inhalt an sich gilt, was Thomas schon
in ,,De ente et essentia'' von der ,,natura absolute considerata'' mit
unmißverständlicher Deutlichkeit sagt: ,,nullo modo habet esse''. Das Allgemeine als solches hat keinen ontologischen, sondern nur einen gnoseologi-
schen Status.

Gleichwohl ist die transzendentale Eröffnung der Intentionalität des Geistes
das Vehikel eines fundamentalen Transzendenzbezuges. Denn der menschliche Geist kommt bei keinem Objekt zu ruhiger Erfüllung seines Vermögens,
das nicht den unbegrenzten Bereich des ,,Seienden'' erfüllt, zu dem er sich
schon im ersten Auffassen uneingeschränkt öffnet. Nur Gott ist ein solches
Objekt: daher die Lehre Thomas' vom ,,naturale desiderium in videndum
deum''. Es versteht sich, daß dieses ,,Naturverlangen'' auf Dauer, ja Ewigkeit
abgezielt ist, und da es als ,,Natur'' nicht ontologisch sinnlos (frustra) sein
kann, signalisiert es die Unsterblichkeit des Geistes. Thomas nimmt es
allerdings nicht als Beweisgrund in Anspruch; die Erfüllung selbst ist philosophisch nicht nachzuweisen, sie ist Glaubensverheißung.

Bekanntlich hat diese theologische Qualifikation der Gottesschau, die sie
dem philosophischen Zugriff entrückt, Thomas nicht gehindert, alle jene Positionen philosophisch zu kritisieren, die in einem Geringeren die Erfüllung
menschlichen Transzendenzverhaltens ansetzen wollten oder die gar die Identität des Menschen in einem höheren Geist aufgehen ließen. Es ist ganz selbstverständlich, daß die Gottesschau ,,meine'' sein muß, wie ja die Natur, die
das ,,Verlangen'' trägt, die ,,meine'' und Ort meiner Identität ist. Gerade in
diesem ,,Naturverlangen'' hat die Identität ,,Bedeutung'' über die Endlichkeit
des irdischen Lebens hinaus. In diesem ist die Gottesschau prinzipiell nicht zu
verwirklichen, aber doch als Möglichkeit des Geistes denkbar. Erst die abgeschiedene Seele ist von den Einschränkungen der Körperlichkeit frei, welche
die Verwirklichung ausschließen.

Gerade angesichts dieser Möglichkeit oder Denkbarkeit stoßen wir auf eine
letzte Schwierigkeit. Sie liegt gerade darin, daß Thomas die Identität des Menschen durch seine und in seiner Natur zustande kommen läßt. Man kann sie
mit dem allbekannten Syllogismus-Beispiel der Elementarlogik ausdrücken:
Alle Menschen sind sterblich (das gehört zu ihrer Natur als Körperwesen); nun
ist Sokrates ein Mensch (der Name ,,Sokrates'' bezeichnet ein Individuum,
das unter die Species ,,Mensch'' fällt und in dieser seine Identität besitzt); also
ist Sokrates sterblich — und er ist nicht unsterblich. Nicht er ,,selbst'', sondern sein ,,unsterblich Teil'' ist unzerstörbar. Die abgeschiedene Seele fährt
fort zu sein, was sie war, nämlich ,,des Sokrates''' Seele; sie wird aber nicht —
denn sie war es nicht — Sokrates, und sie kann den Namen ,,Sokrates'' nicht
beanspruchen. Natürlich bleibt die abgeschiedene Seele mit der lebendigen,
welche sie war, identisch; identisch bleibt auch das Sein, das sie unverlierbar

besitzt, mit dem Sein, das sie der lebendigen Natur vermittelt hatte und das „deren" Sein war. Sie fällt nicht aus der Identität völlig heraus, und sie behält die in der Zugehörigkeit zu „dieser" Menschennatur erworbene Individualität. Trotzdem: Die abgeschiedene Seele ist nicht mehr der Mensch und daher nicht mehr „Person". Thomas ist so konsequent, daß er selbst dem kirchlichen Gebet zu den Heiligen, welche als abgeschiedene Seelen in der Gottesschau leben, einen „personalen" Bezug nur insofern zugesteht, als jene Seelen im irdischen Leben Person waren und es nach der leiblichen Auferstehung wieder sein werden. Dennoch, die Seele Sankt Peters, zu dem die Kirche betet, ist nicht Sankt Peter[11].

Wenn dies die Abschlußposition der philosophischen Unsterblichkeitslehre ist, so ist das einigermaßen unbefriedigend. Aber es ist nicht die Abschlußposition des Thomas. Vielmehr ist deutlich, daß erst der Auferstehungsglaube das entscheidende Wort sagt. Für den Theologen schließt sich die Doktrin befriedigend ab. Die abgeschiedene Seele ist jenes „Überbleibsel", dessen ontologischer Sinn die Sicherung der Identität zwischen dem Verstorbenen und dem Auferstandenen ist, und der entscheidende Punkt ist die ungebrochene Identität des Seins. Ohne den theologischen Ausblick und rein für sich genommen, ist die philosophische Unsterblichkeitslehre — oder besser „Inkorruptibilitätslehre" — des Thomas wohl kaum hinreichend, jene Identitätssorge zu beruhigen, der es um mehr als Ontologie und Anthropologie, nämlich um Existenzbedeutung und Schicksalssinn geht.

Das hindert nicht, die denkerische Leistung zu schätzen, die im Problemfeld von Einheit der Natur, von Identität der Person, von Transzendentalität und Transzendenz des Geistes zu einer ontologisch konsequenten und im Ganzen konsistenten Lösung der Frage nach der Seele kommt, die jenen Evidenzen Rechnung trägt, welche im Endlichkeitsdenken wie im Dualismus, in der „Physik" des Lebendigen wie in der Metaphysik des Geistes zu finden sind. Gewiß ist sie dadurch komplex, und sie ist voraussetzungsreich, weil sie mit einem differenzierten ontologischen Instrumentarium operieren muß, das sie nicht selbst ausweisen kann. Nur sollte man Thomas nicht vorwerfen, daß er philosophisch nicht zu jenem befriedigenden Abschluß kommt, der die ursprüngliche „existentielle" Sorge definitiv zu beruhigen verspricht. Es ist nicht Sache der Philosophie, religiöse Fragen zu beantworten. Wo es um solche geht, muß sie der Versuchung widerstehen, das Endgültige sagen zu wollen; es ist die bessere Philosophie, dann in der Aporie zu bleiben und das Denken offen zu halten.

---

[11] Näheres in meinem Beitrag: Anima separata und Personsein bei Thomas von Aquin, in: Thomas von Aquino. Interpretation und Rezeption, hrsg. v. W. P. Eckert (Mainz 1974) 96-116.

LUDGER OEING-HANHOFF
Tübingen

„SEELE" UND „GEIST" IM PHILOSOPHISCHEN VERSTÄNDNIS DESCARTES'

I

Nachdem Descartes in der zweiten Meditation die Existenz des denkenden Ichs und als sein Wesen das Bewußtsein aufgewiesen hat, erklärt er: „Ich bin also, genau genommen, nur eine bewußte Substanz (res cogitans), d.h. ein Geist, ... ein Vernunft- oder Verstandeswesen". Und Descartes versichert, erst damit die ihm früher unbekannt gebliebene Bedeutung der Ausdrücke „mens, ... intellectus sive ratio" erfaßt zu haben[1].

Im lateinischen Text hatte Descartes „mens sive animus" geschrieben. Eine Übersetzung von „animus" fehlt in der französischen Fassung. Da man im Französischen wie im Deutschen für „animus" — das ist Augustinus' „mens", d.h. die Seele als Geistwesen, — und für „anima" — so wurde die aristotelische Wesensform des Leibes genannt — nur ein Wort hat, nämlich „âme" bzw. „Seele", lag es nahe, ganz auf dieses Wort zu verzichten, weil es gerade das aristotelisch-scholastische Verständnis von „Seele", das Descartes eliminieren wollte, wieder hätte assoziieren lassen.

Eine ausdrückliche Kritik am scholastischen Seelenbegriff gibt Descartes im Text der Meditationen nicht. Sie handeln zwar nicht nur vom Dasein Gottes, sondern auch von der Unsterblichkeit der Seele bzw. von ihrer Verschiedenheit vom Körper; aber Descartes kritisiert ausdrücklich nur die vulgäre und aus der Stoa bekannte Auffassung, die Seele (anima) sei wie ein belebender Hauch oder ein Feuer in den gröberen Teilen des Menschen[2]. Auch ohne ausdrückliche Kritik — so wird er gehofft haben — wird sein neuer Begriff des Geistes als Bewußtsein die aristotelische Seelenlehre verdrängen, zumal die in den Meditationen grundgelegte neue Physik alle substantiellen Formen als unnütze Fiktionen ablehnen muß.

Descartes vermeidet nach dem Aufweis der res cogitans als bewußtes Geist- und Vernunftwesen im weiteren lateinischen Text der Meditationen den Ausdruck „anima" und spricht von der Einheit von Geist (mens) und Körper. In den zweiten Antworten heißt es ausdrücklich: „loquor autem hic de mente

---

[1] Oeuvres de Descartes, hrsg. v. C. Adam/P. Tannery, 12 Bde. (Paris 1897-1909, Neuausgabe 1964-1974) VII, 27. Nach dieser Ausgabe wird zitiert, wobei die römischen Ziffern den Band, bei den Bänden VIII und IX eine eingeklammerte (1) oder (2) den Halbband, und arabische Ziffern die Seite angeben.

[2] VII, 26.

potius quam de anima, quoniam animae nomen est aequivocum''[3]. Aber der
Ausdruck ,,Seele'' (âme) ließ sich nicht vermeiden. Das zeigt schon die französische Übersetzung der Meditationen, die Descartes approbiert hat. Hier
heißt es in der VI. Meditation[4], der Geist *oder* die Seele (l'esprit ou l'âme) sei
völlig vom Körper verschieden.

Aber wenn Descartes auch selbst später wieder von ,,Seele'' spricht — so
vor allem in der Abhandlung ,,Les passions de l'âme'' —, dann versteht er
unter ,,Seele'' das individuelle bewußte, mit dem Körper verbundene Geistwesen. Der aristotelische Begriff von Seele war für ihn ebenso wie die ,,okkul-
ten Qualitäten'' der scholastischen Physik überholt. Seine Gründe dafür hat
Descartes freilich auch später noch oft genannt.

Weil Descartes' neuer Begriff von ,,Geist'', wie er sich in seiner neuen methodischen Grundlegung der Metaphysik ergibt, aus einer Kritik am
aristotelisch-scholastischen Seelenbegriff erarbeitet wurde, liegt es nahe, zunächst diese Kritik am traditionellen Seelenbegriff darzulegen. Zweifellos
steht diese Kritik in engstem Zusammenhang mit der Kritik der in Descartes'
Zeit entstehenden neuen Naturwissenschaft an der scholastischen Physik, ist
ferner auch aufs engste verknüpft mit Descartes' neuer Methodenlehre; aber
Descartes gibt auch eine psychologische Erklärung dafür, wie es zu dieser in
seinen Augen absonderlichen Konzeption einer Seele oder einer seelenartigen
Kraft in allen Naturdingen kommen konnte. Mit dem Referat dieser kompro-
mittierenden Genealogie des aristotelischen Seelenbegriffs möchte ich hier
beginnen.

II

In den sechsten Antworten[5] gesteht Descartes, daß er selbst zunächst von
seinen eigenen Argumenten für die Unterscheidung der bewußten, geistigen
Substanz von der wesentlich durch Ausdehnung und Trägheit bestimmten see-
lenlosen materiellen Substanz nicht völlig überzeugt gewesen sei. Ihm sei es
mit den neuen Begriffen von Geist und Körper ergangen wie mit dem astrono-
mischen Beweis für die wahre Größe der Sonne und der Sterne. Diese Beweise
sind zwar einsichtig, aber wenn man dann die Sterne ganz klein am Himmel
stehen sieht, meint man doch, sie seien wirklich kleine Lichter.

So ergeht es uns auch mit den Beweisen der neuen Metaphysik, die darle-
gen, daß Bewußtsein Wesensattribut des Geistes, nicht der Materie ist, daß also den Tieren und Pflanzen keine Seele zukommt und auch den Körpern nicht
eine seelenartige Wesensform als Grund und Ursache ihres Wirkens und
Verhaltens zugeschrieben werden darf.

---

[3] VII, 161.
[4] IX (1), 68.
[5] VII, 440.

Aber es ist schwer, sich von diesen Vorurteilen zu befreien. Wie Einstein einmal gesagt hat, es sei leichter, ein Atom zu zertrümmern als ein Vorurteil, so bedarf es auch nach Descartes größter Anstrengung und wochenlanger Meditation seiner gewichtigen Zweifelsgründe, um die Vorurteile zu überwinden. Zwar sind wir Menschen Vernunftwesen, aber — und das ist der Skandal des Menschseins — wir fangen als unvernünftige Kinder an, hilflos den Sinneseindrücken, unseren Trieben und auch einer in vielem eben unvernünftigen Tradition ausgeliefert[6].

Als Kinder haben wir nicht zwischen Seelischem und Körperlichem unterscheiden können[7]. Kinder sprechen allen Dingen Seelisches zu — der Tisch, an dem sie sich stoßen, ist ,,böse'' —, und wir alle haben das Verhalten und Wirken der Dinge zunächst nach unserem in unserer Seele begründeten Verhalten gedacht. So sind ja auch die von der Scholastik zur Erklärung der Naturphänomene angeführten Ursachen, etwa die an sich unausgedehnte Wesensform, ,,des petites âmes'', die zur Materie hinzugefügt werden, wie Descartes an Mersenne schreibt[8]. Aber das alles ist eine anthropomorphistische Weltsicht, die nach dem Modell der eigenen Seele die Dinge zu erklären sucht. E. Gilson hat Descartes' psychologische Erklärung des traditionellen Seelenbegriffs treffend in der Formulierung zusammengefaßt, nach Descartes beruhe ,, die aristotelische Physik der Scholastik völlig auf der Hypothese, die Welt des Kindes sei die wirkliche Welt''[9].

Diese Kritik, eine anthropomorphe Weltsicht zu vertreten, richtet sich aber mehr noch als gegen die Scholastik gegen die magisch-animistische Philosophie der Renaissance und gegen ihre okkulten Wissenschaften, die etwa Kausalität nach dem Modell des bald Physisches, bald Psychisches bezeichnenden Magnetismus dachte und in der die Welt als große Wundertüte vorgestellt wurde, in der es keine physikalischen Naturgesetze gab, in der vielmehr alles möglich war. Selbst ein Wissenschaftler wie Kepler schreibt ja mit seiner Konzeption einer ,,anima terrae'' der Welt Leben zu[10].

Statt nach dem Modell der eigenen Seele sind die Dinge aber mechanistisch nach dem Modell des Automaten zu denken[11]. Das läßt den auch zunächst wohl notwendigen Schein durchschauen, die Dinge seien beseelt. Descartes weiß in einem eindrucksvollen Gleichnis seine neue, wie er überzeugt ist, wahre Sicht der Wirklichkeit zu veranschaulichen. Gesetzt, ein Mensch wüchse an

---

[6] Vgl. VI, 13 und die unter dem Titel ,,L'enfance abusive'' stehende vortreffliche Interpretation bei H. Gouhier, La pensée métaphysique de Descartes (Paris 1962) 41-62.

[7] III, 420.

[8] III, 648.

[9] E. Gilson, Études sur le rôle de la pensée médiévale dans la formation du système cartésien (Paris ²1951) 170.

[10] Vgl. R. Lenoble, Mersenne ou la naissance du mécanisme (Paris 1943) 154 f.; H. Gouhier, Les prémières pensées de Descartes (Paris 1958) bes. 95.

[11] VIII (1), 326.

einem Ort auf, wo er außer seinesgleichen keine anderen Lebewesen kennen-
lernt, wo man aber, eifrig dem Studium der Mechanik ergeben, mannigfache
Automaten herstellt, die Figur und Funktion eines Pferdes, Hundes, Vogels
usw. haben. Cartesianisch erzogen, besitzt er auch eine metaphysische Gotteserkenntnis. Was würde nun ein solcher Mensch denken, sähe er die Lebewesen
unserer Welt? Zweifellos würde er sie für Automaten halten, die, von Gott
konstruiert, unvergleichlich vollkommener sind als alle, die er bisher angefer-
tigt hat[12]. Sehr wahrscheinlich knüpft Descartes hier an die von Cicero berich-
tete Umdeutung des platonischen Höhlengleichnisses an. Nach dieser Version
kommen Menschen nicht aus der ärmlichen platonischen Höhle, sondern aus
einer mit aller Pracht und jeglichem nur denkbaren Komfort ausgestatteten
künstlichen Höhlenwelt zu der unsrigen, wo sie dann der uns durch Gewöhnung verblaßten Admirabilitas der Welt innewerden und geradezu schlagartig
zur Erkenntnis des Wirkens und Waltens der Götter gelangen. Descartes aber
bewundert nicht die Welt, sondern ihren Schöpfer, den wahren Gott.

Aber wie kühn die Hoffnungen auch seien, die man auf die neue Wissenschaft setzen darf, eines vermag sie nach Descartes' Überzeugung nicht: einen
künstlichen Menschen zu schaffen, wie es die Alchimisten erträumten. Vielleicht kann man einen Affen — das ist Descartes' Beispiel — im Labor herstel-
len; eine Maschine jedoch, die Gestalt und Tätigkeit eines Menschen nach-
ahmt, ein Roboter also, ist zumindest ,,durch zwei sehr sichere Mittel" von einem wahren Menschen zu unterscheiden. Selbst wenn er Worte von sich geben
kann — das vermögen Elstern und Papageien ja auch — und etwa, klopft man
ihm auf die Schulter, ausruft: Hallo, old friend, so kann man sich gleichwohl,
und das ist das erste Unterscheidungsmerkmal, nicht sinnvoll mit ihm unter-
halten. Er hat keine eigene Meinung. Auch deshalb ist eine Unterhaltung unmöglich, weil er ,,die Worte nicht so verschieden arrangieren kann, daß er
fähig wäre, auf den Sinn alles dessen zu antworten, was man in seiner Gegenwart sagt". Hiermit ist das zweite Unterscheidungsmerkmal auch schon gegeben: Ein Roboter ist wesentlich Spezialist. Er mag manches besser können als
einer von uns, aber da ,,seine Organe für eine besondere Aktion eine besondere Disposition nötig haben", ist er unmöglich so vielseitig wie ein Mensch, der
sich zu allem sinnvoll verhalten kann. Ihm fehlt das ,,universale Instrument",
durch das wir handeln, der Verstand[13]. In solcher Weise führt Descartes von
seiner mechanistischen Physik her, ihre Grenze bestimmend, zu einem metaphysischen Bereich, zur Wirklichkeit des Geistes und des Selbstbewußtseins.

III

Descartes hat seine neue mechanistische Weltsicht einschließlich der Auto-
matentheorie der Pflanzen und Tiere schon 1629 in seinem ,,Traité du

---

[12] II, 39 ff.
[13] VI, 56 f.

monde" dargelegt, und schon 1618 bezeichneten sich Descartes und sein Freund Beeckmann als ,,physico-mathematici''. Sicher ist die Bekanntschaft mit der modernen Naturwissenschaft die Wurzel von Descartes' Kritik an der aristotelischen Physik und Seelenlehre. Während Aristoteles das Geschehen in der Natur vom artlichen Wesen und von Wesenseigenschaften individueller Substanzen her zu erklären versucht hatte — der Stein fällt zur Erde im Unterschied zum aufsteigenden Rauch, weil er Stein mit der Wesenseigenschaft der Schwere ist —, hat die moderne Naturwissenschaft solche Wesenseigenschaften gerade nicht zu berücksichtigen: Die Gesetzlichkeit des freien Falls ist unabhängig von der verschiedenen Schwere oder dem verschiedenen Gewicht der fallenden Körper. Sie hat auch die Frage nach dem Artwesen auszuklammern: Für den im Fallgesetz zu bestimmenden Vorgang ist es gleichgültig, ob ein Stein, eine Katze oder ein Mensch fällt. So wurde nach E. Cassirers Formulierung der Substanzbegriff durch den Funktionsbegriff ersetzt.

Descartes hat seine Übereinstimmung mit Galilei betont, sofern dieser ,,die Irrtümer der Schule aufgibt und die physikalischen Materien mit mathematischen Überlegungen zu prüfen unternimmt'', aber Descartes kritisiert, daß Galilei auf eine vollständige Erklärung der Natur verzichtet, nur experimentiert, ohne das Fundament gelegt zu haben zu einer neuen Physik, die wiederum demonstrative Wissenschaft ist[14].

Um Physik als demonstrative Wissenschaft zu begründen, muß Descartes die traditionelle Physik noch grundsätzlicher kritisieren, als Galilei es getan hat. Die Wesenseigenschaften, von denen her man das Naturgeschehen erklärte, sollten im Artwesen der Dinge begründet sein, etwa die dem Stein eigene Schwere in seiner substantialen Steinform, die dem Hund eigene Tätigkeit zu bellen, statt wie eine Katze zu miauen, in seinem ,,Seele'' genannten Hundsein. Seele ist ja der ,,Artlogos des Lebendigen'' (Conrad-Martius). So ist eine Erkenntnis des spezifischen Wesens der Dinge die Grundvoraussetzung der aristotelisch-scholastischen Physik.

Nach Thomas von Aquin wird z.B. dann, wenn ein Stein erkannt wird, durch den Wesensbegriff ,,Stein'' die spezifische Wesensform einer vorliegenden Substanz erkannt, deren Wesen durch materia prima und die ,,Steinform'' konstituiert ist, wobei die Steinform die Wesensformen der vier Elemente virtuell in sich enthält. Die Erkenntnis dieser spezifischen Wesensform ist nach Thomas durch das Erfassen der sinnfälligen wesenseigenen Akzidentien der vorliegenden Substanz vermittelt, und zwar behauptet Thomas im Sinne der aristotelischen Physik, daß die Wesensmerkmale der Sache ihre spezifische Natur ,,hinreichend'' (sufficienter) zum Ausdruck bringen und sie als Grund ihrer Eigenschaften erkennen lassen[15]. Aber welche Eigenschaften

---

[14] II, 380.
[15] Thomas, Exp. Lib. Trin. 6, 2 (ed. Decker, 216).

eines Steines — das ist Descartes' Beispiel in den ,,Prinzipien''[16] — zeigen eine
ihnen zugrundeliegende spezifische Wesensform, eine Steinform an? Die Härte? Zermahlt man einen Stein und löst ihn in feines Pulver auf, ist dieses Stein-
pulver nicht mehr hart. Die Härte ist also nicht wesentliche Eigenschaft dieses
Körpers. Zeigt die Farbe eine zugrunde liegende Steinform an? Offensichtlich
ist das nicht der Fall; denn es gibt ja farblose durchsichtige Steine. Auch die
Schwere des Steines zeigt keine Steinform an, denn in seinem spezifischen Gewicht kann ein Stein mit einem Stück Metall übereinkommen. Es gibt also keine klar und deutlich erkennbaren Eigenschaften eines Steines, die als ihren
Grund eine spezifische Wesensform im Sinn der aristotelischen Physik forder-
ten, zumal man alle sekundären Sinnesqualitäten als rein subjektive Empfindungen verstehen kann und nach Descartes verstehen muß.

Der Kritik beständiger Wesenseigenschaften und einer ihnen zugrunde liegenden Wesensform dient auch das Beispiel des Wachsstückes in der zweiten
Meditation. Die sinnfälligen Eigenschaften des Wachsstückes, die sich sämtlich beim Schmelzen des Wachses ändern, sind keine Wesenseigenschaften,
die die Annahme einer Wachsform als ihres Grundes rechtfertigten; denn
durch die Erwärmung wird ja das Wesen dieses Körpers nicht verändert. Die
Annahme, es gäbe durch konstante Wesenseigenschaften charakterisierte
Individuen einer uns bekannten Art, wobei die spezifische Art durch die
Wesensform begründet wäre, ist völlig unbegründet.

In solcher Weise führt die Kritik der modernen Naturwissenschaft, wird sie
grundsätzlich geübt und in ihrer Tragweite erkannt, zur Kritik an der durch
die natürliche Sprache vermittelten Welterkenntnis. Die natürliche Sprache
läßt uns ja mit derart konfusen Begriffen wie ,,Sinneswesen'', ,,Stein'',
,,Wachs'' denken, keineswegs aber mit klaren und deutlichen Ideen, wie es sie
bisher nur in der Mathematik gibt. Weil auch die traditionelle Logik und Wis-
senschaftslehre sich an diesen Begriffen der Umgangssprache orientiert, ist
auch sie in Zweifel zu ziehen. Die geschichtlich notwendig gewordene Kritik
an der aristotelischen Physik führt so, wird sie nicht nur partiell geübt, zum
universalen Zweifel. Er ist der Ausgangspunkt der neuen Philosophie.

Weil wir aber, solange wir uns von der natürlichen Sprache leiten lassen,
uns fast unausweichlich in der Annahme bewegen, uns seien Individuen einer
Wesensart bekannt — sagen wir doch, das sei eine Eiche, dieses hier Wasser,
jenes eine Elster —, muß der universale Zweifel die durch die natürliche Sprache erschlossene Welt insgesamt betreffen. Und weil die *Existenz* von Individuen einer Art ausgesagt wird, muß gar die Existenz der Außenwelt —
vermutlich erstmals in der Geschichte der Philosophie — methodisch in Frage
gestellt werden, um zu wirklich klarer und zweifelsfreier Erkenntnis zu gelangen. Weil aber die Existenz beseelter oder durch eine seelenartige Wesensform

---

[16] VIII (1), 46.

konstituierter Körper in Zweifel gezogen werden muß, stellt sich die Frage, ob
der menschliche Geist nicht leichter zu erkennen, bekannter (notior) sei als der
Körper. Wie der allgemeine Zweifel Thema der ersten, so ist diese Frage Überschrift der zweiten Meditation.

    In solcher Weise führt ein gerader und notwendiger Weg von der Kritik an
der aristotelischen Physik und ihres Seelenbegriffs zur methodischen Neubegründung der Metaphysik in den Meditationen. Das zeigt, wie zentral für
Descartes die Kritik am traditionellen Seelenbegriff war.

                                    IV

Im universalen Zweifel, zu dem die Kritik der modernen Naturwissenschaft an
der aristotelischen Physik führte, besteht natürlich nicht schon die ganze Methode Descartes'. Descartes kann zwar den universalen Zweifel einfachhin seine Methode nennen[17]. Er wird ja auch schon nahegelegt durch die erste Me-
thodenregel des ,,Discours'', nichts als wahr anzunehmen, was nicht evident
als wahr und so klar und distinkt erkannt ist, daß es nicht mehr in Zweifel gezogen werden kann. Kriterium des evident Wahren ist seine Resistenzfähigkeit
gegen Zweifelsgründe, und so legt sich das Experiment mit dem universalen
Zweifel als Beginn der Neubegründung kritischer Philosophie nahe.

    Aber wie schon die weiteren Methodenregeln des ,,Discours'' und auch die
,,Regulae'' zeigen, ist Descartes' Methodenlehre doch noch differenzierter.
Wichtig ist die von Pappus übernommene Forderung, bei schwierigeren
Problemen zunächst die Lösung vorwegzunehmen, das Gesuchte als gegeben
anzusetzen und die sich daraus ergebenden Folgerungen zu betrachten[18]. Eine
solche, freilich negative Supposition einer Problemlösung enthält ja auch die
erste Meditation nach dem Durchgang durch die Zweifelsgründe.

    Bevor ich darauf kurz eingehe, möchte ich aber noch eine Bemerkung zu
Descartes' stärkstem und originalem Zweifelsgrund, zum Argument des Dieu
trompeur, machen. Der Sinn dieses Arguments wird verkannt, sieht man in
ihm mit G. Krüger ,,den Aufstand gegen das Christentum beginnen, den wir
Aufklärung nennen''[19]. Krüger verkennt den *theoretischen* Charakter des
Zweifels und daß die religiösen Wahrheiten nach Descartes zur Ordnung der
Praxis gehören. Im ,,Discours'' erklärt Descartes: ,,Les vérités de la foi ...
ont toujours été les premières en ma créance''[20]. Soviel ich sehe — und ich
meine mich in diesem viel diskutierten Problem ziemlich umgesehen zu haben
—, gibt es keinen Anlaß, an der Wahrhaftigkeit dieser Erklärung zu zweifeln.

---

    [17] X, 525.
    [18] Vgl. L. Oeing-Hanhoff, R. Descartes: Die Neubegründung der Metaphysik, in: Grundpro-
bleme der großen Philosophen, hrsg. v. J. Speck. Philosophie der Neuzeit I (Göttingen 1979)
40 ff.
    [19] G. Krüger, Die Herkunft des philosophischen Selbstbewußtseins (Darmstadt 1962) 26 f.
    [20] VI, 28.

Sodann ist dieses Argument ja ,,keine dem Kopf Descartes' entsprungene Hypothese, sondern eine präzise theologische Lehre, mit der er rechnen mußte''. So faßt T. Gregory seine historischen Untersuchungen über den Ursprung dieses Argumentes zusammen[21]. Ich verweise etwa auf die Loci Theologici Melchior Canos, wo die gängigen Lehrmeinungen samt den Belegen aus der Bibel für ein Täuschen Gottes angeführt und erörtert werden. Sofern Descartes damit rechnen konnte, daß seine Leser — im Unterschied zu modernen Philosophiehistorikern — den Gottesgedanken noch ernstnahmen, war der Gedanke, Gott könne täuschen, ein starker Zweifelsgrund. Ihn, wie es G. Schmidt tut, ,,für am wenigsten glaubwürdig'' und für ineffizient zu halten, ist völlig unhistorisch[22].

Endlich würde das Argument des Dieu trompeur verkannt, sähe man durch es auch das Widerspruchsprinzip in Zweifel gezogen. Das ist nach Descartes' ausdrücklicher Erklärung nicht der Fall[23]. Gott erschafft die ihrem Inhalt nach endlichen Wahrheiten wie $2 + 3 = 5$; er könnte die geschaffene Wesensordnung ändern und würde uns dann, insofern wir die Wesensordnung für unveränderlich ansehen müssen, täuschen. Aber das in der ersten Meditation noch gar nicht erörterte Widerspruchsprinzip bezieht sich ja auch auf alles, was ist, auch auf Gott selbst, der ,,die erste und *ewigste* aller möglichen Wahrheiten ist und die einzige, von der alle übrigen ausgehen''[24]. So sind nach Descartes geschaffene und ungeschaffene ewige Wahrheiten zu unterscheiden. Berücksichtigt man diese Unterscheidung nicht, hat man es freilich leicht, Descartes einen Zirkelschluß im Gottesbeweis vorzuwerfen.

Aber trotz aller Zweifelsgründe bleiben die überkommenen Meinungen doch ,,sehr wahrscheinlich''. Will man mehr als Wahrscheinliches, nämlich unbezweifelbare, evidente Erkenntnis, muß man nach der analytischen Methode die Supposition machen, das Zweifelhafte sei falsch, es gäbe also keine unbezweifelbare Erkenntnis einer existierenden Sache. ,,De re existente, an ea sit'', ist ja nach dem ,,Entretien avec Burman'' das Thema der ersten Meditation[25]. Ist die Welt, wie wir sie alltäglich erfahren, nur phänomenal, in Descartes' Sprache: nur vorgestelltes, objektives Sein, oder gibt es formelles, aktuales Sein?

Wenn ich nun willentlich setze, es gibt keinen Himmel, keine Erde, keinen Körper, auch meinen eigenen nicht, alles könnte bloße Vorstellung sein, dann erfahre ich doch, daß dieser Versuch, alles bisher für wahr Gehaltene als falsch zu setzen, an eine Grenze kommt. Ich kann nicht annehmen und setzen,

---

[21] T. Gregory, Dio ingannatore e genio maligno, in: Giornale crit. della Filos. Ital. 53 (1974) 516.
[22] G. Schmidt, Aufklärung und Metaphysik. Die Neubegründung des Wissens durch Descartes (Tübingen 1965) VI und 66.
[23] V, 146.
[24] I, 150.
[25] V, 146.

daß *ich*, der ich zweifle und alles negiere, nicht wahrhaft sei. Ich erfahre, daß ich unbezweifelbar bin, wenn und sofern ich zweifle oder denke: Cogito, ergo sum.

                                   V

Damit sind wir nun an dem Punkt, an dem Descartes seinen neuen Begriff vom existierenden Geist als Bewußtsein gewinnt. Da ein konfuser, vager Begriff nach Art der Begriffe der Umgangssprache oder der aristotelischen Philosophie ausgeschlossen bleiben muß und eine klare und deutliche Idee vom Geist zu bilden ist, habe ich hier nun eingehender und genauer zu interpretieren[26].

Das Ergebnis des Experimentes mit dem universalen Zweifel und der möglichst weit getriebenen Negation war die Erfahrung, daß ich, der ich zweifle und negiere, unbezweifelbar bin, existiere, ein vom Nichts unterschiedenes Etwas, also ein in sich existierendes Seiendes (,,res vera et vere existens''), eine Substanz bin, wobei ,,Substanz'' ,,eine Sache'' bezeichnet, die ,,per se'' (an und für sich), nicht wie Eigenschaften oder Modi durch anderes und an anderem, existiert oder existieren kann[27]. Die Frage der ersten Meditation, ,,ob es eine existierende Sache gibt'', hat ihre unbezweifelbare Antwort gefunden: Nicht die in Zweifel zu ziehenden Dinge der Welt, nicht die bloß möglichen Wesenheiten und ihre vielleicht wandelbaren Gesetze, wohl aber ich, der Zweifelnde, bin unbezweifelbar im eigentlichen Sinn, bin eine existierende Substanz.

Diese Erkenntnis ist als Ergebnis eines Experimentes eine Erfahrung. Ich ,,erfahre'' (experior) diese Wahrheit, heißt es ausdrücklich[28]. Aber diese Grunderfahrung der eigenen Existenz ist doch von besonderer Art. Die sinnliche Wahrnehmung gibt, genau genommen, nur sinnliche Qualitäten, das Sehen von Farben und Figuren usw[29]. Eine existierende Substanz oder überhaupt Sein ist nicht zu sehen, zu hören usw. Daher handelt es sich bei dieser Erfahrung der Selbstgegebenheit des Zweifelnden um eine nicht-sinnliche, also intellektuelle Erfahrung: Diese Wahrheit, daß ich, insofern ich denke, auch bin, ist derart, daß der Geist (esprit) ,,sie sieht, sie spürt, sie fühlt''[30]. Das Faktum der eigenen Existenz ist daher in einer geistigen Erfahrung oder ,,intellektuellen Anschauung'' gegeben[31].

---

[26] Vgl. die (hier weithin übernommene) Interpretation der zweiten Meditation in meiner Anm. 18 genannten Abhandlung.

[27] VII, 44.

[28] V, 147; VII, 140.

[29] V, 146.

[30] V, 138.

[31] Vgl. W. Halbfaß, Descartes' Frage nach der Existenz der Welt (Meisenheim a. Glan 1968) 74.

Ein geistiges Wahrnehmen stellt aber nicht nur ein factum brutum fest, sondern dringt verstehend in die intelligible Struktur des Faktums ein und wird dadurch zur begriffenen Erfahrung, die das, was sie erfahren hat, auch begrifflich zu explizieren weiß. Ich weiß, daß ich etwas, ein Seiendes bin — und nicht nichts. Damit erkenne ich die Unmöglichkeit, daß etwas zugleich ist und nicht ist. Mit der Urgewißheit, daß ich bin, erschließt sich so die notwendige Wahrheit des bisher in den Meditationen nicht in den Blick gekommenen Widerspruchsprinzips. Daß ich unmöglich zugleich sein und nicht sein kann, heißt freilich nicht, es sei notwendig, daß ich existiere. Es könnte sein, daß ich „zu sein völlig aufhörte"[32]. So weiß ich auch, daß ich nur faktisch, kontingenterweise existiere. Solange und sooft ich aber zweifle oder denke, bin ich auch. Von diesem Punkt der Entfaltung der begriffenen Grunderfahrung her muß man sagen: cogito, ergo sum[33], ich denke, *also* bin ich.

Diese Einsicht in die Unmöglichkeit zu denken, ohne zu sein[34], aufgrund derer die Aussage: ich bin als „Folgerung" erscheint[35], ist aber keine Einsicht in die Verknüpfung „einfacher Naturen" oder Wesenheiten, wie sie die „Regulae" vorführen, z.B.: Keine Figur ist ohne Ausdehnung denkbar. Aus Wesenheiten und deren notwendiger Verknüpfung ist keine faktische Existenz zu deduzieren. Der Satz: „pour penser il faut être"[36] drückt vielmehr die Einsicht in die notwendige Verknüpfung von „aktuellem Denken" (Zweifeln oder Negieren z.B.) und „substantieller Existenz" aus[37]. Der genannte Satz ist selber fundiert in dem noch allgemeineren: „Das Nichts hat keine Affektionen oder Qualitäten"[38]. Zweifeln oder Negieren sind aber derartige veränderliche Affektionen meiner selbst; sie sind wandelbare Modi (Weisen), in denen ich bin. Im Licht des so in den Blick gekommenen Gegensatzes von Sein und Nichtsein wird schließlich auch einsichtig, daß alles, was ist, eine Ursache oder einen Grund (beide Ausdrücke synonym gebraucht) haben muß[39]. In solcher Weise vermittelt die Urgewißheit des eigenen substantiellen Seins, da sie zur begriffenen Erfahrung wird, auch die Einsicht in die obersten Axiome, die von allem gelten, was ist.

Wichtiger als die unnötigen, aber nicht abreißenden Kontroversen, ob das „cogito, ergo sum" einfache Intuition oder deduzierte Folgerung sei — es ist, wie gezeigt, beides, und im übrigen hält Descartes von formaler Logik ja gar nicht viel —, ist das Problem, wie man von der Erfahrung der individuellen Existenz zu allgemeinen Axiomen, vom Besonderen zum Allgemeinen kom-

---

[32] VII, 27.
[33] VI, 32, 558; VIII (1), 7.
[34] VII, 33.
[35] VII, 38 u.ö.
[36] VI, 33.
[37] Halbfaß, a.a.O. 82.
[38] VIII (1), 8.
[39] VII, 112, 164 f.

me. Hier geht es offensichtlich nicht um ,,induktives Schlußfolgern'', das vom Besonderen zum Allgemeineren aufstiege, vielmehr ist aufzuzeigen, daß das Allgemeine ,,implicite immer vorausgesetzt wird''[40]. Dieses stets erkannte Allgemeine ist, wie die weitere Analyse aufzeigt, das implicite ersterkannte Sein Gottes, an dem alles, was seiend ist, teilhat.

Zunächst drängt sich aber die Frage auf, ,,*was* bin ich, der ich sicher bin, daß ich bin''[41]? Vor dem Durchgang durch den universalen Zweifel gab es darauf eine selbstverständliche Antwort: ein Mensch; und das heißt ja nach der traditionellen Bestimmung: ein vernünftiges Sinneswesen. Aber mit solchen konfusen Begriffen, die nur endlos neue Fragen aufwerfen (was ist ,,Sinneswesen'', was ,,vernünftig''?) kann ich mich nicht mehr zufrieden geben. Die Frage, was ich sei, wurde aber auch gleichsam natürlicher und spontaner dahingehend beantwortet, ich bestünde aus Leib (mit seinen Gliedern) und Seele. Aber man wußte ja nicht, was ,,Seele'' ist. Sie wurde daher auch oft wie ein feinerer Körper, wie ein Windhauch oder Äther vorgestellt. Mit solchen Auskünften ist offensichtlich nichts anzufangen, will man nur unbezweifelbar Wahres in der Neubegründung der Philosophie zulassen. Mit der Existenz der materiellen Dinge kann aber auch die Existenz meines Körpers in Zweifel gezogen und ohne die Erfahrung eines offenkundigen Selbstwiderspruches als nicht-existierend angesetzt werden. Unbezweifelbar hingegen ist, daß ich zweifle, negiere, einsehe, bejahe, will usw.; und da allen diesen Weisen und Vollzügen, in denen ich bin, gemeinsam ist, daß ich mir ihrer und in ihnen auch meiner selbst unmittelbar bewußt bin, zeigt sich Bewußtsein seiner selbst als das den einzelnen Modi, in denen ich bin und mir gegeben bin, gemeinsame und in den Abwandlungen unveränlich bleibende Attribut, das mein Wesen konstituiert[42]. Als Bewußtsein bin ich mir in unmittelbarer Selbstgegebenheit präsent, als Körper, dessen Wesen noch unbekannt und dessen Existenz anzweifelbar ist, hingegen nicht. Der Unterschied in der Art der Gegebenheit ist aber dann zugleich ein Unterschied in der Art zu sein, ein Seinsunterschied also, wenn es sich im ersten Fall um die Selbstgegebenheit einer Substanz handelt. ,,Sum igitur praecise tantum res cogitans''[43]; ich bin also genau, d.h. zumindest (es soll ja nicht behauptet werden, ich sei nicht auch Körper), aber das unbezweifelbar, ein seiner selbst bewußtes Seiendes. ,,Cogitatio'' wird von Descartes ausdrücklich als ,,conscientia'' verstanden[44], und derart hat er für die von ihm so eindringlich bewußt gemachte Selbstgegebenheit des Geistes auch die Bezeichnung geprägt — ,,conscientia'' hieß zuvor ,,Gewissen'' —, die fortan selbstverständlich wurde.

---

[40] V, 147.
[41] IX (1), 19.
[42] Vgl. E. Gilson, Descartes. Discours de la méthode. Texte et commentaire (Paris ⁴1967) 302-305.
[43] VII, 27.
[44] VIII (1), 7.

Zwar ist damit das in der Überschrift dieser Meditation angegebene Ziel schon erreicht, nämlich zu zeigen, daß „die Natur des menschlichen Geistes leichter zu erkennen ist als der Körper", aber Descartes macht mit dem berühmten Beispiel eines Wachsstückes noch die Gegenprobe, die nahelegt, daß es das Wesensattribut der Körper ist, ausgedehnt zu sein. Wenn das in der sechsten Meditation bestätigt ist, zeigt sich nochmals der Wesensunterschied von Geist und Körper: Jeder Körper ist wesentlich teilbar[45], das Bewußtsein hingegen „völlig unteilbar". Diese Erfahrung der Individualität des Bewußtseins, das in und bei sich ist, statt in Teile ausgedehnt zu sein, ist auch in der Erfahrung der Freiheit eingeschlossen, aus sich und aus Eigenem verantwortlich urteilen zu können. Insofern ich frei handle und mich zum Handeln, z. B. zum Urteilen, selbst determiniere, stehe ich nicht unter der Determination der Naturgesetze. Da freie Selbstbestimmung geistige Wesen charakterisiert, naturgesetzliche Determination aber dem Bereich des Materiellen wesentlich zukommt, bestätigt auch die im Vollzug der ersten Meditation gemachte Freiheitserfahrung die Geistigkeit ihres Subjektes und den Wesensunterschied von Geist und Materie. Zugleich aber dürfte sich Descartes' Bestimmung des Bewußtseins als res cogitans, als bewußte individuelle Substanz, die oft als Rückfall in die Metaphysik kritisiert worden ist, als phänomengerecht bewähren. Denn wenn aus dem „Ich denke" das die individuelle Substanz bezeichnende „Ich" eliminiert wird — sei es, daß man nur ein „Bündel von Vorstellungen" oder eine Abfolge von psychischen Akten („es denkt") glaubt annehmen zu sollen oder diese Akte einem transzendentalen Subjekt oder transzendentalen Ego zuschreibt —, dann ist mit der Behauptung eines solchen subjektlosen Prozesses psychischer Phänomene, aber auch mit der Annahme eines substanzlosen Subjektes der gedanklichen Setzungen auch das Subjekt der Freiheit eliminiert; denn das Subjekt der Freiheit kann *nur* als Substanz, d.h. als in sich ruhendes Seiendes, Ursprung seiner Selbstbestimmung und so freies Subjekt sein. Natürlich ist die Rede von einer existierenden geistigen Substanz Metaphysik. Aber eben darum ging es Descartes, Metaphysik als Wissenschaft von Geist, Freiheit und Gott methodisch zu begründen.

VI

Vor einigen Wochen hat J. Guitton bei der Laudatio auf H. Gouhier anläßlich seiner Aufnahme in die Académie Française Descartes den Denker in unserer Geschichte genannt, der wie kein anderer „novateur" gewesen sei[46]. Aber Descartes hat sich nicht als Revolutionär im Reich des Gedankens verstanden, sondern als Reformator, der das Wahre in der Tradition aner-

---

[45] VII, 85 f.
[46] Vgl. Le Monde, Vendredi 23. novembre 1979, 23.

kennt und zu bewahren sucht. ,,Nichts ist älter als die Wahrheit'', heißt es ja nicht nur zur Verzierung im Widmungsschreiben der Meditationen[47].

Es ist ja nun auch wirklich keine Erfindung Descartes', daß der Mensch wesentlich geistige Substanz ist. Erst Descartes hat freilich das ausdrücklich oder wenigstens unausdrücklich stets gegebene Selbstbewußtsein, das erkennende Bei-sich-selbst-Sein als Wesensattribut des Geistes aufgezeigt und bemerkt.

So bewahrt Descartes, zugleich freilich in neuer Begründung, die Überzeugung der Metaphysik, daß der Mensch nicht nur materielles Wesen, sondern auch geistige Substanz ist. Die Äquivozität des traditionellen Seelenbegriffs lehnt er freilich ab. ,,Seele'' bedeutete ja bei Thomas von Aquin, handelt es sich um die Seele des Menschen, einmal die Wesensform des Leibes, wodurch als principium quo der Mensch beseeltes Körperwesen ist; zum anderen aber auch die geistige Substanz als forma in se subsistens, die Thomas auch ,,mens'' oder ,,intellectus'' nennt[48]. Thomas kann auch erklären: forma humana et anima dicitur, et spiritus, und zwar heißt sie als Lebensprinzip des Leibes ,,Seele'', als geistig erkennendes und wollendes Wesen aber ,,Geist''[49]. Diese Leibseele lehnt Descartes ab, während er den Geist in seinem Wesen als Selbstbewußtsein neu begreift.

Aber wie nahe schon Thomas der cartesianischen Problemführung gekommen ist, zeigt eine Stelle aus seiner ,,Summe wider die Heiden''[50]. Hier schreibt Thomas: Wenn sich die Seele durch sich selbst in ihrem Wesen erkennen würde (si igitur anima per se ipsam de se cognoscit quid est), dann wäre damit ein ,,per se notum'', eine evidente Wahrheit gegeben, die als das ,,Ersterkannte'' das ,,Prinzip'' wäre, ,,anderes zu erkennen''.

Das ist eine eindringliche und erstaunliche Vorwegnahme des ,,Ersten Prinzips'' der cartesianischen Philosophie. Aber das Argument, mit dem Thomas das vorweggenommene Prinzip der Descartes'schen Philosophie zurückweist, ist für jeden, dem an geschichtlichen Zusammenhängen gelegen ist, geradezu faszinierend. Thomas erklärt nämlich, diese Annahme sei ,,offenkundig falsch, denn *was* die Seele ist, wird in der Wissenschaft nicht als bekanntes Prinzip zugrunde gelegt, sondern als eine von anderen Erkenntnissen her zu bestimmende Frage vorgelegt''.

Das ist ein einleuchtendes Argument nur unter Voraussetzung der aristotelischen Physik, die von der angenommenen Wesenserkenntnis der Dinge her das allgemeine Wesen der Seele als forma corporis bestimmt. Wenn diese ,,Wissenschaft'' aber mit ihrer Annahme auch von Pflanzenseelen als anthro-

---

[47] VII, 3.
[48] Thomas, S. Theol. I, 75, 2.
[49] I Ad Cor. 15, 7.
[50] S.c.G. III, 46.

pomorphistische Weltdeutung in Frage gestellt ist, dann kann zwar nicht eine Seele als spezifische Wesensform, wohl aber das Selbstbewußtsein, das weiß, daß es ist und was es ist, erstes Prinzip einer kritischen Philosophie sein.

Das wird dadurch noch bekräftigt, daß auch Thomas, sofern er nicht Aristoteles, sondern Augustinus folgt, eine habituale Selbsterkenntnis des Geistes durch sich selbst seinem Sein nach lehrt[51] und erklärt: ,,nullus potest cogitare se non esse cum assensione: in hoc enim quod cogitat aliquid, percipit se esse''[52]. Wer aber weiß, daß er unbezweifelbar ist, kann auch wissen, daß er ,,præcise tantum'' ein bewußtes Wesen, eine geistige Substanz ist. Descartes wußte es.

VII

Natürlich erschöpft sich Descartes' Lehre vom Geist nicht im Aufweis seiner Existenz und seines Wesens. Aber ich kann abschließend nur noch einen Überblick über die wichtigsten Ergebnisse geben, zu denen Descartes in Ausgestaltung seines Ansatzes kommt. In allen noch zu nennenden Problemen — auf die Affektenlehre in ,,Les passions de l'âme'' gehe ich nicht mehr ein — führt Descartes die Tradition, besonders die des Thomismus, sie im wesentlichen bewahrend, weiter.

Da ist zunächst seine Lehre von der realen und substantiellen Einheit von Geist und Materie im Menschen. Der Mensch ist ein ,,ens per se, non autem per accidens''[53]. Daher wirkt und leidet der Geist mit dem Körper, aber sofern der Geist auch im reinen Denken, im Unterschied zur sinnlichen Wahrnehmung, etwa in der Betätigung des geistigen Gedächtnisses oder im freien Willen auch ohne den Körper tätig ist, muß man von einer Wechselwirkung zwischen Geist und Körper sprechen. Descartes ist kein Occasionalist und vertritt auch nicht die Theorie einer prästabilierten Harmonie zwischen leiblichen und geistigen Vorgängen[54].

Diese substantielle Einheit von Geist und Körper, die vom reinen Denken nur konfus gedacht werden kann, ist Inhalt einer sicheren Erfahrung. Jeder erfährt sie — schreibt Descartes an Elisabeth[55] — ,,toujours en soi-même sans philosopher''. Der Geist kennt unmittelbar die mit ihm verbundene und ihn affizierende Materie. Deshalb kann er sich eine klare Idee von ihr und eine freilich konfus bleibende von der Einheit von Geist und Materie bilden. Letztere aber bleibt eine konfuse Idee, heißt es doch, den Geist im Menschen auch

---

[51] Ver. 10, 8.
[52] Ver. 10, 12, 7.
[53] III, 493.
[54] Vgl. die kompetente Darstellung bei H. Gouhier, La pensée métaphysique... (Anm. 6) 321-400; ferner R. Specht, Commercium mentis et corporis (Stuttgart 1966) bes. 59 ff.
[55] III, 694.

als materiell und die Materie in uns auch als denkendes Wesen hinnehmen[56].

Wenn Descartes in solcher Weise lehrt, der Geist sei sich seiner Einheit mit der Materie stets (und wohl unmittelbar) „bewußt"[57], dann widerspricht er damit natürlich nicht der Problemführung in der ersten und zweiten Meditation. Mag auch die Einheit von Geist und Materie und damit die Existenz des Körpers evident sein: Sie sind jedoch weniger evident als das Sein des Selbstbewußtseins; denn sie können mit gutem Grund in Zweifel gezogen werden.

Weil es so zwar das Wesen des Menschen ist, zugleich Geist und Materie zu sein; weil andererseits aber Geist und Materie *wesentlich* verschieden sind und bleiben, wird die geistige Substanz nicht mit dem Tod des Menschen zerstört. Descartes hatte in der Überzeugung, daß sich aus der Wesensverschiedenheit von Geist und Körper die Unzerstörbarkeit des Geistes notwendig ergibt, in den Titel der Meditationen auch den Beweis von der Unsterblichkeit der Seele aufgenommen. In der zweiten Auflage begnügt er sich aber bekanntlich damit, den Beweis von der realen Verschiedenheit von Seele und Körper zu nennen.

Das hat seinen Grund und sein Recht darin, daß Descartes nicht so kategorisch wie Thomas von Aquin zu behaupten wagt, Gott würde nie eine geistige Substanz annihilieren, was er ja nach allgemeiner Lehre tun könnte. Descartes verweist hier — und für die Frage nach der Art des zukünftigen Lebens — auf die christliche Offenbarung, deren vernünftige Fundamente aufzuzeigen insgesamt das Ziel seines Philosophierens ist.

Endlich erwähne ich noch, daß Descartes in der Frage, wann der von Gott zu erschaffende Geist mit dem Leib verbunden wird, die traditionelle Lehre der Scholastik übernimmt. Wie Suarez gelehrt hatte: „Bei der Erzeugung der vollkommeneren Sinneswesen ist die Organisation des Gehirns zur Einführung der sinnlichen Seele erfordert"[58], so wird nach Descartes unser Geist erst dann geschaffen und mit der Maschine unseres Leibes vereint, wenn die Konstruktion dieser Maschine, besonders ihres dem Geist als Schaltpult dienenden Gehirns, abgeschlossen ist. Andernfalls wäre es ja eine ungerechte Strafe, mit einer noch funktionsunfähigen Maschine verbunden zu werden. So aber ist Freude über das Kunstwerk seines Leibes die erste Regung des Geistes[59].

Man kann sich fragen — und sollte es tun —, ob diese Lehre Descartes', die ich möglichst historisch getreu zu referieren hatte, noch Wahrheitschancen fürs gegenwärtige Philosophieren bietet. Sieht man, wie heute von Theologen erklärt wird, der Begriff einer leibfreien Seele — gemeint ist die geistige anima

---

[56] Ebd.
[57] V, 222.
[58] Suarez, Opera omnia (ed. M. André) III, 597 f.
[59] IV, 605; vgl. IV, 166 ff.

humana — sei ,,in sich selbst widersprüchlich''[60], ist man geneigt, bin ich jedenfalls geneigt, diese Frage zu bejahen. Denn Descartes, einer der größten
Geister in der Geschichte des Denkens, hat auch zu explizieren gewußt, was
menschlicher Geist wirklich ist.

---

[60] Vgl. G. Greshake-G. Lohfink, Naherwartung, Auferstehung, Unsterblichkeit (Freiburg
³1978) 172 f., 179.

ALOIS WINTER
Fulda

SEELE ALS PROBLEM IN DER TRANSZENDENTALPHILOSOPHIE KANTS UNTER BESONDERER BERÜCKSICHTIGUNG DES PARALOGISMUS-KAPITELS

Die Frage nach der Seele ist für Kant in theoretischer Hinsicht zeitlebens ein Problem geblieben, so daß es nicht möglich ist, etwa von seiner ,,Seelenlehre'' zu sprechen. Kants Beschäftigung mit zentralen Punkten der Psychologia rationalis reicht bis in seine Frühschriften zurück und ist engstens mit dem Entwicklungsgang seiner Transzendentalphilosophie verwoben, der heute wieder verstärkt zum Gegenstand der Kantforschung gemacht wurde. Daraus ergibt sich die doppelte Schwierigkeit für ein Referat zu diesem Thema. Zum einen sind die Stationen der Kantschen Entwicklungsgeschichte zur Transzendentalphilosophie noch immer Gegenstand von Kontroversen, die aus dieser besonderen Perspektive allein nicht entscheidbar sind und daher möglichst offen gelassen werden müssen, soweit die Seelenproblematik nicht selbst Datierungs- und Orientierungshilfen an die Hand gibt. Die zweite Schwierigkeit besteht in der engen Verflochtenheit unserer Fragestellung mit anderen, sehr zentralen Problemkreisen des Kantschen Denkens, die ihre eigene Entwicklungsgeschichte haben. Das Feststellen von etwaigen Synchronitäten und Interdependenzen ist in vielen Fällen nur unter Zuhilfenahme von anfechtbaren Hypothesen möglich, z.B. unter der Voraussetzung einer streng folgerichtigen Entwicklung, die die Probleme der tatsächlichen Phasenverschiebungen nicht genügend berücksichtigt, so daß in diesem Referat vieles neben- und hintereinander stehen bleiben muß, um kurzschlüssige Plausibilitäten zu vermeiden, die nicht wirklich abgesichert werden können. Trotzdem glaube ich, daß sich bei aller Offenheit von Detailfragen einige Grundlinien darstellen lassen, die die Ursprünge der Seelenproblematik bei Kant skizzieren und den Weg verdeutlichen, den sein Denken im Blick auf die grundsätzliche Zielsetzung seines Werkes zurückgelegt hat.

1. *Die frühe Zeit bis 1770*

Giorgio Tonelli definiert die vorkritische Philosophie Kants als einen ,,eklektischen(r) Antiwolffianismus'', der seinen Nährboden im ,,antiwolffianisch gestimmten Milieu in Königsberg'' fand[1]. Die erste Begegnung mit den

---

[1] G. Tonelli im Vorwort zu dem von ihm besorgten Nachdruck der ,,Anweisung vernünftig zu leben'' von Ch. A. Crusius (Leipzig 1744 - Hildesheim 1969) VII-LIII, hier: LI, unter Rückgriff auf ders., Elementi metodologici e metafisici in Kant dal 1745 al 1768. Saggio di sociologia della

Fragen der Seelenmetaphysik wird für Kant wohl vor dem Hintergrund der Antrittsdissertation Martin Knutzens anläßlich der Übernahme einer außerordentlichen Professur für Logik und Metaphysik stattgefunden haben. Diese Schrift des von Kant sehr geschätzten Dozenten[2], mit dem er auch persönlich in Verbindung stand[3], war zuerst im Jahre 1735 erschienen[4] und markiert die entscheidende Wende in der bis dahin wirksamen Vorherrschaft des Systems der „prästabilierten Harmonie" zur Erklärung der Frage der Wechselwirkung („Commercium") zwischen Seele und Leib[5]. Eine zweite, etwas erweiterte Auflage erschien im Jahre 1745 unter dem Titel: Systema Causarum efficientium, seu commentatio philosophica de commercio mentis et corporis per influxum physicum explicandi, ipsis illustris Leibnitii principiis superstructa, der eine bereits 1741 erschienene Abhandlung mit dem Titel: Commentatio de individua humanae mentis natura sive de immaterialitate animae mit fortlaufender Paginierung angehängt war[6]. Der genannte Anhang enthielt eine letztlich theologisch motivierte Widerlegung des Materialismus auf der Basis der Einheit des Selbstbewußtseins, das die Einheit des Subjektes und damit auch der denkenden Substanz oder Monade voraussetzt[7]. Dieses Argument wird von Kant in seiner vorkritischen Zeit aufgegriffen[8] und noch im Spätwerk als geeignet zum polemischen Abweis des Materialismus herangezogen („wenn

---

conoscenza I. Studi e ricerche di Storia della Filosofia 29. (Torino 1959) Pref. VIII. Vgl. auch H. Heimsoeth, Atom, Seele, Monade. Historische Ursprünge und Hintergründe von Kants Antinomie der Teilung. AkWissLit, Abhdlgn d. geistes- u. sozialwiss. Klasse 1960/3. (Wiesbaden 1960) 281 (25), 374-378 (118-122); dazu: F. Kaulbach, Atom und Individuum. Studien zu Heimsoeths Abhandlung „Atom, Seele, Monade", in: Zeitschrift f. philos. Forschung 17 (1963) 3-41.

[2] Nach den Biographien von L. E. Borowski und R. B. Jachmann aus dem Jahre 1804, in: Immanuel Kant. Sein Leben in Darstellungen von Zeitgenossen. Die Biographien von L. E. Borowski, R. B. Jachmann und [E.] A. Ch. Wasianski (Darmstadt 1968, Reprogr. Nachdr.d. v. F. Groß hrsg. Aug. [= Dt. Bibl. 4] Berlin 1912) 16 u. 125.

[3] ebd. 76.

[4] Commentatio philosophica de Commercio mentis et corporis per influxum physicum explicando, quam amplissimae Facultatis Philosophicae consensu, pro loco Professoris Logices et Metaphysices extraordinarii, publico eruditorum examini subiiciet, praeses Martinus Knutzen, Regiom., respondente Christophoro Friederico Grube, Regiom. Boruss. anno MDCCXXXV. d. XXII April. H. L. Q. S. — Regiomonti litteris Reusnerianis.

[5] B. Erdmann, Martin Knutzen und seine Zeit. Ein Beitrag zur Geschichte der Wolfischen Schule und insbesondere zur Entwicklungsgeschichte Kants (Leipzig 1876) 83 zu dieser Schrift: „Sie bezeichnet den Gipfelpunkt der Entwicklung, die zu immer unbeschränkterer Herrschaft der Lehre vom physischen Einfluss führte; sie ist der weitaus bedeutendste Versuch, denselben allseitig durchzubilden." 93: „von geradezu epochemachender Bedeutung". Vgl. auch das ganze 3. Kapitel: „Der Streit um die prästabilierte Harmonie" 55-83 und die Besprechung der Knutzenschen Schrift (4. Cap.) 84-97.

[6] Lipsiae apud Io. Christian. Langenhemium. MDCCXLV. Die angehängte Schrift hat die Seitenzahlen 211-318, dazu kommt ein gemeinsamer Index. Wir zitieren hier, falls nicht anders vermerkt, nach dieser Ausgabe.

[7] Vgl. die Besprechung dieser Schrift bei Erdmann a.a.O. (5) 101-107.

[8] Kant's gesammelte Schriften, hrsg. v. d. Königl. Preuß. (später Preuß., dann Deutschen) AkadWiss, neuerdings AkadWiss der DDR (Berlin 1910 ff.) — im folgenden abgek. AA — 2/328. Vgl. auch G. Fr. Meier, Beweiß, daß keine Materie dencken könne (Halle 1742).

diese Erscheinung als Sache an sich selbst betrachtet wird"") [9]), während es im zweiten Paralogismus, dem „Achilles aller dialektischen Schlüsse""[10], der kritischen Prüfung unterzogen wird[11]. In der damals aber vor allem beachteten Schrift über das „Commercium" überführte Knutzen die von Christian Wolff nur halbherzig vertretene „praestabilierte Harmonie" zwischen Seele und Körper[12] unter Rückgriff auf die Leibnizsche Monadenlehre in eine abgewan-

---

[9] AA 20/308.
[10] Kritik der reinen Vernunft, A 351 (die KrV zitieren wir nach der Originalpaginierung der ersten und zweiten Auflage (1781 und 1787) mit den Buchstaben A und B).
[11] A 352.
[12] „Systema harmoniae praestabilitae admodum probabile", „ceteris systematis [sic!] explicandi commercium animae & corporis ... praeferendum"; allerdings: „Si quis hebetior fuerit, ... vel infirmior, ... is systema influxus physici amplectatur & systema harmoniae praestabilitae, si velit, damnet, modo sibi temperet a malitia" (Ch. Wolfii Psychologia rationalis, Édition critique avec introduction, notes et index par Jean École. Ch. Wolff, Gesammelte Werke, hrsg. v. J. École, J. E. Hofmann u.a. II. Abt. Bd. 6. (Hildesheim 1972, repr. Nachdruck d. verbess. Ausg. Frankfurt u. Leipzig 1740) 579 (§ 685[!]), 581 (§ 639) u. 583 (§ 640). In seinen: Vernünfftige(n) Gedancken von Gott, Der Welt und der Seele des Menschen, ..., hier zitiert nach der neuen und vermehrten Auflage (Halle ⁴1752), ähnlich zurückhaltende Formulierungen: „Und solchergestalt verfallen wir auf die Erklärung, welche der Herr von *Leibnitz*...", (479, § 765); „Vielmehr ist nothig, daß ich zeige, wie dergleichen Harmonie möglich sei" (480, § 766); „Ich rede hier bloß von den Empfindungen, nicht aber von den übrigen Würckungen der Seele" (480, § 767). Im Vorwort zur ersten Auflage 1719: „Ich hatte mir zwar anfangs vorgenommen die Frage von der Gemeinschafft des Leibes mit der Seele gantz unentschieden zu lassen: allein, da ich durch die im andern Capitel gelegten Gründe wider Vermuthen gantz natürlich auf die vorher bestimmte Harmonie des Herrn von *Leibnitz* geführet ward; so habe ich auch dieselbe beybehalten und in ein solches Licht gesetzet, dergleichen diese sinnreiche Erfindung noch nie gehabt." Diese Selbsteinschätzung ist bemerkenswert, nachdem er die Leibnizsche prinzipielle Gleichartigkeit der Monaden nicht übernommen hat, worauf Erdmann (a.a.O. (5) 63) hinweist. Die gleiche Vorsicht in: Der Vernünfftigen Gedancken von Gott, der Welt und der Seele des Menschen, ... Anderer Theil, hier zitiert nach d. 4. Auflage (Francfurt am Mayn, 1740): Das System der prästabilierten Harmonie „stimmt auch mit den Grundwahrheiten überein, und ist das einige, dadurch sich die Gemeinschafft zwischen Leib und Seele gantz natürlich und verständlich erklären lässet." (469, ad § 765); „Und deswegen muß man erweisen, daß die vorher bestimmte Harmonie möglich ist" (469, ad § 766); „Und also stehet nichts im Wege, daß nicht GOtt der Seele alle ihre Determinationes auf einmahl durch ihr Wesen geben können, und daher nicht nöthig hat, ihr erst ins besondere eine nach der anderen zu geben" (470, ad § 767). Zutreffend stellt daher auch J. G. Darjes in seinen: Anmerkungen über einige Lehrsätze der Wolfischen Metaphysic ... (Frankfurt und Leipzig 1748) fest: „Daß dieses Systema nirgends sufficient bewiesen" wird (42). Wolff verstößt in dieser Frage gegen das von ihm selbst vertretene Prinzip: „Philosophus non admittit nisi probata", das er allerdings für die prästabilierte Harmonie sofort aufweicht, indem er fortfährt: „Ubi lateat obscuritas, ego sane non video,..." (De differentia nexus rerum sapientis et fatalis necessitatis, nec non systematis harmoniae praestabilitae et hypothesium Spinosae luculenta commentatio ... Halae Magdeb. MDCCXXIV, 76 [fälschlich 67 gedruckt]. In dieser Schrift, gegen die J. Lange polemisierte, verteidigt Wolff die prästabilierte Harmonie mit rhetorischen Fragen und unter Bezugnahme auf allerlei Autoren, sogar aus dem Jesuitenorden [68]). In seiner: Ratio Praelectionum Wolfianarum in Mathesin et Philosophiam universam (Halae Magdeb. MDCCXIIX) berichtet Wolff, daß er zunächst in dieser Frage die Cartesianischen Prinzipien anerkannt habe, aber nach einem Briefwechsel mit Leibniz und der Lektüre eines Artikels in den Acta Eruditorum (1705, 573 ff.) die Leibnizsche Lösung vorgezogen habe (142 ff.). Diese Darstellung stimmt nicht ganz mit jener anderen überein, die er in seiner Selbstbiographie hinterlassen hat (Christian Wolffs eigene Lebensbeschreibung, hrsg. mit einer Abhandlung über Wolff von H. Wuttke [Leipzig 1841], in der er auf den Seiten 140 ff. auf die prästabilierte Harmonie zu sprechen kommt, was ihm Schopen-

delte Version der Theorie des „influxus physicus", die eine gewisse mittlere Positon darstellt: die Körper sind aus unzählig vielen Monaden (substantiae simplices, elementaria simplicia) zusammengesetzt (sonst würden wir, so Knutzen, bei der Teilung auf eine unendliche und damit in der realen Existenz widersprüchliche Reihe stoßen[13]). Diese Körpermonaden sind aber „vorstellende" Monaden (perceptio, nicht cogitatio), die insofern mit der Seelenmonas eine gewisse Verwandtschaft aufweisen[14]. Gleichzeitig sind sie durch eine innere „vis motrix" (primitiva und derivativa), „quae vis activae speciem constituit ac in nisu seu conatu ad motum consistit"[15], befähigt, sich selbst und andere einfache Substanzen zu bewegen (d.h. ihre räumliche Koexistenz aktiv zu verändern). Nach außen wirken kann aber auch die Seelenmonas, was als „perfectio simpliciter simplex" vom Gottesbegriff der Theologia naturalis hergeleitet wird[16]. Aus der so beschriebenen gegenseitigen Verwandtschaft auf der unteren Ebene wird dann die Theorie eines modifizierten „influxus physicus" zwischen Seele und Körper entwickelt[17]. In der Auseinandersetzung mit dieser Position wird Kant sich auch mit Descartes, Leibniz und Wolff beschäftigt haben. Dies mußte so ausführlich dargestellt werden, weil das Problem des psychophysischen Commerciums für Kant nicht nur „die Ausgangsfrage", sondern ein „Kernthema" der rationalen Psychologie überhaupt darstellt[18] und darüber hinaus den Hintergrund für den transzendentalen Idealismus des 4. Paralogismus bildet[19]. In seiner Erstlingsschrift „Gedanken von der wahren Schätzung der lebendigen Kräfte", in der Kant im wesentlichen eine ohne sein Wissen bereits geleistete Vermittlung zwischen Leibniz und Descartes in der Frage nach der kinetischen Energie versucht, ohne aber die richtige Lösung zu finden[20], kommt er genau auf diese Frage zu sprechen, die für ihn ein Anwendungsfall der „lebendigen Kräfte" ist. Ohne

---

hauers Tadel: „Lügt." eingetragen hat (Randbemerkung in A. Schopenhauers eigenem Exemplar, aufbewahrt in der Stadt- und Univ.-Bibl. Frankfurt/Main, Sign.: schop 603/105, Nr. 1-6. Dort auch auf Seite 11 von Schopenhauers Hand: „Leibnitzens Altweiberhaftigkeit" zur Teilnahme am Abendmahl auf Anraten des Kutschers).

[13]   a.a.O. (6) 77 (§ XX); 88 (§ XXVII).

[14]   a.a.O. (6) 100-104 (§§ XXX u. XXXI).

[15]   a.a.O. 84-87, 1. Aufl.: 51-53 (§§ XXIV u. XXV).

[16]   a.a.O. (6) 107-112 (§§ XXXIII-XXXIV).

[17]   a.a.O. 108-122 (§§ XXXIV-XXXVI); 130-137 (§§ XXXIX-XL).

[18]   F. Nierhaus, Das Problem des psychophysischen Kommerziums in der Entwicklung der Kantischen Philosophie, Diss. Köln 1962, 11. In der zweiten Auflage der KrV tritt allerdings Kants Interesse an dieser Frage deutlich zurück. „Nur insofern das Problem Beziehung hat zur Frage der Unsterblichkeit, wird es noch behandelt, aber lediglich unter dem Gesichtspunkt, dass die kritische Grenzbestimmung als das Ergebnis der spekulativen Vernunft nicht die Befugnis und Notwendigkeit der Annahme eines künftigen Lebens nach Grundsätzen der praktischen Vernunft verbiete." (J. Wolf, Verhältnis der beiden ersten Auflagen der Kritik der reinen Vernunft zueinander, Diss. Halle-Wittenberg 1905, 165).

[19]   vgl. A 345, B 403.

[20]   Die richtige Formel war schon 1743 von D'Alembert gefunden worden (vgl. Ueberweg III 516).

Knutzen zu nennen, bevorzugt er dessen Ausdruck einer ,,vis activa'' gegenüber einer bloßen ,,vis motrix'' und meint, ,,der Triumph eines gewissen
scharfsinnigen Schriftstellers'' wäre vollkommen gewesen, wenn dieser die
Wirkmöglichkeit der Seele nach außen daraus erklärt hätte, daß sie ,,in einem
Orte ist'', weil durch diesen Begriff die Wirkungen der Substanzen ineinander
angedeutet seien[21]. Der umgekehrte Einfluß der Materie auf die Seele dagegen
erscheint ihm dadurch möglich, daß ,,der ganze innerliche Zustand der Seele''
,,sich auf das Äußerliche bezieht'' und insofern ,,status repraesentativus uni-
versi'' heißt[22]. Auch in der Folgezeit werden die Fragen der rationalen Psychologie von Kant im Zusammenhang mit naturphilosophischen Themen abgehandelt, die zunächst einen wissenschaftlichen Vorrang zu haben scheinen,
obwohl gleichzeitig ein grundsätzliches theologisches Interesse, das sich auch
auf die Seelenmetaphysik unter der Rücksicht der Unsterblichkeitshoffnung
erstreckt, in Ansätzen von der ersten Veröffentlichung an nachweisbar ist[23].
Jedenfalls steht Kant zunächst ganz auf dem Boden der vorherrschenden Auffassungen der Schulmetaphysik. Es fällt auf, daß eigentlich überhaupt nur
drei Theorien des psychophysischen Commerciums, nämlich die prästabilierte
Harmonie, der influxus physicus und der Occasionalismus zur Diskussion
standen; Georg Bernhard Bülfinger hatte sie für die einzig möglichen
erklärt[24], und Martin Knutzen kam mit einer ähnlichen Ableitung zu dem gleichen Ergebnis[25], während eine hylemorphistische Lösung praktisch nicht in

[21] AA 1/21. Erdmann a.a.O. (5) bezieht die Stelle mit Recht auf Knutzen, während der Bearbeiter der AA K. Lasswitz keinen Kommentar dazu abgibt. Kant erwähnt Knutzen überhaupt nur
einmal in seinem Bewerbungsschreiben um dessen freigewordene Stelle (AA 10/3).

[22] AA 1/21.

[23] vgl. P. Laberge, La théologie Kantienne précritique. Éd. de l'Univ. d'Ottawa, Collect. φ philosophica 2. (Ottawa 1973); dazu A. Winter, Theologische Hintergründe der Philosophie Kants,
in: Theol. u. Philos. 51 (1976) 1-51. Die Erstlingsschrift Kants gehört insofern in diesen Zusammenhang, als sie die wissenschaftstheoretischen Überlegungen zur Abgrenzung von Theologie
und Physik bereits ankündigt. Gegenüber der Zuhilfenahme der Weisheit Gottes als Ergänzung
der Geometrie bei Leibniz stellt Kant fest: ,,Wir müssen aber die metaphysische Gesetze mit den
Regeln der Mathematik verknüpfen, um das wahre Kräftemaß der Natur zu bestimmen; dieses
wird die Lücke ausfüllen und den Absichten der Weisheit Gottes besser Gnüge leisten.'' (AA
1/107). Zum Ineinander von natürlicher Theologie, Seelenlehre und Geometrie vgl. in derselben
Schrift auch die §§ 10 und 11 (AA 1/24 f.), worüber sich Kant eine zukünftige Betrachtung vorbe-
hält. Vgl. dazu auch H. Heimsoeth, Astronomisches und Theologisches in Kants Weltverständ-
nis. AkWissLit Abh. d. geistes- u. soz.wiss. Klasse 1963/9. (Wiesbaden 1963).

[24] G. B. Bülfinger: De Harmonia animi et corporis humani, maxime praestabilita, ex mente illustris Leibnitii, commentatio hypothetica (Francof. & Lipsiae ²MDCCXXIII) 10-18 (§§ 13-23):
De numero Systematum sive Hypothesium. Eine Harmonie zwischen kontingenten Dingen entsteht entweder durch ein- oder wechselseitigen Einfluß oder durch eine äußere Ursache, die entweder von Fall zu Fall oder ein für allemal das Zusammenstimmen sicherstellt; darüber hinaus sind
nur Mischfälle zu denken. Bülfinger bedient sich zur Erläuterung des bekannten Uhrengleichnis-
ses, das er nach Leibniz zitiert (es geht auf Descartes zurück und wurde von A. Geulincx und S.
Foucher verwendet, wo es Leibniz aufgriff, vgl. Ueberweg III 327). Der Titel der ersten Auflage
von 1721 lautete übrigens ,,Dissertatio de ...'' (vgl. Erdmann a.a.O. (5) 66).

[25] Je nachdem, ob die causa efficiens der jeweiligen oder der je anderen pars essentialis des
Menschen innerlich oder aber überhaupt dem Menschen äußerlich ist, ergibt sich die prästabilierte

Erwägung gezogen wurde[26]. Friedrich Christian Baumeister erörterte in seinem 1738 erschienenen Lehrbuch[27], das Kant anfangs auch seinen Vorlesungen zugrunde legte[28], die Gründe, die für und wider die einzelnen Systeme

Harmonie, der physische Einfluß oder der Occasionalismus. Knutzen bezieht sich dabei auf Bülfinger und Baelius und setzt sich mit den Auffassungen auseinander, die von der Dreizahl abzuweichen scheinen (a.a.O. [6] 60-65 [§ XIV]). Vgl. dazu Erdmann a.a.O. (5) 86, der die Abweichung von Bülfinger betont.

[26] Höchstens beiläufig erwähnt als Lehre der Alten, z.B. bei J. G. Darjes, Elementa Metaphysices T. prior (Ienae MDCCXLIII) 399 zur forma substantialis der ,,veteres''. Das Lexicon Philosophicum des R. Goclenius (Frankfurt 1613) kannte noch ,,formae substantiales, dantes esse'', ,,separabiles'' oder ,,inseparabiles'' (588). Vgl. dazu auch G. W. Leibniz in seinen Nouveaux Essais sur l'entendement humain von 1704, die aber erst 1765 erschienen sind, hier zit. nach der v.E. Cassirer besorgten Übersetzung: Neue Abhandlungen über den menschlichen Verstand. PhB 69, Nachdr. d. 3. Auflage (Hamburg 1971) 357: ,,Seit kurzem scheint der Ausdruck substantielle Formen bei manchen Leuten in Verruf gekommen zu sein, und man schämt sich, von ihnen zu reden''. Vielleicht hat sich das Uhrengleichnis verhängnisvoll ausgewirkt, das nur an ,entia quae' denken läßt. Wolff selbst ordnet die Lehre des Aristoteles dem System des physischen Einflusses zu, ohne aber diesen Unterschied anzugeben (De differentia nexus rerum 61). J. Lange sah einen entscheidenden Fehler Wolffs darin, daß eine unio metaphysica ohne unio physica bestehen soll, die doch nicht bestritten werden kann, auch wenn ihr modus uns unbekannt bleibt (De negata unione animae & corporis physica & adserta unione utriusque metaphysica, S. 89-91 seiner Abhandlung: Modesta disquisitio novi Philosophiae systematis de Deo, mundo et homine, et praesertim de harmonia commercii inter animam et corpus praestabilita: cum epicrisi in viri cuiusdam clarissimi Commentationem de differentia nexus rerum ... [Halae Saxonum, MDCCXXIII]). Ähnlich in seiner deutschen Schrift: Bescheidene und ausführliche Entdeckung Der falschen und schädlichen Philosophie in dem Wolffianischen Systemate Metaphysico von Gott, der Welt, und dem Menschen; Und insonderheit von der so genannten harmonia praestabilita des commercii zwischen Seel und Leib ... (HALLE 1724) 188: ,,Das von Seel und Leib eines ohne das andere seyn könne, das ist, daß sie ohne alle natürliche Vereinigung und Gemeinschaft nur bloß metaphysice vereiniget seyn und mit einander übereinstimmen sollen, ist ein solches portentum philosophicum, das wol alle portenta naturae übertrifft, oder eine recht ungeheure chimaere''. 145: ,,Das Systema Wolfianum machet die menschliche Seele zu einem unmaterialischen Uhrwercke.'' 163: ,,Das Systema Wolfianum hebet den Grund der Imputation bey den menschlichen Handlungen gäntzlich auf.'' — ,,Πρῶτον vero φεῦδος hic itidem est in fato mechanico'' (Modesta disquis. 97).

[27] F. Ch. Baumeister, Institutiones metaphysicae, ontologiam, cosmologiam, psychologiam, theologiam denique naturalem complexae, methodo Wolfii adornatae (Wittembergae & Servestae 1739 [Erstausgabe 1738]; die Ausgabe von 1754 stimmt im wesentlichen — einzelne Zeilen sind versetzt — mit der Ausgabe von 1739 überein, nach der wir zitieren).

[28] vgl. Borowski a.a.O. (2) 18; ders. in: Kantiana. Beiträge zu Immanuel Kants Leben und Schriften, hrsg. v. R. Reicke (Königsberg 1860) 32; vgl. auch Wald's Gedächtnisrede auf Kant ebd. 1-26, hier: 17. Nach Baumeisters Handbuch las Kant, wie E. Arnoldt festgestellt hat, im WS 1756/57 und im SS 1758, vielleicht auch im SS 1757 (E. Arnoldt, Gesammelte Schriften, hrsg. v. O. Schöndörffer [Berlin 1907-1911], hier: 5/181, 184 u. 186). Daß Kant die Baumeistersche Metaphysik ,,vorzog, sie aber seinen Zuhörern nicht aufdringen wollte'', wie die ,Leipziger Biographie' (Immanuel Kant's Biographie, 2. Band [Leipzig 1804] 172) unter Bezugnahme auf: d. Freymüth. nach d. Hamb. Zeit Nro. 38.1804 behauptet, ist weniger wahrscheinlich (unkritische Verwendung unzuverlässiger Quellen, vgl. dazu K. Vorländer, Die ältesten Kant-Biographien. Eine kritische Studie. Kantstudien Ergänzungshefte 41. [Berlin 1918] 39-45). K. Vorländer deutet die Verwendung des Baumeisterschen Werkes als Entgegenkommen gegenüber den Wünschen ,,einiger Herren'' (K. Vorländer, Immanuel Kant. Der Mann und das Werk, Bd. 1 [Leipzig 1924] 84), da Kants Vorlesungen als schwer verständlich galten (vgl. Borowski a.a.O. [2] 86 und Hamanns Brief an Kant von 1759 [AA 10/21]), weswegen Th. G. v. Hippel zunächst den ,,ganzen sogenannten philosophischen Cursus bei Buck gehört hatte'' (Th. G. v. Hippels sämtl. Werke Bd. 12

sprachen, ohne sich für eins von ihnen zu entscheiden[29], während Alexander
Gottlieb Baumgarten in seiner Metaphysik, die Kant später bevorzugte[30], eine
prästabilierte Harmonie vertrat, die der Sache nach eher auf der Seite Knutzens stand[31]. Rückblickend stellt der alte Kant ab etwa 1793 fest, daß die ge-

---

[Berlin 1835] 91, auch: Nekrolog auf das Jahr 1796, 2. Hälfte, ges. v. F. Schichtegroll, 7. Jg.
[Gotha 1800] 314), wie auch Kant selbst „die Vorlesungen des Professor Pörschke" als Vorbereitung für die Anfänger empfahl (R. B. Jachmann, a.a.O. [2] 133).

[29] Baumeister, a.a.O. (27) 470-513 (§§ 719-756); vgl. auch Erdmann, a.a.O. (5) 80.

[30] Metaphysica A. G. Baumgarten, ed. IIII (Halae Magdeburgicae ... 1757), hier zitiert nach
dem Abdruck in AA 17 und 15. Außer einer Ankündigung der Vorlesung in Metaphysik „ad duc-
tum Federi" im WS 1770/71 wird, wenn überhaupt ein Lehrbuch angegeben ist, in diesem Fach
(mit den oben erwähnten Ausnahmen) durchgängig auf Baumgarten verwiesen (vgl. Arnoldt,
a.a.O. [28] 173-344: Möglichst vollständiges Verzeichnis aller von Kant gehaltenen oder auch nur
angekündigten Vorlesungen nebst darauf bezüglichen Notizen und Bemerkungen).

[31] so Erdmann, a.a.O. (5) 95 f.. Auch Baumgarten geht davon aus, daß ein viertes systema
simplex universale nicht möglich sei (§ 458). Er hält aber nur das System der prästabilierten Harmonie für das einzig wahre (§ 463), das er allerdings soweit modifiziert, daß es auf einen
gemäßigten physischen Einfluß hinausläuft, ohne dadurch aber schon zu einem systema composi-
tum zu werden, das nach seiner Terminologie verschiedene Einwirkungen verschieden erklärt
(§ 457). Neben der ursprünglichen schöpferischen Begründung der allgemeinen Harmonie kennt
Baumgarten auch einen gleichzeitigen „concursu(s) substantiae infinitae" (§ 460 ff.). Bei der
Wechselwirkung selbst unterscheidet er einen influxus idealis, bei dem der zureichende Grund der
Veränderung zugleich („simul" § 212) auf der Seite des leidenden Teiles zu suchen ist, gegenüber
einem (von ihm abgelehnten) influxus realis, bei dem der leidende Teil bloß passiv wäre (§ 449 u.
459 mit § 212, § 768), wobei offen bleibt, ob die doppelte ratio sufficiens additiv oder kumulativ
zu verstehen ist (vgl. § 459). Man wird den ersten Fall annehmen müssen, weil Baumgarten von einer wirklichen und aktiven Einflußnahme der Seele auf den Körper spricht, die ihn bewegt und re-
giert (§ 733 f., 736 u. 750), und auch von der umgekehrten Einwirkung im Sinne eines gegenseitigen Commerciums spricht (§ 736, 761), so daß es wirkliche Freiheit gibt (ab § 708), die für ihn in
den beiden anderen Systemen nicht gewährleistet wäre (§ 766 u. 767). — Für unseren Zusammenhang ist besonders interessant, daß Baumgarten in der Frage der Wechselwirkung zwischen Leib
und Seele zwei Paralogismen angibt („per vitium subreptionis", „sumpta maiore falsa"), in denen die Annahme eines realen Einflusses sowohl auf eine fälschliche Verabsolutierung des Be-
reichs der Erfahrung als auch auf eine irrtümlich angenommene Kausalitätsbeziehung bei gleichzeitigen oder aufeinanderfolgenden Erscheinungen zurückgeführt wird, die an einen Einfluß Hu-
mescher Gedankengänge denken läßt (§ 737 u. 738). — In seinen persönlichen Notizen im
Anschluß an Baumgartens Lehrbuch stellt Kant sehr bald fest, daß die an sich richtige Unterscheidung zwischen einem influxus realis und idealis das Problem nur verlagert (Reflexion [= R] 3806,
AA 17/298). Er fragt zurück nach dem vorausgesetzten Weltganzen („unicum totum" R 3730,
AA 17/272), das er sich nur aus einem gemeinsamen Ursprung („unus omnium auctor" ebd.;
„creator mundi", „deus" R 4217, AA 17/461) erklären kann. Von hier aus sind „Raum und
Zeit" als „die ersten Beziehungen" aller Dinge zueinander auch „die ersten Gründe der möglichkeit eines Weltganzen" (R 3806, AA 17/298, vgl. auch R 4215, AA 17/460) und später R 5417,
AA 18/177). Eine prästabilierte Harmonie würde als eine bloß äußere (Knutzens Unterscheidung)
nur zu einer scheinbaren Wechselwirkung (commercium apparens) führen (R 4217, AA 17/461),
während die „vera harmonia", die den Dingen innerlich zukommt, jene ist, bei der alles „secun-
dum regulam" (generalem) in einem „ordo naturae" geschieht (R 3730, AA 17/272 zusammen
mit R 4538, AA 17/587). Vor dem Hintergrund der gemeinsamen Abhängigkeit von einer „causa
communis" (R 5419, AA 18/177), der allein ein „influxus originarius" zukommt (R 4438, AA
17/546), kann alle Wechselwirkung der Substanzen untereinander nur ein commercium „derivati-
vum" sein (R 4217, AA 17/461 und R 4438, AA 17/546), in dem jede passio zugleich auch actio
ist (R 4217, AA 17/461) und das nur „mediante eadem causa sustentante" (R 4539, AA 17/587,
vgl. R 5424 u. R 5428, AA 18/178 f.), die als das „principium commercii" „omnibus

meinsame Grundannahme, der Mensch sei eine Gemeinschaft von zwei verschiedenen Substanzen, unmöglich zu einer überzeugenden Seelenmetaphysik
hätte führen können[32]. Dies hatte schon lange vor ihm Samuel Christian Hollmann erkannt, der 1723 die prästabilierte Harmonie in den Bereich der Fabel
verwiesen hatte[33] und den Chancen einer rationalen Seelenlehre überhaupt
sehr skeptisch gegenüberstand[34], während die breite antiwolffsche Polemik,

---

commune" (R 5419, AA 18/177, vgl. R 4215, AA 17/460) angesehn wird, möglich ist. In der Aus-
bildung der kritischen Philosophie bekommt für Kant die Unterscheidung zwischen dem nexus realis und idealis einen neuen Sinn: die harmonia ,,ex commercio" (R 5423, AA 18/178) kann ,,Gar
nicht eingesehen werden" (R 5429, AA 18/179), weil die realen Veränderungen der Seele, die nur
durch den inneren Sinn erkannt werden, nicht mit den dem phänomenalen Bereich angehörenden
Wirkungen der Körper und ihrer Kräfte in Korrespondenz gebracht werden können, da sich die
,,leges phaenomenorum" nicht mit den ,,legibus intellectualibus" in Verbindung bringen lassen
(ebd.). Nexus ,,idealis" bedeutet nunmehr, daß ,,nicht aus den Bestimmungen der einen substanz
auf die andere kann geschlossen werden" (R 5426, AA 18/178). ,,Der Grund der allgemeinen
Verknüpfung der Substantzen ist auch der Grund des Raumes" (R 5417, AA 18/177), aber der
Raum kann als sinnliche Größe nicht zur Erklärung des commercium, das zu den
,,intellectualia(um)" gehört, verwendet werden (R 5418, AA 177). In diese Phase gehört die entsprechende Stelle der Metaphysikvorlesung nach Pölitz (Immanuel Kant's Vorlesungen über die
Metaphysik, zum Drucke befördert von dem Herausgeber der Kantischen Vorlesungen über die
philosophische Religionslehre, Nebst einer Einleitung... [Erfurt 1821, Nachdruck Darmstadt
1964] 225 ff. entspr. AA 28.1/279 f.). — In der kritischen Zeit wird der Ausdruck influxus (nexus) ,,realis" wieder für einen influxus physicus eigener Art bevorzugt, während die beiden anderen Systeme, die die Harmonie ,,absque commercio" erklären wollen, als Idealismus eingestuft
werden (R 5986 ff., AA 18/416). Eine Wechselwirkung zwischen Phänomenen im Raum würde
kein Problem sein, während ein commercium zwischen Seele und Materie als phaenomenon undenkbar ist (R 5984 f., AA 18/415 f.). Darum muß die Seele ,,sich selbst so wohl als die Materie
als noumenon denken" (ebd.), die ohne Raum und Zeit als isolierte Substanzen einer dritten Substanz bedürfen, damit durch sie ein Bezug zueinander und ein commercium ,,per influxum physicum" möglich wird (R 5988, AA 18/416 f.). In der Vorlesungsnachschrift K$_2$ aus der ersten Hälfte der 90er Jahre, die M. Heinze herausgegeben hat, wird der Baumgartensche influxus idealis in
der Weise zum influxus realis, daß das jeweilige intelligible Substrat die dem jeweils anderen Noumenon innewohnende Kraft ,,determinier(en)t", so daß das Baumgartensche Verhältnis von actio
und passio unter veränderten Vorzeichen gewahrt erscheint (M. Heinze, Vorlesungen Kants über
Metaphysik aus drei Semestern. Abh. d. philol.-hist. Cl. d. Königl. Sächs. GesWiss. Bd. 8.4.
[Leipzig 1894] 683 ff., entspr. AA 28.2, 1/757-760). Offen bleibt dabei, was auch in nicht genau
datierten Reflexionen zum Ausdruck kommt, ob es sich dabei etwa um Substrate gleichen Wesens
(,,gleiche Wesen" bei Heinze, ,,einerley" R 6004) handelt, wenn man die Monadenlehre zugrun-
delegen wollte. Annahmen dieser Art sind jedoch für Kant völlig nichtssagend, beliebig und ohne
jeden Nutzen. Es reichen doch nicht einmal zur Behauptung oder Bestreitung der bloßen Hetero-
geneität von Körper und Seele die nebeneinander bestehenden Wahrnehmungen des äußeren und inneren Sinnes aus, und ein einziger, beide Seiten wahrnehmender Sinn ist nicht gegeben. Damit
hängt das Problem der Wechselwirkung letzten Endes von der Frage nach dem Begriff und der
Beweisbarkeit der Immaterialität ab (R 6003 ff., AA 18/421, dazu Heinze ebd.).

[32] AA 20/308 f..

[33] Erdmann, a.a.O. (5) 68; vgl. Kant AA 20/248: ,,das wunderlichste Figment, was je die
Philosophie ausgedacht hat".

[34] Nähere Angaben bei Erdmann ebd.. — Zu erwähnen sind hier auch die beiden philosophischen Dissertationen zum Thema: De definiendis justis scientiarum philosophicarum limitibus,
deren eine (prior) im Jahre 1736 von J. Ch. Claproth und deren andere (posterior) im Jahre 1737
von G. E. Schmauss unter dem Vorsitz von S. Ch. Hollmann in Göttingen verteidigt wurde. Die
erste spricht von der praktischen Absicht aller Philosophie: ,,illud omne, quicquid modo in philosophia rationali traditur, *praxeos* causa omnino traditur & praecipitur" (26) und ist im Hinblick

z.B. bei Joachim Lange, sich in erster Linie aufs Widerlegen und den Aufweis falscher Konsequenzen verlegte[35]. Die Grenzen des menschlichen Verstandes betonte auch der Antiwolffianer Christian August Crusius in mehrfacher Hinsicht[36], dessen Werk auf Kant einen nachhaltigen und von der Erstlingsschrift an nachweisbaren Einfluß ausgeübt hat[37]. Crusius lehnte die „harmonia praestabilita" ab, weil sie den Beweis der Unsterblichkeit der Seele geradezu unmöglich mache[38]. Die Monadenlehre wird von ihm in den gegebenen Formen für unhaltbar erklärt[39], und er kehrt zu einem cartesianischen Substanzendualismus zurück[40]. Für ihn ist die Unsterblichkeit der Seele nicht aus deren Wesen zu erweisen, weil „bey einem endlichen Geiste so wohl die Existentz als das Leben in actu secundo zufällig" sei[41]. Daher wird der entsprechende Beweis geführt aus der Vollkommenheit Gottes, der gerecht ist und außerdem nichts vergeblich tut[42], aus der Natur der Geister als der „letzten objektivischen Endzwecke Gottes" (damit die Schöpfung aufs Ganze gesehen

---

auf Kant insbesondere insofern bemerkenswert, als sie das Motto aus Seneca, das Kant zehn Jahre später seiner Erstlingsschrift voranstellte, leicht modifiziert in § 1 zitiert: „Pecorum fere ritu sequebantur plerique, ut Seneca scite ait, antecedentium gregem, pergentes, non qua eundum est, sed qua itur" (Hervorhebungen weggelassen) (6). Die zweite bringt die Einhaltung der Grenzen der Philosophie mit der Abwehr von Atheismus und Aberglaube in Verbindung: „Deus ex natura nobis cognoscendus, phaenomenorumque naturalium est structura corporum est reddenda ratio: ut illa humani ingenii monstra, *atheismum*, & *superstitionem*, vincere feliciter discamus, Hunc finem ante oculos positum habere semper debet, quisquis digne philosophiam naturalem pertractaturus, justosque ipsi limites praefixurus, est." (15), was an die Vorrede zur zweiten Auflage der Kritik der reinen Vernunft (B XXXIV) erinnert. Die Frage nach den Grenzen findet sich auch bei Knutzen (a.a.O. [6] 158 [§ XLVIII]): „num eaedem sunt finiti intellectus nostri, ac amplissimi veritatum regni limites?".

[35] vgl. oben Anm. 26.

[36] Ch. A. Crusius, Weg zur Gewißheit und Zuverläßigkeit der menschlichen Erkenntnis (Leipzig 1747, repr. Nachdr. hrsg. v. G. Tonelli Hildesheim 1965) 790-93; ders., Entwurf der nothwendigen Vernunft-Wahrheiten, wiefern sie den zufälligen entgegen gesetzet werden (Leipzig 1745, repr. Nachdr. hrsg. v. G. Tonelli Hildesheim 1964) Vorrede b 3. Vgl. auch G. Tonelli in seinem Vorwort zu: Ch. A. Crusius, Anweisung vernünftig zu leben, Darinnen nach Erklärung der Natur des menschlichen Willens die natürlichen Pflichten und allgemeinen Klugheitslehren im richtigen Zusammenhange vorgetragen werden (Leipzig 1744, repr. Nachdruck, hrsg. v. G. Tonelli Hildesheim 1969) LII; außerdem ders., La question des bornes de l'entendement humain au XVIIe siècle et la genèse du criticisme kantien, particulièrement par rapport au problem de l'infini, in: Rev. de Met. et de Morale 1959, 396-427, hier: 410 f..

[37] Tonelli (Vorwort), a.a.O. (36) LI f.; vgl. auch Heimsoeth, a.a.O. (1) 374-377.

[38] Entwurf, a.a.O. (36) 942 ff.; „Es ist aber zum andern auch nicht an dem, daß die artige Erdichtung von einer prästabilirten Harmonie der Unsterblichkeit der Seele vorträglich sey. Sie macht vielmehr den Beweis derselben unmöglich." (944).

[39] Entwurf, a.a.O. (36) 188-198.

[40] Er unterscheidet materielle Substanzen mit bloßer Bewegungsfähigkeit und ideenfähige Substanzen, die denken und wollen können und Seelen oder Geister heißen. Die letzteren finden sich auf einer unedleren Stufe der Vollkommenheit auch bei den unvernünftigen Tieren (Entwurf, a.a.O. [36] 836-843). Schon Wolff lehnte die Vorstellungstätigkeit von Körperelementen ab (Psych. rat. a.a.O. (12) 588 f. [§ 644]). Vgl. dazu auch Heimsoeth, a.a.O. (1) 372.

[41] Entwurf, a.a.O. (36) 942.

[42] Entwurf, a.a.O. (36) 398 ff.; Anweisung a.a.O. (36) 266.

nicht vergeblich wäre)[43] und schließlich aus dem Glückseligkeitsstreben der Menschen[44]. Dies sind für ihn sämtlich moralische Gründe, ,,denn diese sind es einzig und allein, welche zum Beweise derselbigen [Unsterbl.] geschickt sind. Aus dem Wesen der Seele läßt sich ihre Unsterblichkeit nicht herleiten''[45]. Auch im Hinblick auf Kants spätere Antinomienlehre, der eine Schlüsselfunktion für seine ganze kritische Philosophie einschließlich des Paralogismenkapitels zukommt[46], hat Crusius eine nicht zu unterschätzende Bedeutung[47]. Im Rückgriff auf seinen Lehrer Adolf Friedrich Hoffman[48] han-

---

[43] Entwurf, a.a.O. (36) 940 f.; Anweisung a.a.O. (36) 264 f..

[44] Anweisung, a.a.O. (36) 265 f..

[45] Anweisung, a.a.O. (36) 267.

[46] So fast allgemein anerkannt, seit B. Erdmann diese Auffassung unter Rückgriff auf K. Fischer und A. Riehl vertreten hat. Vgl. dazu Heimsoeth, a.a.O. (1) 263 und N. Hinske, Kants Weg zur Transzendentalphilosophie. Der dreißigjährige Kant (Stgt Bln Kln Mz 1970) 80 ff., 97 ff..

[47] Damit soll der Einfluß P. Bayles mit seinem Artikel ,,Zenon'' in seinem Dictionaire historique et critique, T. 4eme (Rotterdam ³MDCCXX) 2907-2919, auf den Heimsoeth hinweist (a.a.O. [1] 264 f.), ebensowenig wie das entsprechende Vorbild bei A. Collier, über das L. Robinson u. H. J. de Vleeschouwer geschrieben haben (vgl. Heimsoeth ebd. 268), oder auch der von Kant selbst erwähnte Bezug auf G. B. Bülfinger, den Hinske a.a.O. (46) darstellt, geschmälert werden. Es ist m. W. bisher nicht beachtet worden, daß die Verschärfung der Antinomienproblematik in den Schriften der Jahre 1755/56, in denen sich das Gewicht von einem zu suchenden ,,gewissen Mittel-Satz'' (AA 1/32) auf die eigentliche Antithetik widersprechender Sätze verlagert, die schon in der Erstlingsschrift in der ,,aufs höchste'' zu treibenden Verteidigung des ,,Gegensatze(s)'' (AA 1/68) sichtbar wird, mit der Veröffentlichung einer von G. D. Kypke verfaßten Übersetzung von Locke's ,,Of the conduct of the understanding'' unter dem Titel: Johann Lockens Anleitung des menschlichen Verstandes zur Erkäntniß der Wahrheit nebst desselben Abhandlung von den Wunderwerken (Königsberg 1755) zusammenfiel. Da Kant wahrscheinlich englische Werke nicht im Original las (,,von den neuern Sprachen verstand er französisch, sprach es aber nicht''-Jachmann, a.a.O. [2] 138), ist das Erscheinen einer Übersetzung in manchen Fällen ein wichtiges Datum für den zeitlich versetzten Einfluß einer Schrift. Kant wohnte 1755 ,,in des Prof. Kypke Hause'', in dem er auch seine erste Vorlesungsstunde gehalten hat (Borowski a.a.O. [2] 85). Gemeint ist wohl J. D. Kypke, o. Prof. der Logik und Metaphysik in Königsberg, seit 1732 auch der Theologie. Dessen Neffe G. D. Kypke (1724-1779, seit 1755 o. Prof. der orientalischen Sprachen in Königsberg), Kants Schulkamerad (vgl. auch AA 10/119, auch Borowski, a.a.O. [2] 75) und späterer Kollege, war der Verfasser der oben genannten Übersetzung. Da Kant mit ihm auch sonst in Verbindung stand (vgl. Vorländer, Immanuel Kant, a.a.O. [28] 1/88), ist die Wahrscheinlichkeit groß, daß Kant nicht nur die Übersetzung des Lockeschen Werkes gelesen, sondern womöglich schon das Manuskript gekannt hat. In dieser Schrift kommt Locke wenigstens zwölfmal auf einander entgegengesetzte Argumente und Gedankenreihen zu sprechen, bei deren Prüfung man möglichst gleichgültig gegenüber beiden Seiten sein müsse, an die Stelle der anderen Partei einnehmen solle, wo Vorurteil und Standpunkt nicht das Ergebnis bestimmen zu lassen. Dabei zeigt sich Locke aber durchaus noch optimistisch im Hinblick auf eine rationale Lösung der Antithetik. Es gibt auch sonstige Parallelen, die eine Lektüre Kants wahrscheinlich machen: daß man ein Argument bis zu seinem Ursprung zurückverfolgen solle, daß Schein nicht für Wahrheit genommen werden dürfte, daß eine gute Sache keine schlechte Hilfe brauche, die Bilder vom Ozean des Wissens und von der Insel, die Rede vom Ausspannen der Flügel des Geistes und schließlich besonders die erste der drei Verfehlungen der Vernunft, den diejenigen begehen, die ,,überhaupt selten Vernunftschlüsse machen, sondern nach dem Exempel anderer handeln und denken, ... um sich der Mühe und Beschwerlichkeit des eignen Nachdenkens und Prüfens zu überheben'' (a.a.O. 7; zur Herkunft des Begriffes vom ,,Selbstdencken'' vgl. bisher N. Hinskes Einleitung zu: Was ist Aufklärung? Beiträge aus der Berlinischen Monatsschrift, In Zusammenarbeit mit M. Albrecht ausgew., eingel. u. m. Anm. versehen v. N. Hinske [Darmstadt 1973] XVII).

delt er nämlich in seinem „Weg zur Gewißheit und Zuverläßigkeit der menschlichen Erkenntniß" von 1747 in den §§ 540 bis 556 ausführlich von sog. „streitende(n) oder collidirende(n) Beweise(n)", „deren Conclusionen einander widersprechen", obwohl sie weder formal noch inhaltlich fehlerhaft

Auch Knutzen hatte selbst eine Übersetzung dieser Schrift Lockes vorbereitet und auch schon in Druck gegeben (vgl. seine eigene Erwähnung dieser Übersetzung in seiner Logik: Elementa philosophiae rationalis sev LOGICAE cvm generalis tvm specialioris mathematica methodo in vsvm avditorvm svorvm demonstrata [Regiom. et Lipsiae 1747] 214 [§ 353], und Kypkes Vorrede [unpaginiert]). Obwohl „bereits sechs Bogen abgedrucket gewesen" sind (Kypke ebd.), ist diese Übersetzung offenbar nicht erschienen. Das hindert allerdings nicht, daß Kant Knutzens Manuskript nicht vielleicht doch gekannt haben könnte.
Als weiterer Impuls für die Vertiefung der Antinomienproblematik wird die im gleichen Jahr erschienene Übersetzung von Hume's „Enquiry concerning human understanding" gewirkt haben, die (anonym) von J. G. Sulzer herausgegeben und mit einem Kommentar versehen unter dem Titel: Philosophische Versuche über die Menschliche Erkenntniß von David Hume, Ritter. Als dessen vermischter Schriften Zweyter Theil. Nach der zweyten vermehrten Ausgabe aus dem Englischen übersetzt und mit Anmerkungen des Herausgebers begleitet (Hamburg u. Leipzig 1755) veröffentlicht wurde. Im zwölften Versuch „Von der akademischen oder sceptischen Weltweisheit" (341-372) kommt Hume auf „paradoxe und seltsame Lehrsätze, wenn man sie so nennen kann, bey einigen Weltweisen, und die Widerlegung derselben bey verschiedenen von ihnen" (344) zu sprechen, wobei „ungereimte Meynungen durch eine Kette der kläresten und natürlichsten Vernunftschlüsse unterstützet werden", die gleichzeitig „die kläresten und natürlichsten Grundsätze der menschlichen Vernunft" umstoßen, was am Beispiel der unendlichen Teilbarkeit der Ausdehnung illustriert wird (354 f.). Im Gegensatz zu Locke gelangt die Vernunft dadurch zu einem „Mistrauen auf sich selbst" (356) und zur Einsicht in „die ungemeinen Schwachheiten des menschlichen Verstandes"(364 f.), wodurch sie schließlich zu einer grundsätzlichen „Behutsamkeit und Bescheidenheit" in allen ihren Untersuchungen gelangt, die jedes richtige Denken und Schließen begleiten sollte (365). Hume kommt zu dem Ergebnis: „Es dünket mich, der einzige Gegenstand der abgezogenen Wissenschaften oder der Beweise seyn Größe und Zahl, und alle Versuche und Bemühungen, diese vollkommenere Art der Erkenntniß über diese Gränzen auszudehnen, seyn lauter Täuschung und Verblendung" (368). Es ist bemerkenswert, daß Kant in seinen Vorlesungen über Logik beim Hinweis auf Hume (zum Thema des Skeptizismus) die genannte Übersetzung erwähnt und besonders das in dieser Schrift geübte Verfahren einer unparteiischen, „vorurteilsfreye(n) Prüfung" beider Seiten mit gleicher Gründlichkeit hervorhebt, obwohl er zu diesem Zeitpunkt noch „zu einer wahren Gewisheit zu gelangen" für möglich hält (AA 24.1/217, im Unterschied etwa zu dem späteren Text AA 24.1/438, der den Schlüssel der Lösung in das Subjekt verlegt). Hume's Treatise wurde erst sehr viel später übersetzt (1790-91) und scheidet daher für einen direkten Einfluß in der entscheidenden Zeit aus (so mit B. Erdmann, Kant und Hume um 1762, in: Archiv f. Gesch. d. Philosophie 1[1888] 62-77; 216-230 und gegen K. Groos, Hat Kant Hume's Treatise gelesen?, in: Kant-Studien [= KantSt] 5 [1901] 177-181). Dagegen hat Kant auch die folgende Übersetzung eines Anonymus: Vier Abhandlungen, 1. Die natürliche Geschichte der Religion. 2. Von den Leidenschaften. 3. Vom Trauerspiel. 4. Von der Grundregel des Geschmacks. Von David Hume, aus dem Englischen übersetzt (Quedlingburg u. Leipzig 1759) benutzt (vgl. A. Winter, Kant zwischen den Konfessionen, in: Theol. u. Philos. 50 [1975] 1-37, hier: 26) und besessen (vgl. K. Vorländer, a.a.O. (28) 1/152), die aber in unserem Zusammenhang keine Rolle zu spielen scheint.
    48 A. F. Hoffmann, Vernunft-Lehre Bd. 1 u. 2 (Leipzig 1737). Hoffmann ist Schüler von Andreas Rüdiger, der wie Kants Lehrer Franz Albert Schultz in Halle studiert hatte, so daß man daran denken könnte, die bei Crusius vertretene Version der Antinomienproblematik auf die gleichen Ursprünge zurückzuführen, die von N. Hinske in seiner Abhandlung: Kants Begriff der Antithetik und seine Herkunft aus der protestantischen Kontroverstheologie des 17. und 18. Jahrhunderts, in: Archiv f. Begriffsgesch 16 (1972) 48-59 angegeben wurden. — Hoffmann unterschied bereits Dinge, „wie sie an sich selber sind", von der gedanklichen Vorstellung (2/1032, „Objekt" 2/1036, „GOTT" 2/1033).

sind, und die ,,aus höheren Gründen entschieden werden'' müssen[49]. Eine
Gruppe unter ihnen geht auf Prinzipien zurück, ,,die in userm Verstande liegen'' und ,,Modificationen von unserer positiven Denckungsfähigkeit sind'',
so ,,daß sich auch ihre Application darnach richten muß'', damit wir ,,die
Grenzen unserer Einschränkung nicht überschreiten''. Diese Einschränkung
der Applikation ,,ist eine existentialische Folge, oder ein unvermeidlicher Ne-
benumstand von derjenigen Art der Einschränkung unsers Wesens, welche er
[Gott] uns aus weisen Absichten gegeben hat''[50]. In seinen Beispielen kommt
Crusius dann beiläufig auf die Problemkreise der ersten (1a) und der zweiten
Antinomie der späteren ,,Kritik der reinen Vernunft'' zu sprechen, und zwar
in dieser Reihenfolge[51], während der Bereich der 3. und 4. Antinomie wenigstens prinzipiell angegeben wird[52]. Dies ist für uns wichtig, weil Kant die Seelenproblematik des ,,Paralogismus''[53] erst etwa um 1777 aus dem Antino-
mienkomplex ausgegliedert zu haben scheint[54]. Für Crusius gibt es unter den
Paralogismen solche, die ,,an sich selbst und schlechterdings'' petitiones prin-
cipii sind, ,,weil es gar nicht möglich ist, die Wahrheit des Beweisgrundes eher
zu erfahren, als bis man die Wahrheit der Conclusion schon weiß''[55], ohne
daß aber darauf näher eingegangen wird. — Damit sind einige ausgewählte
Rahmendaten skizziert, die gleichzeitig sowohl die Bedingtheit als auch die innere Folgerichtigkeit des Kantschen Denkweges verdeutlichen, soweit dies für
die Entwicklung des Seelenproblems von seinen Anfängen her von Belang
ist[56].

---

[49] Weg, a.a.O. (36) 957 unter Bezugnahme auf Hoffmann a.a.O. (48) 2/1038; vgl. auch Entwurf, a.a.O. (36) 254. Auf Crusius und Hoffmann ist in diesem Zusammenhang schon 1926 H.
Heimsoeth eingegangen (Metaphysik und Kritik bei Chr. A. Crusius. Ein Beitrag zur ontologischen Vorgeschichte der Kritik der reinen Vernunft im 18. Jahrhundert. Schr. d. Königsb. Gel.
Ges., Geisteswiss. Kl. 3.3 [Berlin 1926] 204 ff.[34 ff.]; ergänzter Wiederabdruck in: ders., Studien zur Philosophie Immanuel Kants. Metaphysische Ursprünge und Ontologische Grundlagen.
KantSt Erg.H. 71 [Köln 1956] 157 ff.; vgl. auch ders., a.a.O. (1) 267 f.).
[50] Weg, a.a.O. (36) 959-60.
[51] Weg, a.a.O. (36) 968 f.. Ein Jahr später ausführlich zu den Problemen des Anfangs in der
Zeit und der unendlichen Teilbarkeit des Ausgedehnten Godofredus Ploucquet, Methodus trac-
tandi infinita in Metaphysicis, investigata a ... (Berolini MDCCXLVIII) 35-55 und 55-77. Ploucquet (1716-1790) war Professor der Philosophie in Tübingen; vgl. seine Erwähnung in AA 10/79.
Ob der ,,regressus causarum in infinitum'' ,,außerhalb dem Verstande'' ,,irgendwo einen Anfang
habe'' wird ebenso wie die Frage nach einer unendlichen Teilbarkeit auch schon von Hoffmann
als Beispiel für die ,,streitende(n) Beweise'' genannt (a.a.O. (48) 2/1031-1040).
[52] Weg, a.a.O. (36) 963, vgl. auch Entwurf, a.a.O. (36) 251 ff..
[53] Paralogismus im Singular nach KrV B 426, ähnlich wie Antinomie in der Einzahl, vgl. Hinske, a.a.O. (46) 101 ff..
[54] vgl. A. Kalter, Kants vierter Paralogismus. Eine entwicklungsgeschichtliche Untersuchung
zum Paralogismenkapitel der ersten Ausgabe der Kritik der reinen Vernunft. Monographien z.
Philos. Frschg. 142. (Meisenheim am Glan 1975) 97 u. 214.
[55] Weg, a.a.O. (36) 987.
[56] Zum Problem der Seele allgemein vgl. auch die ältere Literatur: J. Bona Meyer, Kant's Psychologie (Berlin 1870); R. Hippenmeyer, Über Kants Kritik der rationalen Psychologie, in:
Zeitschr. f. Philos. N.F. 56 (1870) 86-127; J. Krohn, Die Auflösung der rationalen Psychologie
durch Kant. Darlegung und Würdigung. Diss. Breslau 1886 (Breslau 1886); M. Brahn, Die ent-

Wenn auch Kant in seiner Erstlingsschrift aus dem ,,Labyrinthe''[57] zwischen Leibniz und Descartes nicht herausgefunden hatte, so bleibt doch die
Entwicklung seiner Überlegungen zur Seelenmetaphysik zunächst eingespannt
in den überkommenen Konflikt zwischen Mathematik und Metaphysik, zwischen geometrischer und dynamischer Weltbetrachtung nach dualistischen
oder monadologischen Prinzipien[58], der schließlich in die 2. Antinomie der
Teilung mündet, an der Kant vor allem wegen der ,,einfachen(r) und daher
unverweslichen(r) Natur'' ,,mein(es) denkenden(s) Selbst'' praktisch interessiert sein wird[59], obwohl diese Konsequenz dort eigentlich nur ein Anwendungsfall ist[60]. In der ,,Principiorum primorum cognitionis metaphysicae nova dilucidatio'' von 1755 kommt er wieder auf die Commercium-Problematik
zu sprechen, wobei er nun eine eigene Mittelposition zwischen der ,,harmonia
praestabilita'' (die er hier als innerlich unmöglich bezeichnet)[61] und dem ,,in-
fluxus physicus'' entwickelt, allerdings auf der Basis einer von Knutzen schon
angedeuteten, aber nicht verfolgten Alternative[62]: Es gibt eine Wechselwirkung zwischen den Substanzen aufgrund ihrer harmonischen Abhängigkeit
untereinander (harmonica dependentia), die eine Gemeinsamkeit des
Ursprungs ist (communio quaedam originis), auf den freien schöpferischen
Verstand Gottes zurückgeht und insofern geradezu einen monotheistischen
Gotteserweis (Dei et quidem unius testimonium) abgeben könnte. Darum hält
er es für wahrscheinlich, daß ,,allen endlichen Geistern'' eine Art von organi-
schem Körper zugeordnet ist, und auch nicht für unmöglich, daß es mehrere,
voneinander gänzlich unabhängige Welten im metaphysischen Sinne geben
könnte, weil er den Raum als die jeweilige Verknüpfung der Abhängigkeiten

---

wicklung des Seelenbegriffes bei Kant. Diss. Heidelberg 1896 (Leipzig O.J.); A. Apitzsch, Die
psychologischen Voraussetzungen der Erkenntniskritik Kants dargestellt und auf ihre Abhängigkeit von der Psychologie Chr. Wolfs und Tetens' geprüft. Nebst allgemeinen Erörterungen über
Kants Ansicht von der Psychologie als Wissenschaft. Diss. Halle-Wittenberg (Halle a.d.S. 1897);
E. F. Buchner, A Study of Kant's Psychology with Reference to the Critical Philosophy (Lanca-
ster 1897); L. Cramer, Kants rationale Psychologie und ihre Vorgänger. Diss. München (Leipzig
1914); J. Dörenkamp, Die Lehre von der Unsterblichkeit der Seele bei den deutschen Idealisten
von Kant bis Schopenhauer. Diss. Bonn (Bonn 1926).
    [57] AA 1/181. Der Ausdruck geht auf Leibniz zurück und wird von Kant in der Frühzeit für die
Vorformen der Antinomie der reinen Vernunft verwendet. Vgl. Hinske, a.a.O. (46) 83 und 100 f..
    [58] nach K. Fischer, zit. bei Hinske, a.a.O. (46) 84.
    [59] KrV A 466 = B 494.
    [60] vgl. Heimsoeth, a.a.O. (1) 217 f..
    [61] AA 1/412; die deutsche Übersetzung ist der Ausgabe: Immanuel Kant. Werke, Bd. 1-6, hrsg.
v. W. Weischedel (Wiesbaden 1960-64) (= W) entnommen, hier 1/401-509.
    [62] Knutzen, a.a.O. (6) 148 f. (§ XLV): ,,Vires ... repraesentandi et mouendi vires prorsus et re-
aliter a se inuicem distinctae esse nequeunt; sed aut e communi quodam fonte, vel altera ex altera
derivari debet. Quodsi vero curatius examinemus, quid horum veritati maxime sit conueniens;
non impossibilis mihi videtur, vis motricis ex vi repraesentatiua deriuatio.'' Hier bezieht sich die
Fragestellung allerdings nur auf den Zusammenhang der Kräfte innerhalb der mens humana, der
Lösungsansatz ist jedoch übertragbar.

versteht⁶³. In derselben Schrift beschäftigt sich Kant auch mit der zwischen Crusius und Wolff kontroversen Freiheitsproblematik, die in der dritten Antinomie der reinen Vernunft ohne zwingende Notwendigkeit⁶⁴ mit einbezogen werden wird und dann später einen wichtigen Leitbegriff für die Einschätzung des Menschen als kausal-freie noumenale Intelligenz bildet. Gegenüber der bloßen „indifferentia aequilibrii", die angeblich mit dem Prinzip des zureichenden Grundes kollidiere, bevorzugt Kant hier einen Freiheitsbegriff der Spontaneität aus inneren Gründen der Vernunft, die sich auf die „Vorstellung des Besten" ausrichtet⁶⁵. Auf diese Weise trägt auch Gott als Urheber der kausalen „Reihe" keine Schuld am moralischen Übel, und sein Bestreben, das

---

⁶³ AA 1/412 bis Ende. In derselben Schrift noch ein anderer ,Gottesbeweis', der sich als Vorwegnahme seines späteren „einzig mögliche(n) Beweisgrund(es)" von 1763 darstellt (PROP. VII, AA 1/385 f.). — Der Gottesbeweis aus der Raumvorstellung taucht unter Verzicht auf die Mehr-Welten-Spekulation in nicht genau datierten Reflexionen ab (frühestens) der Mitte der sechziger Jahre in abgewandelter Form wieder auf: der Raum begründet die „possibilitas compraesentiae plurium"; als „idea singularis" erfordert er die Existenz Gottes als eines „entis singularis" (R 4216, AA 17/460); in anderer Version: die mit dem Raum gegebene „possibilitas compraesentiae plurium" setzt ein erstes, allen gemeinsames Prinzip voraus („ens aliquod primum"); dieses ist eine einzige Erstursache („causa[m] prima[m] unica[m]"), weil es nur einen Raum gibt, und notwendig, weil der Raum als reine Möglichkeit notwendig ist (R 4215, AA 17/460). Eine Weiterentwicklung dieser Überlegung findet sich in der Pölitz-Metaphysik: „Durch den Verstand sehen wir nur ihre Verknüpfung ein, so fern sie alle in der Gottheit liegen. Dieses ist der einzige Grund, die Verknüpfung der Substanzen durch den Verstand einzusehen, sofern wir die Substanzen anschauen, als lägen sie allgemein in der Gottheit. Stellen wir uns diese Verknüpfung *sinnlich* vor; so geschiehet es durch den Raum. Der Raum ist also die oberste Bedingung der *Möglichkeit* der Verknüpfung. Wenn wir nun die Verknüpfung der Substanzen, die dadurch bestehet, daß Gott allen Dingen gegenwärtig ist, sinnlich vorstellen; so können wir sagen: *Der Raum ist das Phänomenon der göttlichen Gegenwart.*" (Pölitz, a.a.O. [31] 113, entspr. AA 28.1/214). Derselbe Gedanke, kritisch gewendet, aus einer Vorlesungsnachschrift von 1794/95: „Newton nennt den *Raum* das organon der göttlichen Allgegenwart. Diese Idee ist aber unrichtig, da der Raum an sich nichts ist, und als etwas an sich selbst wirklich Existierendes durch die Verknüpfung der Dinge nicht gedacht werden kann. Dagegen, wenn man den Raum als Symbolum sich denkt, d.i. an die Stelle aller Verhältnisse und Wechselwirkung selbst, so denkt man sich darunter den Inbegriff aller Phaenomena, und zwar als compraesentia, d.i. als einander gegenwärtig, und wechselseitig auf einander wirkend, und das Wesen, so sie enthält, als Symbol." (Arnoldt, a.a.O. [28] 5/126, entspr. AA 28.2, 1/828).
⁶⁴ Die Thesis der dritten Antinomie schließt nur auf eine „absolute Spontaneität" des Anfangs der Erscheinungen der Welt. Daran anschließend ist es für Kant „auch erlaubt, mitten im Laufe der Welt verschiedene Reihen, der Kausalität nach, von selbst anfangen zu lassen, und den Substanzen derselben ein Vermögen beizulegen, aus Freiheit zu handeln" (A 450 = B 478). Dieser Übergang ist logisch nicht zwingend, höchstens „assoziativ" verständlich und darum „erlaubt" (vgl. H.-O. Kvist, Zum Verhältnis von Wissen und Glauben in der kritischen Philosophie Immanuel Kants. Struktur- und Aufbauprobleme dieses Verhältnisses in der „Kritik der reinen Vernunft". Meddelanden från stiftelsens för Åbo Akademi forskningsinstitut, Nr 24 [Åbo 1978] 71 ff.). Die erst später explizit thematisierte Fragestellung schon hier einzuführen, verrät ein besonderes Interesse Kants an der Freiheitsproblematik. H. Heimsoeth vermutet, daß der schlechthinnigen Unbegreiflichkeit menschlicher Freiheit, — für Kant „offenbar ein ganz ursprüngliches Motiv zur Arbeit an der kritischen Einschränkung menschlichen Erkenntnis" — „die Idee des freiwirkenden Urwesens" wenigstens als „Denkmodell" entgegenkommt (Zum kosmotheologischen Ursprung der Kantischen Freiheitsantinomie, in: KantSt 57 (1966) 206-229, hier 222 ff..
⁶⁵ AA 1/406, 402.

auf die „größte Vollkommenheit der geschaffenen Dinge" und auf die „Glückseligkeit der Geisterwelt" (mundi spiritualis felicitatem) abzielt, bleibt unangetastet[66].

In der Folgezeit wird das Thema der „Geister", des unendlichen sowohl als auch der endlichen, insbesondere der Seele, im Sinne der Wolffschen Verbindung „anima itemque deus ipse"[67] im Zusammenhang mit den sich langsam weiter entwickelnden Begriffen des Einfachen und Zusammengesetzten, der Teilbarkeit und des Raumes abgehandelt, und zwar vor dem gelegentlich durchscheinenden Hintergrund der Theologia naturalis der Schulmetaphysik. „Seele" wird dabei zum bevorzugten Anwendungsbeispiel oder gar Kriterium für die Richtigkeit der jeweiligen Überlegungen, nicht nur in der Naturphilosophie, sondern sogar in der Logik[68]. In der „Monadologia physica" von 1756, in der zum ersten Mal der Ausdruck „philosophia transscendentalis" in einem noch unentwickelten Sinne fällt, der sich zunächst vor allem mit dem Bedenken des ‚Einfachen' verbindet und so bis in die Kritik der reinen Vernunft (KrV) nachwirkt[69], hat das ‚Weder-noch' der zweiten Antinomie noch die Gestalt eines ‚Sowohl-als-auch': die unendliche mathematische Teilbarkeit des Raumes besagt nicht, daß die Körpermonas als dynamisches Grundelement oder als Kraftsubstanz, die der aktive Grund für ihre Undurchdringlichkeit ist, mit der sie den Raum einnimmt, gleichfalls teilbar wäre, sonst müßte man schließlich auch annehmen, „wer die Masse der geschaffenen Dinge teilt", teile auch den Umfang der Gegenwart Gottes, der allem Geschaffenen „durch die Tat der Erhaltung innerlich zugegen" ist[70]. Wie aber die Seele im Raum gegenwärtig sein könne, bleibt dabei offen, da ihr offenbar keine Undurchdringlichkeit eigen ist[71]. Dieses Problem des Verhältnisses von Seele (oder Geist) und Raum wird von Klaus Reich sogar als entscheidend für den Umschwung von 1770 angesehen[72]. Auch wenn man ihm darin nicht folgt, ist

---

[66] AA 1/404.

[67] Heimsoeth, a.a.O. (1) 371.

[68] In der Schrift von 1762 „Die falsche Spitzfindigkeit der vier syllogistischen Figuren" werden als Beispiele herangezogen: die Einfachheit der Seele und des Geistes hinsichtlich ihrer Nicht--Verwesbarkeit (AA 2/50 f., 54 f.), die Vernünftigkeit der Seele aufgrund ihrer Geistigkeit (AA 48, 51), die Teilbarkeit der Materie im Blick auf ihre Nicht-Geistigkeit (AA 2/52). Damit sind die Beispiele aus dem Bereich Seele-Geist in der Überzahl gegenüber den beiden anderen nicht einschlägigen des frommen Gelehrten und des vernünftigen Sünders (AA 2/53 f.). Seele noch in der transzendentalen Analytik der KrV als Beispiel herangezogen zur Unterscheidung zwischen unendlichen und bejahenden Urteilen (A 72 f., B 97 f.). Vgl. auch Hinske a.a.O. (46) 98.

[69] AA 1/475 (die deutsche Übersetzung in W 1/511-563). Vgl. Hinske a.a.O. (46) 40-49, bes. 45. Ein zweites Mal wird dieser Ausdruck in der vorkritischen Inauguraldissertation verwendet (AA 2/389) im Zusammenhang mit einer Idealismuskritik gegenüber der Konzeption eines „mundus egoisticus, qui absolvitur unica substantia simplici cum suis accidentibus".

[70] AA 1/481 f..

[71] vgl. Heimsoeth, a.a.O. (1) 389.

[72] K. Reich, Über das Verhältnis der Dissertation und der Kritik der reinen Vernunft und die Entstehung der Kantischen Raumlehre, in: Immanuel Kant, De mundi sensibilis atque intelligibilis forma et principiis, hrsg. v. K. Reich (Hamburg ²1960) VII-XVI; vgl. dazu auch Heimsoeth

diese Frage für die Entwicklung der Transzendentalphilosophie Kants nicht ohne Bedeutung. Die schon genannte Bindung aller Geister an irgendeinen organischen Körper genügt schließlich nicht zur Erklärung der Weise ihrer Anwesenheit, auch wenn diese Bindung als eine gestufte vorgestellt wird wie in der ,,Allgemeine(n) Naturgeschichte und Theorie des Himmels'' von 1755, wo Kant noch Überlegungen angestellt hatte, ob nicht etwa die möglichen Bewohner von sonnenferneren Planeten durch ihre vielleicht weniger schwere und dichte Körperlichkeit auch geistig weniger behindert würden als wir, die wir unserem ,,Mittelstand zwischen der Weisheit und der Unvernunft'' auf der ,,mittelste(n) Sprosse'' ,,zwischen den zwei äußersten Grenzen der Vollkommenheit'' womöglich die ,,unglückliche Fähigkeit sündigen zu können'' verdanken[73]. In der ,,Untersuchung über die Deutlichkeit der Grundsätze'' von 1764 wird das Problem der Seele schärfer gestellt und vor falschen Schlußfolgerungen gewarnt: Wenn sich schon beweisen lassen sollte, daß die Seele ,,nicht Materie sei'', heißt das noch lange nicht, daß sie ,,nicht von materieller Natur'' sei. Ein solcher Beweis ist erst noch ausfindig zu machen, der ,,die unbegreifliche Art anzeigen würde, wie ein Geist im Raum gegenwärtig sei''[74]. In den ,,Träume(n) eines Geistersehers'' von 1766 wird dann weiter präzisiert, daß man nur dann von Geistern als von immateriellen und vernunftbegabten einfachen Wesen sinnvoll reden könne, wenn man sie so denkt, daß sie ,,sogar in einem von Materie erfüllten Raume gleichzeitig sein können''[75]. Diese Wesen würden den Raum ,,*einnehme(n)* (d. i. in ihm unmittelbar thätig sein ...)'', ,,ohne ihn zu *erfüllen* (d. i. materiellen Substanzen darin Widerstand zu leisten)''[76]. Auf diese Weise, so Kant, ,,würde ich einen strengen Beweis verlangen, um dasjenige ungereimt zu finden, was die Schullehrer sagten: *Meine Seele ist ganz im ganzen Körper und ganz in jedem seiner Theile*''[77]. Dabei bleibt unausgemacht, ob dieser Begriff etwas Wirkliches, ja ob er überhaupt etwas Mögliches bezeichnet, das von anderen einfachen Substanzen prinzipiell unterschieden ist[78]; gleichwohl ist auch seine Unmöglich-

---

a.a.O. (1) 284, Hinske, a.a.O. (46) 97 ff.; zur Bedeutung L. Eulers für Kant in diesem Zusammenhang Heimsoeth ebda. 378 f. u. 383. Zur Entwicklung des Raumproblems in der Kantschen Philosophie vgl. F. Kaulbach, Die Metaphysik des Raumes bei Leibniz und Kant. KantSt Erg.H. 79. (Köln 1960).

[73] AA 1/359, 365.

[74] AA 2/293.

[75] AA 2/321.

[76] AA 2/323.

[77] AA 2/325. In einer späten Psychologie-Vorlesung der neunziger Jahre ist diese Formel nichts weiter als der Ausdruck für die nicht-örtliche Anwesenheit der Seele: ,,*Ich kann der Seele im Raum keine locale Gegenwart einräumen*, weil ich sie dann sogleich als materiell annehme ... *Wo ist der Sitz der Seele im Körper?* ist daher eine ungereimte Frage ... Die Alten sagten: Die Seele ist ganz im ganzen Körper und ganz in jedem Theil, d.h. nichts weiter als: Wo der menschliche Körper ist, da ist auch die Seele'' (Heinze a.a.O [31] 682 [202], entspr. AA 28.2, 1/756 f.).

[78] AA 2/322.

keit nicht erwiesen, so daß man immaterielle Wesen annehmen kann „ohne Besorgniß widerlegt zu werden"[79]. Unter dieser Voraussetzung stellt Kant dann allerlei Überlegungen zu einer immateriellen Welt an und über den gegenseitigen Austausch der verschiedenen Stufen unkörperlicher Substanzen untereinander[80], wobei die menschliche Seele „schon in dem gegenwärtigen Leben als verknüpft mit zwei Welten zugleich" „würde" „müssen angesehen werden"[81], ohne daß dies allerdings jemals in den Erfahrungsbereich durchschlägt[82]. Solche Spekulationen sind ihm jedoch allesamt „dogmatisch"[83]; man kann sie „billigermaßen" anstellen, und er selbst gibt zu, daß er „sehr geneigt sei das Dasein immaterieller Naturen in der Welt zu behaupten" und seine Seele dazuzuzählen[84]. Demgegenüber steht die Gültigkeit aller Theorien über Seele und Geister überhaupt sehr in Frage, weil sie immer und notwendig an Erfahrung gebunden sind und damit von Voraussetzungen ausgehen, die nur im Zusammenhang mit dem Materiellen gegeben sind. Die bloß erschlossenen Ursachen gegebener Wirkungen bleiben insgesamt unbekannt. Die so gewonnenen Begriffe sind „gänzlich willkürlich" und „gar zu sehr hypothetisch"[85], während mit ihrer Hilfe gezogene Schlußfolgerungen, z.B. über die Art der Einflußnahme der Seele auf den Körper oder gar über ihre Tätigkeiten „ohne Verbindung mit dem Körper" nicht einmal den Wert von Hypothesen haben[86]. Es sind „niemals etwas mehr als Erdichtungen" und „Scheineinsicht(en)[87], die „nicht von der mindesten Erheblichkeit"[88], sondern nur „Wahn" und „eitele(s) Wissen" sind[89] und ein „Schattenbild der Einsicht"[90]. In diesem Zusammenhang wird Metaphysik „eine Wissenschaft von den *Grenzen der menschlichen Vernunft*" (im Sperrdruck!) genannt, deren „Nutze" „der unbekannteste und zugleich der wichtigste"[91] ist, eine Formulierung, die den weiteren Weg Kants vorausgreifend umschreibt und zunächst auch seine ersten Pläne zur Abfassung der Vernunft-

---

[79] AA 2/323.
[80] AA 2/330 ff..
[81] AA 2/332. Zu der wichtigen Frage der Zwei-Welten-Lehre Kants vgl. G. Antonopoulos, Der Mensch als Bürger zweier Welten. Ein Beitrag zur Entwicklungsgeschichte von Kants Philosophie. Abhdlgn. z. Philos., Psych. u. Päd. 17. (Bonn 1958) und W. Teichner, Die intelligible Welt. Ein Problem der theoretischen und praktischen Philosophie I. Kants. Monogr. z. philos. Frschg. 46. (Meisenheim am Glan 1967).
[82] AA 2/333.
[83] in der Überschrift des ersten Teils AA 2/319.
[84] AA 2/370 u. 327.
[85] AA 2/370; 333.
[86] AA 2/371.
[87] ebd. und AA 2/369.
[88] AA 2/371.
[89] AA 2/368.
[90] AA 2/370.
[91] AA 2/368.

kritik thematisch bestimmen wird⁹². Der ,,philosophische Lehrbegriff von geistigen Wesen'' ,,kann vollendet sein, aber im *negativen Verstande*, indem er nämlich die Grenzen unserer Einsicht mit Sicherheit festsetzt'', so daß man ,,künftighin noch allerlei *meinen*, niemals aber mehr *wissen* könne''⁹³. Von hier aus gesehen erweist sich die denknotwendige Vernunftidee der Seele mit ihrer ,,regulativen'' Funktion in der transzendentalen Dialektik der KrV bereits als ausgleichende Korrektur einer überzogenen Skepsis. Zugleich wird deutlich, daß der Seelenproblematik ein gewichtiger Anteil an der Entwicklung der Vernunftkritik zukommt. Trotz seines in den ,,Träumen'' geäußerten Vorsatzes, ,,die ganze Materie von Geistern'' als abgetan und erledigt zu betrachten⁹⁴, verfolgt Kant dieses Thema weiter. 1766 schreibt Kant an Mendelssohn, nachdem er ihm kurz vorher die ,,Träume'' übersandt hatte: ,,Meiner Meinung nach kommt alles darauf an die data zu dem Problem aufzusuchen *wie ist die Seele in der Welt gegenwärtig sowohl den materiellen Naturen als denen anderen von ihrer Art*''⁹⁵. Auch hier ist von den ,,Schranken unserer Vernunft nein der Erfahrung'' die Rede, die zur ,,Erdichtung'' führen. Diese aber ,,kan niemals auch nur einen Beweis der Möglichkeit zulassen und die Denklichkeit (deren Schein daher kommt daß sich auch keine Unmöglichkeit davon darthun läßt) ist ein bloßes Blendwerk''. Diese Zurückhaltung betrifft jedoch nur die theoretische Vernunfterkenntnis, wenn wir nämlich ,,die Beweisthümer aus der Anständigkeit oder den Göttlichen Zwecken so lange bey Seite setzen''⁹⁶, womit Kant auf eine ebenfalls sehr früh nachweisbare parallele Entwicklungslinie verweist, die sich aus der Moralität ergibt und auf die wir später zu sprechen kommen werden. In der kleinen Schrift ,,Von dem ersten Grunde des Unterschiedes der Gegenden im Raume'' von 1768 wird der Raumbegriff zunächst unabhängig vom Seelenproblem weiterentwickelt, indem nun die Verhältnisse körperlicher Dinge zueinander und auch die Mög-

---

⁹² Zur Vorgeschichte vgl. oben Anm. 34; ebenso in Sulzers Übersetzung von Hume's Enquiry 368 (oben Anm. 47); 214: ,,Der einzige Weg, uns nicht ferner zu betriegen, ist dieser, daß wir höher hinauf steigen; daß wir die engen Gränzen unserer Erkenntnis untersuchen, wenn sie auf materielle Ursachen angewendet wird; ... Wir werden vielleicht finden, daß wir nicht ohne Schwierigkeit dahin gebracht werden, dem menschlichen Verstande so enge Schranken zu setzen: aber wir können hernach keine Schwierigkeit finden, wenn wir diese Lehre auf die Handlungen des Willens anwenden wollen.'' Charakteristische frühe briefliche Äußerungen zum Projekt der KrV: ,,das Urtheil ofters eingeschränkter, aber auch bestimmter und sicherer...'' (AA 10/56 an J. H. Lambert 1765); In den folgenden Jahren werden die Ankündigungen fast immer mit der Rede von ,,Grenzen'' und/oder ,,Schranken'' der Sinnlichkeit oder der Vernunft verbunden: vgl. AA 10/72 (1766 an M. Mendelssohn); AA 10/74 (1767 — in der Ausgabe von Cassirer korrigiert in 1768 — Immanuel Kants Werke, Bd. 9, Briefe von und an Kant, hrsg. v. E. Cassirer [Berlin 1922] 61, vgl. 458 — an J. G. Herder); AA 10/98 (1770 an J. H. Lambert); AA 10/123 (1771 an M. Herz); AA 10/129 (1772 an M. Herz); AA 10/199 (1776 an M. Herz).
⁹³ AA 2/351.
⁹⁴ AA 2/352.
⁹⁵ AA 10/71.
⁹⁶ AA 10/72.

lichkeit ,,inkongruenter(s) Gegenstück(e)'' auf einen ,,absoluten und ursprünglichen Raum'' bezogen werden, der ,,als der erste Grund der Möglichkeit'' der Zusammensetzung der Materie ,,eine eigene Realität'' hat, aber schon durch seine Beziehung auf das erkennende Subjekt bestimmt wird[97]. Die Inauguraldissertation von 1770 bringt in der Raumfrage die entscheidende Wende, und zwar unter ausdrücklicher Bezugnahme auf die Seelenproblematik. Der Raum wird jetzt zur ,,reine(n) Anschauung'' (intuitus purus), zur ,,Grundform aller äußeren Empfindung''[98]; er ist ,,gleichsam'' ein ,,subjektives, ideales aus der Natur der Erkenntniskraft nach einem festen Gesetz hervorgehendes Schema'', und nicht mehr ,,etwas Objektives und Reales''[99]. Sein Begriff ist zwar eingebildet (imaginarius), aber trotzdem wahr, nämlich als ,,Grundlage aller Wahrheit in der äußeren Sinnlichkeit'', und als ,,unbedingt erster formaler Grund der Sinnenwelt''. Er läßt die Gegenstände des Alls als Phaenomena erscheinen und macht den Grund der Gesamtheit alles Sensiblen als ,,eines Ganzen'' aus[100]. Den Raum für ein objektives ,,receptaculum'' zu halten, würde bedeuten, ,,gewissen rationalen oder zu den Noumena gehörenden Begriffen, die im übrigen für den Verstand äußerst verborgen sind, ein Hindernis in den Weg'' zu stellen, z.B. den Fragen über einen ,,mundus spiritualis''[101]. Hier kommt ein schon früher feststellbarer Grundzug der Kantschen Philosophie zur Sprache, der sich später durchhalten wird: Das Eindämmen überzogener oder als solche angesehener Ansprüche der theoretischen Spekulation, um die Grundwahrheiten des Glaubens, mindestens im Sinne einer philosophischen Theologie zu schützen, oder, wie es in der Inauguraldissertation heißt, ,,man müsse sich ängstlich hüten, daß die einheimischen Grundsätze der sinnlichem Erkenntnis nicht ihre Grenzen überschreiten und das Intellektuelle affizieren'', so daß ein ,,intellektuiertes Phaenomenon'' dabei herauskommt[102], und auf diese Weise die Schranken der menschlichen Erkenntnisfähigkeit ,,für diejenigen genommen werden, von denen das Wesen der Dinge selbst umfaßt wird''[103]. Nach dem Sitz der Seele zu fragen, ist jetzt vollends zur ,,quaestio inanis'' geworden. Die Gegenwart der Seele ist nicht ,,örtlich'', sondern ,,virtuell'' zu verstehen, ohne daß damit irgendeine Erklä-

---

[97] AA 2/377-383.
[98] AA 2/402 (§ 15 C). Die deutsche Fassung nach W 3/7-107.
[99] AA 2/403 (§ 15 D).
[100] AA 2/404 f. (§ 15 D).
[101] AA 2/403 f. (§ 15 D).
[102] AA 2/411 f. (§ 24). Für den Ausdruck ,,Phaenomenon intellectuatum'' entschuldigt sich Kant: ,,si barbarae voci venia est''. Vermutlich hat die ähnliche Formel Baumgartens ,,phaenomenon substantiatum'' (AA 17/67 [§ 193], AA 17/141 [§ 743]) Kant beeinflußt. Der Bearbeiter des Textes in der Akademieausgabe (E. Adickes) vermerkt diese mögliche Quelle nicht (vgl. AA. 2/513). In der KrV später: ,,Leibniz intellektuierte die Erscheinungen'' (A 271 = B 327, Hervorhebungen weggelassen). Nach der Vorlesung K₂ (Heinze a.a.O. (31) 684 [204] entspr. AA 28.2, 1/759) führt Kant den Ausdruck ,,phaenomenon substantiatum'' auf Leibniz zurück.
[103] AA 2/389 (§ 1).

rung über das Verhältnis der ,,unstofflichen Substanzen" untereinander wie auch gegenüber den Körpern gegeben wäre[104]. Trotzdem steht Kant weiterhin zu seinem gereinigten Verständnis des ,,influxus physicus"[105], den er wie schon früher auf eine allgemein bestimmte Harmonie der Substanzen aufgrund der Erhaltung durch die gemeinsame Ursache zurückführt. Diesen Aspekt dehnt Kant jetzt auch auf die Erkenntniskraft aus, deren Blick ,,nur insofern ins Unendliche offen"-steht, ,,als sie selber mit allem Anderen von derselben unendlichen Kraft eines Einzigen erhalten wird", durch deren Gegenwart sie vielleicht überhaupt erst das Äußere der Welt empfindet[106]. Von hier aus wird Kant später (1790) ein gewisses Verständnis auch für die Leibnizsche ,,vorherbestimmte Harmonie" aufbringen, weil ja auch er selbst in seiner kritischen Philosophie den Grund der beschriebenen wunderbaren Zusammenstimmung von Sinnlichkeit und Verstand nicht weiter habe erklären können[107]. Jedenfalls wird hier die Seele weiterhin als immaterielle Substanz gedacht, deren geistige Natur bereits früher als hypothetisch bezeichnet worden war[108]. Jedoch wird die von Heinz Heimsoeth beschriebene Umkehrung: die Seele nicht mehr ,,im absoluten Weltraum", sondern ,,die ,Welt'-Form des Raumes" ,,in der Seele als ihre lex insita" dem Text der Inauguraldissertation nicht ganz gerecht, weil hier die menschliche Erkenntniskraft, von der die Rede ist und die auch die sinnliche Erkenntnis umfaßt, von Kant nicht einfachhin mit der Seele identifiziert wird[109].

2. Das Paralogismuskapitel in der Kritik der reinen Vernunft

Das folgende ,,stille Jahrzehnt" dient der Vorbereitung der ,,Kritik der reinen Vernunft", nur einmal unterbrochen durch die mit einer Vorlesungsankündigung verbundene kleine Schrift ,,Von den verschiedenen Racen der Menschen" aus dem Jahre 1775, die für unser Thema nichts erbringt. Die Entstehungsgeschichte des Kantschen Hauptwerks ist nun allerdings bis heute kontrovers. Einerseits nimmt man aufgrund einer Reihe von mehr oder weniger objektivierbaren Kriterien an, daß die Endredaktion der ersten Auflage, die im Jahre 1781 erschien, eine redaktionelle Zusammenfügung von bereits vorliegenden, aber nicht immer kohärent überarbeiteten Entwürfen von Einzelteilen ist, die in der Endphase durch neue Abschnitte ergänzt und mit verbindenden Rahmentexten versehen wurden. Was das im einzelnen bedeutet,

---

[104] AA 2/414 (§ 27). Kant bezieht sich hier auf L. Euler. Die Frage nach dem Sitz der Seele ist ein Anwendungsfall für Kants ,,axioma subrepticium" der ersten Klasse: ,,Alles, was ist, ist irgendwo und irgendwann" (AA 2/413), das zu einem ,,unentwirrbaren Labyrinth" (inextricabilis; W 3/93: unentrinnbar) führt (Antinomienproblematik, vgl. oben Anm. 57).

[105] AA 2/407, 409 (§§ 17 u. 22).

[106] AA 2/409 f. (§ 22 Scholion).

[107] AA 8/249 f..

[108] AA 2/333.

[109] Heimsoeth, a.a.O. (1) 395.

wird sehr verschieden beurteilt, wenn auch in vielen Punkten eine gewisse Übereinstimmung festzustellen ist. Als Vertreter dieser Richtung sind vor allem zu nennen Erich Adickes, der einen ,,kurzen Abriß" annimmt, der noch vor der Endredaktion entstanden sein soll[110], Hans Vaihinger, der die transzendentale Deduktion der Kategorien unter dieser Rücksicht analysiert hat[111], Benno Erdmann, der die Entstehungsgeschichte der ,,Kritik der reinen Vernunft" in drei z. T. weiter untergliederte Abschnitte einteilt und im Anschluß an Kants diesbezügliche Bemerkungen in seiner Vorrede (zur 1. Auflage) zwei Entwürfe unterscheidet[112], und Norman Kemp Smith mit seiner ,Flickwerktheorie' (patchwork)[113]. Dazu kommt neuerdings die für unser Thema wichtige Arbeit von Alfons Kalter: Kants vierter Paralogismus. Eine entwicklungsgeschichtliche Untersuchung zum Paralogismuskapitel der ersten Ausgabe der Kritik der reinen Vernunft (1975)[114]. Die Gegenseite wurde besonders von Herbert James Paton vertreten, der die ,,patchwork theory" im Grunde für eine pietätlose Deutung hält, die dem Werk des großen Philosophen unangemessen und abträglich sei[115]. Trotz mancher auch von ihm zugegebener Widersprüche versuchte er selbst eine einheitliche Interpretation. Sein zweibändiger Kommentar hatte die Bemühungen der entwicklungsgeschichtlichen Forschung praktisch zum Stillstand gebracht; auch Heinz Heimsoeths Kommen-

---

[110] E. Adickes, Immanuel Kants Kritik der reinen Vernunft. Mit einer Einleitung und Anmerkungen, hrsg. von ... (Berlin 1889). Auflistung der Elemente des ,,kurzen Abrisses" im Zusammenhang mit früheren und späteren Textstücken S. XXV ff. seiner Einleitung.

[111] H. Vaihinger, Die transcendentale Deduktion der Kategorien in der 1. Auflage der Kr. d. r. V., in: Philos. Abhandlungen, dem Andenken Rudolf Hayms gewidmet von Freunden u. Schülern (Halle a. S. 1902) 23-98.

[112] B. Erdmann in seiner ,,Einleitung" zur ersten Auflage der KrV AA 4/569-587. Seine Einteilung: 1. ,,Die Dämmerungsperiode der Idee, 1765-1769"; 2. ,,Die Periode der definitiven Entwicklung der Idee, 1769 bis 1776" in zwei Phasen: a. ,,Die Scheidung des Sinnlichen vom Intellectuellen, 1769 bis 1771", b. ,,Der Ursprung des Intellectuellen 1771/2-1776"; 3. ,,Die Zeit der Ausfertigung des Werks" mit einem ausführlicheren ersten Entwurf bis Mitte 1780 und einem zweiten zur Zeit der Endredaktion. Hier setzt S. M. Engel ein (Eine Bemerkung zur ,Abfassung' der Kritik, in: Ratio 6 [1964] 72-80), der aus der von Kant erwähnten breiteren und bildhafteren Gestaltung des ersten Entwurfes gegenüber dem ,,trockenen" Stil des zweiten Unterscheidungskriterien für die verschiedenen Textstücke gewinnen zu können glaubt. Erdmann stützt sich bei seinen Angaben allerdings vor allem auf den Briefwechsel und ,,frühere(r) Erörterungen" zu diesem Thema. — ,,Vier Stadien der Kantischen Erkenntnistheorie" unterscheidet die offenbar weniger beachtete Abhandlung von L. Nelson: Untersuchungen über die Entwicklungsgeschichte der Kantischen Erkenntnistheorie. Sonderdruck aus den ,,Abhandlungen der Fries'schen Schule" III, 1. (Göttingen 1909), die vor allem wegen ihrer Kritik an der allgemeinen Überschätzung des Humeschen Einflusses auf Kant noch immer von Interesse ist, ohne daß jedoch unsere obigen Annahmen davon berührt werden (vgl. Anm. 47).

[113] N. Kemp Smith, A Commentary to Kant's ,Critique of pure reason' (London 1918, 2. erw. Aufl. 1923 — Zitate nach dieser Auflage).

[114] vgl. oben Anm. 54.

[115] H. J. Paton, Kant's Metaphysic of Experience. A commentary on the first half of the Kritik der reinen Vernunft, In Two Volumes (London-New York ²1951-¹1936). Während N. Kemp Smith nur von ,,patchwork" sprach (a.a.O. [113] 457), hat Paton den Ausdruck ,,The Patchwork Theory" geprägt (a.a.O. 1/38 ff.).

tarwerk zur transzendentalen Dialektik steht auf dieser Seite[116]. Mir persönlich scheinen die Ausführungen Kalters in wesentlichen Punkten plausibel zu
sein, obgleich einzelne Detailfragen durchaus noch weiterer Klärung bedürfen, besonders dort, wo unbewiesene Voraussetzungen gemacht werden, weil
ja vielleicht auch der Entwicklungsgeschichtler versucht ist, möglichst klare
Verhältnisse zu schaffen. Kalter ist sich allerdings dieser grundsätzlichen
Schwierigkeit (jedenfalls im Prinzip) bewußt[117]. Gerade für das Paralogismus-
Kapitel ist die Rückfrage nach der Entwicklungsgeschichte von maßgeblicher
Bedeutung, weil es in sich besonders uneinheitlich ist und in der zweiten Auflage eine weitgehende Neubearbeitung erfahren hat: Zunächst einmal wurde es
von 67 Seiten auf 33 Seiten gekürzt; die in der ersten Auflage als Syllogismen
dargestellten „Paralogismen" wurden (mit Ausnahme des vierten) als „modi
des Selbstbewußtseins" in den neuen Text eingearbeitet und in einem Grundsyllogismus zusammengefaßt, an dem das allen gemeinsame Ungenügen
exemplifiziert wurde[118]. Die Commercium-Problematik wurde von 12 Seiten
auf eine halbe Seite komprimiert, während einige Abschnitte aufgrund kritischer Beurteilungen der ersten Auflage hinzugekommen sind[119]. Das Thema
des vierten Paralogismus „der Idealität" wurde ganz aus dem Kapitel heraus-
genommen und an die Behandlung des zweiten Postulats des empirischen
Denkens überhaupt mit einem eigenen, neu verfaßten Abschnitt angehängt[120].
Statt dessen wurde die Teilfrage nach dem Ich als Objekt aufgrund des bloßen
Selbstbewußtseins als vierter der neuen „modi" in das Paralogismus-Kapitel
eingeschaltet[121]. Dabei ist zwischen den Texten, die zur Endredaktion der 1.
Auflage gehören, und der Fassung der zweiten Auflage kein grundsätzlicher
Unterschied mehr feststellbar, während frühere Abschnitte der ersten Auflage
noch mehr oder weniger deutlich zurückliegende Entwicklungsphasen wider-
spiegeln, deren Spuren nicht oder nur unvollständig getilgt worden waren.
Daß gerade die Seelenproblematik, die Kant doch schon sehr lange beschäftigt
hatte, von dieser neuerlichen Revision betroffen wurde, hängt wohl damit zusammen, daß sie früher besonders im kosmologischen und theologischen Um-

---

[116] H. Heimsoeth, Transzendentale Dialektik. Ein Kommentar zu Kants Kritik der reinen
Vernunft, 1. bis 4. Teil (Berlin 1966-1971) — durchlaufend paginiert.

[117] Kalter, a.a.O. (54) 34. Die Bewältigung dieses Problem wird freilich durch Kalters nicht immer zuverlässigen Umgang mit Zitaten beeinträchtigt. Man vergleiche z.B. die Zitatkompilation
auf S. 33 mit dem angegebenen Original: ein „Paradebeispiel für Kants schillernde
Terminologie"?

[118] KrV B 406-411.

[119] Daß in der zweiten Auflage der KrV nicht nur „die Argumentation, sondern auch die Darstellung des Ergebnisses ... polemisch verschoben" erscheint, ist schon von B. Erdmann festgestellt worden (Kants Kriticismus in der ersten und in der zweiten Auflage der Kritik der reinen
Vernunft, eine hist. Unters. von ... [Leipzig 1878] 226 ff.). Vgl. zu den Veränderungen der 2.
Auflage auch Kalter, a.a.O. (54) 44-51.

[120] KrV B 274-279.

[121] KrV B 409.

feld thematisch wurde und daher noch bis ca. 1777 in die schon länger vorliegenden Entwürfe des Antinomien-Kapitels eingebunden blieb, was auch aus
den Reflexionen jener Zeit hervorgeht[122]. Für die Ausgliederung in ein eigenes
Kapitel werden sicherlich auch systematische Gründe eine Rolle gespielt haben, weil bestimmte Thesen der rationalen Psychologie sich nicht ohne weiteres in das Antinomienschema einfügen ließen und eine gesonderte Behandlung
des reinen Vernunftbegriffs der Idee der Seele gleichzeitig der wohl schon früher anzusetzenden Verselbständigung der Gottesfrage als der dritten Idee der
Vernunft im Kapitel über das ,,Ideal der reinen Vernunft''[123] entsprechen
würde[124]. Daß Kant solche Überlegungen angestellt haben könnte, belegt der
aus mehreren unabhängig voneinander entstandenen Einzelteilen bestehende
zweite Teil der Einleitung in die transzendentale Dialektik (von A 298 -A 340),
in dem mehrfach die ausschließliche Dreiheit der transzendentalen Ideen
abgeleitet wird[125], wobei sich zeigen läßt, wie Kalter belegt, daß dieser Teil der
Einleitung, von einzelnen Zusätzen abgesehen, unabhängig vom Paralogismenkapitel geschrieben sein dürfte[126]. Die Ausgliederung der Seelenfrage hatte zur Folge, daß die zweite Antinomie in dieser Hinsicht weitgehend ausge-
dünnt wurde[127], so daß der ursprüngliche Zusammenhang: Problem der Teilung — Monadologie — Seelenlehre, wie er in der vorkritischen Zeit durchge-
halten wurde, kaum noch sichtbar ist[128]. Für die Gründe der Verlagerung sind
wir vorläufig immer noch auf Mutmaßungen angewiesen[129]. Eine nicht zu un-

---

[122] vgl. Kalter, a.a.O. (54) 79, 86 f. u. 214, hier unter Rückgriff auf die Arbeiten von J. Nailis
(Der Substanzbegriff der Seele in den vorkritischen Schriften Kants und der Paralogismus der
Substantialität in der ,,Kritik der reinen Vernunft'' (Freiburg 1922, urspr. Diss. Aachen 1920)
und F. Nierhaus (s. oben Anm. 18).

[123] KrV A 567 = B 595 bis A 583 = B 611.

[124] Kemp Smith hält den 2. Abschnitt ,,Von dem transscendentalen Ideal'' A 571 = B 599 bis A
583 = B 611 aufgrund von terminologischen Kriterien für ,,quite the most archaic piece of rationa-
listic argument in the entire Critique'' (a.a.O. [113] 522). Die Reflexionen 5355 und 5356 (AA
18/160), deren Datierung aber unsicher ist, könnten auf die frühere Ausgliederung der theologia
rationalis hinweisen. Adickes hielt den Abschnitt vom transcendentalen Ideal für ,,äußerst ge-
zwungen'' und bindet ihn zurück an Kants theologischen Hintergrund der ,,Wechselwirkung''
und den frühen Gottesbeweis aus der Ermöglichung alles Möglichen, der sich bis in die Pöliz-
-Metaphysikvorlesung gehalten hat (a.a.O. [110] 461 f.).

[125] KrV A 323 u. B. 379; A 334 u. B 391; A 337 u. B 394; im Hinblick auf die dialektischen
Schlüsse A 339 f. u. B 397 f..

[126] Kalter, a.a.O. (54) 76 ff..

[127] Kemp Smith a.a.O. (113) 437 spricht von einem ,,impoverishment of the second
antinomy''.

[128] vgl. KrV A 441 = B 468.

[129] Kemp Smith ebd. hält den Zusammenhang der Seelenlehre mit dem Lehrstück der transzendentalen Apperzeption in der Analytik für den wichtigsten Grund: ,,A main factor deciding Kant
in favour of a dogmatic non-sceptical treatment of rational psychology may have been the greater
opportunity which it seemed to afford him of connecting its doctrines with the teaching of the
Analytic and especially with his central doctrine of apperception.'' Diese Gedankenverbindung
scheint ihm früher zu sein als die Lehre von der transzendentalen Illusion. Dafür könnte sprechen, daß, wie Kalter feststellt, der erste kurze Absatz des Paralogismenkapitels (A 341 = B 399)
ebenso wie das letzte Stück der Appendix (= Betrachtung über die Summe...), das die Absätze 17-

terschätzende Rolle werden indes zeitgenössische Autoren gespielt haben, mit denen sich Kant in der fraglichen Zeit auseinandergesetzt hat. Hier ist in erster Linie das zweibändige Werk von Johann Nicolas Tetens zu nennen, das den Titel trägt: ,,Philosophische Versuche über die menschliche Natur und ihre Entwicklung'', das im demselben Jahr erschien, in dem die Ausgliederung sich abzeichnet[130]. Daß ,,Tetens'' ,,immer vor ihm'' lag in dieser Zeit, berichtet Hamann in einem Brief an Herder vom 17. Mai 1779[131]. Es könnte sich natürlich auch um Tetens' Schrift: ,,Über die allgemeine spekulativische Philosophie'' gehandelt haben, die zwei Jahre früher erschienen war[132], aber daß Kant wenigstens einen Teil der psychologischen Kapitel der ,,Philosophischen Versuche'' gelesen hat, geht aus seinem Brief an Marcus Herz von Anfang April 1778 hervor, wo er im Zusammenhang mit der Verzögerung seines in Aussicht gestellten Werkes auf Tetens zu sprechen kommt und ihm bescheinigt, ,,viel scharfsinniges gesagt'' zu haben, aber in puncto Freiheit aus dem ,,Labyrinthe'' nicht herausgefunden zu haben[133]. Tetens handelt die Grund-

---

29 umfaßt (A 396-A 405), als nachträgliche Zutaten, die die kritische Seelenlehre dem transzendentalen Schein zuordnen und als ,,Paralogism'' einstufen, offenbar aus der Zeit der Endredaktion stammen (Kalter, a.a.O. [54] 105 f., 108, 124-127).

[130] (Leipzig 1777).

[131] J. G. Hamann, Briefwechsel, hrsg. v. A. Henkel, Bd. IV (Wiesbaden 1959) 81.

[132] vgl. Hinske, a.a.O. (46) 31, dazu AA 23/519, wo weitere Berührungspunkte verzeichnet sind. Allerdings kommt das von Hinske erwähnte Bild vom Ozean (das in der alten Streitfrage, ob Kant Hume's Treatise gelesen hat, eine Rolle spielt) in den ,,Philos. Versuchen'' ebenfalls vor (II, 151). Darüber hinaus findet es sich in dem zweibändigen Werk Friedrich Carl Casimirs, Freyherrns (!) von Creuz: Versuch über die Seele (Frankfurt u. Leipzig 1754): ,,Allein, sollte mir unsere zärtliche Freundschaft nicht das Recht geben, allhier einer Klippe zu gedenken, die allen denjenigen, so auf dem Ocean der Weltweisheit, und insonderheit der Metaphysik herum segeln, am allerfürchterlichsten seyn muß?'' (I, 47 des Vorspanns). Das Bild vom Ozean auch bei Kypkes Locke-Übersetzung, s.o. Anm. 47, sowie andeutungsweise schon bei Francis Bacon in der ,,großen Erneuerung der Wissenschaften'', der Kant sein Motto der B-Auflage der KrV entnommen hatte: ,,Porro praetervecti artes veteres, intellectum humanum ad trajiciendum instruemus.'' (Works in ten Volumes, Vol. VII [London 1824] 34). Vgl. KrV B 294 f., im Paralogismenkapitel A 396. — Kant hat sich in seinem Handexemplar von Tetens' Philosophischen Versuchen eigenhändig Notizen gemacht, und zwar in Band 1 auf S. 19 entspr. Refl. 4847 und auf S. 131 entspr. Refl. 4848 (AA 18/5). Dazu die Reflexionen 4900: ,,Ich beschäftige mich nicht mit der Evolution der Begriffe wie Tetens (alle Handlungen, dadurch Begriffe erzeugt werden)'' und 4901: ,,Tetens untersucht die Begriffe der reinen Vernunft bloss subjectiv (Menschliche Natur), ich objectiv. Jene analysis ist empirisch, diese transscendental.'' (AA 18/23).

[133] AA 10/232. Wenn das Werk Tetens' nichts mit der genannten Verzögerung zu tun hätte, würde der Brief an dieser Stelle einen unverständlichen Gedankensprung aufweisen. Daß Kant das Thema ,,Freiheit'' bei Tetens anschneidet, belegt, daß er sich offenbar ausführlich auch mit dem Zweiten Band beschäftigt hat, der den 12. Versuch ,,Ueber die Selbstthätigkeit und Freyheit'' enthält (2/1-148). Daran schließt sich an der 13. Versuch: ,,Ueber das Seelenwesen im Menschen'' (2/149-367). In der Vorrede schreibt Tetens zum Thema Freiheit: ,,Die Untersuchung über die Freyheit, die in einer erhöheten Selbstthätigkeit der Seele bestehet, hieng mit den vorhergehenden und den folgenden Betrachtungen über die menschliche Natur so genau zusammen, daß ich mich auf sie hätte einlassen müssen, wenn auch die bekannten Dunkelheiten in dieser Materie nicht besonders dazu gereizet hätten. Nirgends scheinet die Vernunft dem Gefühl, und, wenn man näher zusieht, selbst das Gefühl dem Gefühl so sehr zu widersprechen, als hier. Es muß nothwendig irgendwo ein falscher Schein dahinter stecken, die Ursache desselben mag nun da liegen, wo

thesen der rationalen Psychologie am Leitfaden des „Ich" ab, kommt auf die
Immaterialität der Seele und ihre substantielle Einheit zu sprechen und fragt,
„wie weit ... aus der beobachteten Einheit des Ichs die substantielle Einheit
der Seele gefolgert werden könne"[134]. Seine Lösung liegt in einer Vorstellung,
die zwischen Materialismus und Immaterialismus einzuordnen wäre[135], und
läuft in die offene Frage aus: „... ist unsere Idee von uns selbst und von un-
sern Seelenäußerungen, die wir aus dem Selbstgefühl erhalten, ein *Schein* in
einer andern Bedeutung, als es unsere Vorstellungen von den Körpern sind,
obgleich das Objekt von jener Idee, nämlich die Veränderungen und Wirkungen unsers Ichs, Beschaffenheiten einer einfachen Substanz sind"?[136] Als Bestätigung für eine späte Beschäftigung Kants mit psychologischer Terminologie mag gelten, daß in der transzendentalen Deduktion der Kategorien in der
ersten Auflage eine deutliche Uneinheitlichkeit der Terminologie hinsichtlich
der subjektiven Erkenntnisquellen vorliegt, für die Hans Vaihinger 4 Schichten unterschieden hat, deren jüngste, nämlich die dreifache Synthesis der Ap-
prehension, der Reproduktion und der Rekognition später wieder fallengelassen wurde[137]. Auch der „Versuch über die Seele" in zwei Teilen von Friedrich
Carl Casimir Frh. von Creuz ist hier zu nennen[138], der die Frage, ob ein Zu-
sammengesetztes denken könne, mit seiner Theorie der „Mitteldinge"[139] zwischen dem Einfachen und dem Zusammengesetzten beantwortet, auf die Kant
in der KrV ohne Quellenangabe ablehnend zu sprechen kommt[140]. Von Creuz
begnügt sich mit einer bloß moralischen Gewißheit über die Unteilbarkeit der

---

ich sie glaube gefunden zu haben, oder anderswo." (1/XXXV). In der Frage der Immaterialität
der Seele bezieht sich Tetens auf das Werk von J. Ch. Hennings, Geschichte der Seelen der Menschen und Thiere. Pragmatisch entworfen von ... (Halle 1774), das auch für Kant als Quelle in Erwägung gezogen werden müßte, wie später zu zeigen sein wird. Hennings wird mehrfach in einem
Brief von Christian Gottfried Schütz an Kant (v. 13. Nov. 1785) genannt (AA 10/422 f.). — Daß
Tetens' Werk auf Kant „nicht ohne Einfluß" war, mit der Fertigstellung der KrV noch zu zögern,
vertritt auch E. Arnoldt, a.a.O. (28) 4/223, Vorländer, a.a.O. (28) 1/260. Die Beschäftigung mit
der zeitgenössischen Psychologie, besonders mit Tetens, fand ihren Niederschlag nicht nur im Bereich der Seelenlehre, sondern auch in der Ausarbeitung der Erkenntniskritik. Darauf verweist
J.-J. de Vleeschauwer, der in der Vorbereitung des Kritizismus zwei Abschnitte (tronçons) unterscheidet: „un premier tronçon, ... dans lequel Kant débat le problème de l'objectivité à l'aide
d'une conception critique de l'objet et à l'aide du concepts purs de l'entendement; un deuxième
tronçon, dans lequel il s'attaque au même problème en se rapprochant de la psychologie de son
temps." „L'imagination, la déduction psychologique, la distinction de l'entendement et de la rai-
son sont tous des éléments que Kant doit à la psychologie de son temps." (L'évolution de la pensée Kantienne [Paris 1939] 94 u. 96).

[134] a.a.O. (130) 2/IX.
[135] a.a.O. (130) 2/IX; 176.
[136] a.a.O. (130) 2/210 (Hervorhebung im Original).
[137] a.a.O. (111) 62 [40, 74 [52, 96 [74; vgl. dazu auch Kemp Smith., a.a.O. (113) 437.
[138] s. o. Anm. 132.
[139] von Creuz, a.a.O. (132) ab S. 39.
[140] AA 3/188. Der Bearbeiter dieses Textes (B. Erdmann) gibt an dieser Stelle keinen Hinweis
darauf, wen Kant hier meint (vgl. AA 3/589).

Seele, wo eine „mathematische" nicht möglich ist[141], da ihn ohnehin die Offenbarung von der Unsterblichkeit „ganz vollkommen" überzeugt[142]. Eine wichtige Rolle kommt auch den erst 1765 erschienen „Nouveaux Essais sur L'Entendement Humain" von Leibniz zu (vor allem wohl dem französischen Original und nicht erst der deutschen Übersetzung von 1778-80)[143], in denen sich Leibniz unter Rückgriff auf Platon mit Locke's „Essay concerning human understanding" auseinandersetzt, der im Jahre 1700 auch in französischer Übersetzung erschienen war. Es gibt eine Reihe von inhaltlichen Berührungspunkten, so die Erörterung über die „Realität" unserer Erkenntnis[144], über „inhaltsleere Sätze"[145], über „bestimmte Grenzen" der Vernunft[146] und über die besondere Rolle der Moral als der „eigentliche(n) Wissenschaft" und der „größten Angelegenheit der Menschen im allgemeinen", die schließlich hinreichend sei, um uns wenigstens „über unsere wichtigsten Interessen, vorzüglich hinsichtlich der Ewigkeit, zu unterrichten"[147]. Vielleicht war die Erörterung der eingeborenen Ideen und Prinzipien zu jenem Zeitpunkt ebenfalls von Belang[148]. Hinsichtlich der Seelenlehre ist bemerkenswert, daß das cartesianische Cogito schon bei Leibniz in ein „ich bin denkend" umgeformt wurde[149] und in der entscheidenden Frage nach der Unsterblichkeit der Seele als Wesenseigenschaft oder durch wunderbare Erhaltung das Wunder als Zuflucht einer schlechten Philosophie zur Erklärung des gewöhnlichen Laufes der Natur abgelehnt wird[150], wie dies für die Astronomie vom frühen Kant in

---

[141] von Creuz, a.a.O. (132) Einl. (Brief an Herrn von S.) 1/14; im Text (eigene Paginierung 1/36.

[142] ebd. Einl. 1/25; vgl. Text 1/11: „Wenn die Grenzen unserer Vernunft, oder die Umstände, worinn wir uns befinden, uns nicht erlauben, ein Ding zu begreifen oder uns vorzustellen; so folgt daraus nimmermehr, daß ein solches Ding schlechtweg unbegreiflich wäre, oder etwas widersprechendes in sich enthielte; sondern nur, daß es hypothetisch unbegreiflich sey."

[143] Oeuvres Philosophiques Latines & Françoises de feu Mr. De Leibnitz. Tirées de ses manuscrits qui se conservent dans la Bibliotheque Royale a Hanovre, et publiées par Mr. Rud[olphe] Eric Raspe. Avec une Préface de Mr. [Abraham Gotthelf] Kaestner Professeur en Mathématiques à Göttingue. A Amsterdam et a Leipzig, Chez Jean Schreuder. MCCCLXV, Nouveaux Essais sur L'Entendement Humain, par l'auteur du systeme De L'Harmonie Préetablie, 1-496. Die dt. Übersetzung: G. W. v. Leibniz, Philosophische Werke nach Raspens Sammlung. Aus dem Französischen ... von Johann Heinrich Friedrich Ulrich, Neue Versuche über den menschlichen Verstand, Bd. 1 u. 2 (Halle 1778-1780).

[144] 4. Buch, Kap. 4 (die deutschen Formulierungen entnehmen wir der Ausgabe: G. W. Leibniz, Neue Abhandlungen über den menschlichen Verstand, Übers., eingel. u. erl. v. E. Cassirer. Ph. Bibl. 69. [Hamburg ³1915 = 1971]) 460.

[145] 4. Buch, Kap. 8, a.a.O. (144) 510.

[146] 4. Buch, Kap. 18, a.a.O. (144) 604.

[147] 4. Buch, Kap. 12, a.a.O. (144) 546.

[148] 1. Buch, a.a.O. (144) 31-81.

[149] 4. Buch, Kap. 7, a.a.O. (144) 487; nach der Originalausgabe, a.a.O. (143) 376: „Et de dire, *je pense, donc je suis,* ce n'est pas prouver proprement l'existence par la pensée, puisque penser & être pensant, est la même chose; & dire *je suis pensant,* est deja dire, *je suis."*

[150] Vorrede, a.a.O. (144) 20.

ähnlicher Weise gegenüber Newton vertreten worden war[151]. Vor diesem Hintergrund wird Kants späteres Argument gegen die „Beharrlichkeit" der Seele im umgekehrten Sinn verwendet: „Denn da die einfachen Substanzen immer währen, so darf man nicht aus der Erfahrung einiger Jahre über die Ewigkeit urteilen"[152]. Terminologisch geht vielleicht, wie Giorgio Tonelli annimt, der Begriff „Wahrnehmung" bei Kant auf die Leibnizsche „perception" und die Substantivform „das Ich" auf das „le moy" in den Nouveaux Essais zurück[153]. Hinzuzufügen wäre hier, daß Leibniz schon zwischen „Perzeption" und „Apperzeption" unterscheidet[154], was sich auch bei Tetens niedergeschlagen hat[155]. Für die Weitergabe des Begriffs der „perceptio" kommt allerdings auch Knutzen in Frage[156]. Nach Jürgen Bona Meyer[157] wären hier außerdem zu erwähnen die „Vornehmsten Wahrheiten der natürlichen Religion" von Herman Samuel Reimarus[158], der ausgehend von der Einheit des Selbstbewußtseins die Identität in der Zeit[159], die Substantialität[160], die Unität[161], die Simplicität[162] und die Immaterialität[163] der Seele ableitet und sich gegen die prästabilierte Harmonie ausspricht[164]. Kant hat dieses Werk aber schon 1763 in seinem „einzig möglichen Beweisgrund" zitiert[165], so daß es für einen späteren Einfluß weniger in Frage kommt. Schließlich ist noch Moses Mendelssohns „Phaedon" aus dem Jahre 1767[166] zu nennen, dem Kant in der 2. Auflage der KrV einen eigenen Abschnitt[167] gewidmet hat. Der Men-

---

[151] Vgl. AA 1/338 f. in Verb. mit AA 1/262 u. 271. Ähnlich schon gegenüber Leibniz AA 1/107. Von einer „faulen Weltweisheit", „die unter einer andächtigen Mine eine träge Unwissenheit zu verbergen trachtet", hatte Kant schon in der „Allg. Naturgeschichte" gesprochen (AA 1/334), ähnlich auch AA 2/119 und 2/121. Nach Erscheinen der „Nouveaux Essais" wurde „die Berufung auf immaterielle Prinzipien eine Zuflucht der faulen Philosophie" genannt (AA 2/331), was unter dem Stichwort der „ignava ratio" in der KrV wieder aufgegriffen wird (A 689 = B 717, A 773 = B 801).
[152] 2. Buch, Kap. 9, a.a.O. (144) 120.
[153] G. Tonelli, Das Wiederaufleben der deutsch-aristotelischen Terminologie bei Kant während der Entstehung der „Kritik der reinen Vernunft", in: ABG 9 (1964) 233-242, hier: 234 u. 240.
[154] 2. Buch, Kap. 9, a.a.O. (144) 113.
[155] vgl. Tetens, a.a.O. (130) 1/104, 106 und 2/178. Zum „Ich" bei Tetens vgl. oben Anm. 134. Tetens' Bezugnahme auf die Nouveaux Essais z.B. 2/331.
[156] Knutzen, a.a.O. (6) 100 ff., 192 unter Bezugnahme auf Leibniz.
[157] a.a.O. (56) 225 ff.
[158] H. S. Reimarus, Die vornehmsten Wahrheiten der natürlichen Religion in zehn Abhandlungen auf eine begreifliche Art erkläret und gerettet von ... Zweyte verb. Aufl. (Hamburg 1755).
[159] a.a.O. (158) ab 422.
[160] ebd. ab 429.
[161] ebd. ab 434.
[162] ebd. ab 442.
[163] ebd. ab 453.
[164] ebd. 468.
[165] vgl. AA 2/161.
[166] M. Mendelssohn, Phaedon oder über die Unsterblichkeit der Seele in drey Gesprächen (Berlin und Stettin 1767).
[167] vgl. auch J. L. Vieillard-Baron, Kant critique de Mendelssohn: la psychologie rationelle, in: Akten d. Intern. Kant-Kongr. Mainz 6.-10. April 1974, Teil II.1, 403-406.

delssohnschen Auffassung, ein einfaches Wesen könne nicht natürlicherweise allmählich in Nichts verwandelt werden, da dies übergangslos in der Zeit geschehen müßte, hält Kant entgegen, daß eine allmähliche qualitative Verminderung dadurch nicht auszuschließen sei[168]. Im dritten Gespräch des ,,Phaedon'' findet sich indes ein für die Kritik der praktischen Vernunft (= KpV) in der Unsterblichkeitsfrage wichtiger Gedanke, an dem Kant bis ins späte Alter festhalten wird[169], nämlich das beständige und unaufhörliche Wachstum an innerer Vollkommenheit als Bestimmung vernünftiger Wesen und die daraus folgende Aufforderung, das Gute auch notfalls selbst ,,auf Unkosten'' des Lebens zu befördern[170].

Im Rahmen der transzendentalen Elementarlehre gehört das Paralogismus-Kapitel zum zweiten Teil der transzendentalen Dialektik, die sich an die transzendentale Analytik innerhalb der transzendentalen Logik anschließt. Dieser zweite Teil der transzendentalen Dialektik beschäftigt sich mit den dialektischen Vernunftschlüssen, d. h. mit solchen Schlüssen, die es mit den transzendenten, d. h. die Erfahrung gänzlich übersteigenden Grundsätzen der Vernunft zu tun haben und einen unvermeidlichen Schein mit sich bringen, der sich wohl aufdecken, aber nicht beheben läßt[171]. Die dabei verwendeten transzendenten Urteile implizieren drei Klassen von transzendentalen Ideen oder Begriffen der reinen Vernunft, die analog zu den reinen Verstandesbegriffen (Kategorien) entwickelt werden, ohne daß aber eine ,,objective Deduction'' möglich ist[172]. Die erste Klasse enthält ,,die absolute (unbedingte) *Einheit des denkenden Subjects*, die *zweite* die absolute *Einheit der Reihe der Bedingungen der Erscheinung*, die *dritte* die absolute *Einheit* der *Bedingung aller Gegenstände des Denkens überhaupt*''[173]. Der ersten Klasse entspricht die Idee der Seele als eines denkenden Subjekts, der zweiten die Idee der Welt als des Inbegriffs aller Erscheinungen und der dritten schließlich die Idee des Urwesens (,,das Wesen aller Wesen'') als der Möglichkeitsbedingung alles Denkbaren überhaupt[174]. Die Paralogismen beschäftigen sich mit den Grundfragen der rationalen Psychologie und bilden die erste Klasse der dialektischen

---

[168] KrV B 413 f., entsprechend Mendelssohn a.a.O. (166) 142-161.
[169] R 6427, AA 18/712 f..
[170] Mendelssohn a.a.O. (166) 268-277. Unsterblichkeit der Seele aufgrund des möglichen beständigen Wachstums in der Vollkommenheit zum Zwecke der Glückseligkeit fordert auch mit ausführlicher Begründung Hennings a.a.O. (133) 383-394. Tetens diskutiert allgemein den Zusammenhang von Glückseligkeit und Vollkommenheit: ,,Es ist für sich ein Grundsatz, dessen Richtigkeit auffällt, ,daß je mehr der Mensch vervollkommnet wird, ,einer desto größern Glückseligkeit werde er fähig'.'' (a.a.O. (130) 2/815), ohne dabei aber das Thema der Unsterblichkeit zu berühren, das nur im Schlußsatz anklingt: ,,Mich deucht, es sey auffallend, daß es auch hier in unserer Natur Kräfte und Bestrebungen gebe, die nach Punkten hingehen, welche jenseits des Grabes liegen.'' (ebd. 2/834).
[171] Vgl. KrV A 297 f., B 353 ff..
[172] KrV A 336, B 393.
[173] KrV A 334, B 391.
[174] ebd..

Schlüsse der reinen Vernunft, während die zweite Klasse der dialektischen
Vernunftschlüsse als vierfache Antithetik der Antinomie[175] und die dritte
schließlich als das „Ideal" der reinen Vernunft dargestellt wird. In der ersten
Auflage der KrV werden die Paralogismen in ein Viererschema gebracht, das
zwar auf die Einteilung der Kategorien bezogen wird, aber gegenüber der Ka-
tegorientafel eine Umstellung erfährt: in der sog. Topik der rationalen Seelenlehre wird die Kategorie der Substanz von Platz drei auf Platz eins gerückt[176],
woraus eine gewisse auch sonst zu beobachtende systematisierende Künstlich-
keit ersichtlich ist[177]. Die Reihenfolge ist also nun: Die Substantialität der Seele und ihre Immaterialität, an zweiter Stelle die Einfachheit der Seele und ihre
Inkorruptibilität, drittens die Identität in der Zeit als Personalität und
schließlich ihr Verhältnis zu den „*möglichen*" (damit wenigstens der 4. Platz
angedeutet ist!) „Gegenständen im Raum". Dieser vierte Paralogismus wurde
offenbar unabhängig von den drei übrigen verfaßt und beschäftigt sich im
Grunde mit der Frage des transzendentalen Idealismus (später formaler genannt)[178], der an dieser Stelle mit der rationalen Seelenlehre verzahnt erscheint. Die drei ersten Paralogismen sind Argumente, die Kant mit sehr deutlichen Übereinstimmungen seinen Vorlesungen über rationale Psychologie
entnommen hat, die von Max Heinze in die Zeit von 1775/76 bis 1779/80 da-
tiert wurden[179] und von denen eine Nachschrift zuerst von Pölitz herausgegeben wurde, allerdings als textkritisch unzuverlässige Kompilation von ausge-
wählten Einzelstücken. Die Datierung ist bis heute nicht genauer
einzugrenzen[180], aber von der sich jetzt deutlicher abzeichnenden Entstehungsgeschichte der Paralogismen her vielleicht noch präzisierbar. Den
vierten Platz nimmt in diesen Vorlesungen abweichend von der Ordnung der
Paralogismen das Freiheitsthema ein, daß nämlich die Seele „simpliciter
spontanea agens sey"[181], was in der KrV im Anschluß an die dritte Antinomie
abgehandelt wird, dort allerdings nur assoziativ angebunden[182] an das Thema
eines „ersten Anfang(s)" der „Reihe der Naturursachen" überhaupt „aus
Freiheit"; die transzendentale Idee der menschlichen Freiheit schließt sich
daran an als eine solche, die auch im Kontext der Naturursachen „eine neue

---

[175] Zur Bevorzugung des Singular „Antinomie" vgl. Hinske, a.a.O. (46) 100-103.

[176] KrV A 344 = B 402.

[177] Vgl. zu diesem Aspekt E. Adickes, Kants Systematik als systembildender Faktor (Berlin 1887); andere Kritiker bei Kalter, a.a.O. (54) 71.

[178] Kant hat später gegenüber dem „transzendentalen Idealismus" den Ausdruck „formaler Idealismus" bevorzugt, der weniger in dem Sinne mißverstanden werden kann, als sei er auf eine transzendentale Wirklichkeit bezogen (vgl. Kalter, a.a.O. [54] 271 ff.).

[179] Heinze, a.a.O. (31) 516 [36. Daß Kant hier gegen seine eigene frühere Position vorgeht, er- gibt der Vergleich mit den frühen Vorlesungsnachschriften: Pölitz, a.a.O. (31) 200-209 (entspr. AA 28.1/265-270). Vgl. dazu auch Nailis, a.a.O. (122 - Diss.) 48, Kalter, a.a.O. (54) 123.

[180] Vgl. G. Lehmann in seiner Einleitung AA 28.2,2/1338-1372, bes. 1340-1346.

[181] Pölitz, a.a.O. (31) 200, 204-209, entspr. AA 28.1/265, 267-270.

[182] Vgl. oben Anm. 64.

Reihe schlechthin'' anfangen kann[183]. In den Vorlesungen deutet sich die Antinomie bereits an: ,,obgleich die spontaneitas absoluta nicht kann begriffen werden, so kann sie doch auch nicht widerlegt werden''[184], ebenso wie die Wendung ins Praktische: ,,Der Begriff der Freiheit ist praktisch-hinreichend, aber nicht spekulativ''[185]. Trotzdem wird in den Vorlesungen aus der ,,Spontaneität, zu handeln'' als einem inneren Prinzip des Lebens ,,transscendental'' ein Beweis ,,a priori'' der Unsterblichkeit geführt, der noch als gültig betrachtet wird[186]. Gleichzeitig wird bestritten, daß man (wie noch bei Wolff) die Immaterialität der Seele aus ihrer Einfachheit herleiten könne, ,,sondern *nur so viel: daß alle Eigenschaften und Handlungen der Seele sich nicht aus der Materialität erkennen lassen*''[187]. Dieser eingeschränkte Nutzen wird übrigens in beiden Auflagen des Paralogismus-Kapitels aufrechterhalten[188]. Im Hinblick auf Tierseelen und Geister wird in den Vorlesungen sogar festgestellt, daß es hier um eine ,,Entdeckung'' gehe, ,,die viel Mühe gekostet hat, und die noch Wenige wissen: nämlich *die Schranken der Vernunft und der Philosophie einzusehen*, wie weit die Vernunft hier gehen kann. Wir werden also hier *unsere Unwissenheit* kennen lernen, und *den Grund* derselben einsehen ... und *wenn wir das wissen, so wissen wir schon viel*''[189]. Wie in den Paralogismen werden die entsprechenden ,,transscendentalen'' Argumente aus dem Ichbewußtsein hergeleitet, bei dem der Körper als Gegenstand des äußeren Sinnes weggelassen wird, so daß die Seele übrigbleibt als Gegenstand des inneren Sinnes, hier noch als empirischer Gegenstand verstanden, den man fühlt und dessen man sich bewußt ist, als Subjekt, das von seinem Begriff her nicht Prädikat eines anderen Dinges sein kann und daher Substanz sein muß[190]; als Subjekt, das zweitens als einfaches und drittens als ein einziges (als ,,einzelne Seele'') im Bewußtsein des ,,Ich denke'' vorgestellt wird[191]. Von hier aus wird deutlich, daß Kant in den Paralogismen von ihm selbst früher vertretene Argumente als fehlerhaft kritisiert: die kritische Perspektive setzt nicht mehr beim Begriff des ,,Ich in sensu stricto''[192] als Ausdruck für die Seele an, sondern geht vorsichtiger von dem ,,Satz: *Ich denke*'' aus, und genau an der Stelle, wo Kant von seiner Absicht spricht, ihn ,,durch alle Prädikamente der reinen Seelenlehre mit einem kritischen Auge'' zu verfolgen, beginnt auch die Neubearbeitung der

[183] KrV A 451 = B 479.
[184] Pölitz, a.a.O. (31) 206, entspr. AA 28.1/268 (im Original gesperrt).
[185] Pölitz, a.a.O. (31) 209, entspr. AA 28.1/270.
[186] Pölitz, a.a.O. (31) 234 f., entspr. AA 28.1/285 f..
[187] Pölitz, a.a.O. (31) 213, entspr. AA 28.1/272 f..
[188] Vgl. KrV A 383, B 420.
[189] Pölitz, a.a.O. (31) 216, entspr. AA 28.1/274. Weil die Frage nach den Schranken der Vernunft schon in früheren Jahren nachweisbar ist, ist diese Stelle kaum zur Datierung geeignet, wie P. Menzer gemeint hat. Darauf weist G. Lehmann, a.a.O. (180) 1345 hin.
[190] Pölitz, a.a.O. (31) 201 f., entspr. AA 28.1/265 f..
[191] Pölitz, a.a.O. (31) 202 ff., entspr. AA 28.1/266 f..
[192] Pölitz, a.a.O. (31) 200, entspr. AA 28.1/265.

zweiten Auflage[193]. Tatsächlich finden sich im Kontext der Paralogismen der ersten Auflage noch Textstücke, die den Ich-Begriff auf einen realen Gegenstand in der Erscheinung beziehen[194], während der Haupttext der ersten drei Paralogismen den Ich-Begriff bereits transzendental-logisch versteht: Das Ich--denke bezieht sich nicht mehr auf einen realen Gegenstand, sondern gehört „zu den formalen Bedingungen der Möglichkeit der Erfahrung"[195] und bedingt als Ausdruck der „transscendentalen Apperception"[196] die Einheit aller Erkenntnisse überhaupt. Kant greift also im Paralogismenkapitel auf ein Stück der transzendentalen Analytik zurück: „Die Apperception ist selbst der Grund der Möglichkeit der Kategorien, welche ihrerseits nichts anders vorstellen, als die Synthesis des Mannigfaltigen der Anschauung, sofern dasselbe in der Apperception Einheit hat"[197]. Paralogismus 4 gehörte dagegen zum größten Teil[198] zur früheren Phase, in der das Ich als realer Gegenstand verstanden und behandelt wurde, — übrigens mit teilweise noch älteren Bestandteilen aus der vorkritischen Zeit[199] —, so daß er in der zweiten Auflage folgerichtig weichen mußte. Kalter hat gezeigt, daß sich gerade im 4. Paralogismus verschiedene Entwicklungsphasen des Kantschen Denkens überlagern[200]. Aber auch im 2. Paralogismus ist in den Absätzen 10-18 (Seite A 356 ab: „Jedermann" bis Schluß), wo es sich um die etwa aus der Einfachheit der Seele abzuleitende Immaterialität handelt, ein älteres Textstück aus der Phase des realen Ich-Begriffs übriggeblieben, ebenso wie in den Absätzen 5 bis 16 des Kapitelanhangs (A 384 — A 396 oben), in denen es um die Erörterung der Commerciumsproblematik geht[201]. Beiden Abschnitten ist gemein-

---

[193] KrV A 348, B 406.

[194] Vgl. Kalter, a.a.O. (54) 111-119, bes. 116.

[195] Kalter, a.a.O. (54) 214 f..

[196] KrV A 158 = B 197.

[197] KrV A 401.

[198] Mit Ausnahme von Absatz 9-12 („Weil indessen" A 373 bis „im Raume haben" A 377); vgl. Kalter, a.a.O. (54) 129 und 134 ff.; 217-234. Zur zeitlichen Einordnung: 234.

[199] In die vorkritische Zeit reichen nach der überzeugenden Analyse Kalters der Syllogismus selbst und das als „Text A" bezeichnete Textstück zurück, das die Absätze 1-3 (A 366-369 oben) umfaßt (vgl. Kalter, a.a.O. (54] 129; 143 bis 171 unter Angabe der Parallelen aus der Nova dilucidatio, der Inaugural-Dissertation und aus frühen Vorlesungsnachschriften). Zur Schicht des ‚realen Ich-Begriffs' (als Erscheinung oder als Ding an sich selbst) vgl. Kalter, ebd. 116-119).

[200] Kalter unterscheidet im Text des 4. Paralogismus der ersten Auflage drei z.T. ineinander verschachtelte Phasen eines frühen empirischen Idealismus, eines als Übergangsphase bezeichneten transzendentalen Idealismus (die Texte „B" mit den Absätzen 4-8 und „D" mit den Absätzen 13-15) und schließlich die letzte Phase (Text „C" mit den Absätzen 9-12 entspr. A 373 oben bis 377), in der das Realitätsproblem in der Zeit der Endredaktion mit neuen Argumenten im Sinne eines kritisch geläuterten empirischen Realismus gelöst wird (a.a.O. (54] 128-234). Kalter kann auf dieser Basis zeigen, daß der veränderte Text der B-Auflage nichts wesentlich Neues mehr bringt: er beseitigt vielmehr „Tendenzen, die auf den frühen Ursprung einzelner Teile des ersten Beweises zurückgehen, und verstärkt andere, die nur in den späten Teilen angedeutet waren" (ebd. 243). Damit gewinnt der 4. Paralogismus eine Schlüsselstellung für die Interpretation der KrV im ganzen, falls Kalters Analysen zutreffend sind.

[201] Vgl. Kalter, a.a.O. (54) 116 ff..

sam, die Antworten der rationalen Psychologie auf der Ebene der Unterscheidung zwischen Erscheinung und Ding an sich selbst abzuweisen: die These von der Immaterialität der Seele kommt dadurch zustande, daß die Materie als Ding an sich selbst betrachtet wird, obwohl sie nur in der Erscheinung erfahrbar ist. Vergleicht man aber die Seele als „ein denkend Wesen an sich" mit dem „Intelligibelen, welches der äußeren Erscheinung, die wir Materie nennen, zum Grunde liegt", von dem wir ja „gar nichts wissen"[202], läßt sich ein innerlicher Unterschied überhaupt nicht ausmachen. In gleicher Weise werden auch die Theorien über das Commercium-Problem angegangen, wobei Kant wie auch sonst, z. B. in der Gottesfrage, seine eigenen früheren Lösungen als unzulänglich verwirft[203]. Alle drei Erklärungsversuche basieren auf einem gemeinsamen πρῶτον ψεῦδος, nämlich einem „groben"[204] „transscendentalen Dualismus", „die Materie, als solche, für ein Ding an sich selbst (und nicht als bloße Erscheinung eines unbekannten Dinges)" anzusehen[205], während diese „selbstgemachte Schwierigkeit"[206] gänzlich schwindet, wenn wir uns auf den Unterschied der „innere(n) und äußere(n) Erscheinungen als bloße Vorstellungen in der Erfahrung" beschränken, der nichts „Widersinnisches" enthält, das „befremdlich" wäre[207]. Fragen aber, die sich auf die Seele als denkendes Subjekt vor oder nach der Gemeinschaft mit der Körperwelt beziehen, sind von hier aus nicht zu beantworten[208]. Ein anderes Problem hat dagegen hier seinen Ursprung: wie nämlich „der unbekannte Gegenstand unserer Sinnlichkeit ... die Ursache der Vorstellungen in uns sein könne". Von einem unbekannten Gegenstand aber weiß man nicht, „was er thun oder nicht thun könne", so daß der „transscendentale(n) Idealism nothwendig" eingeräumt werden muß[209]. Hier schließt sachlich der 4. Paralogismus „der Idealität" unmittelbar an, der in seiner Entwicklungsgeschichte den Weg zur kritischen Behandlung der drei ersten Paralogismen ebnet. Das „Ich-denke" wird schließlich nicht mehr Cartesianisch auf ein reales (denkendes) Subjekt bezogen, sondern dieses wird inhaltlich immer mehr verringert bis auf jenen Grenzbegriff[210] des transzendental-logischen Subjekts, das der Einheitsfunk-

---

[202] KrV A 360.
[203] Kants kritische Behandlung der Gottesbeweise überholt auch die von ihm früher als „Der einzig mögliche Beweisgrund zu einer Demonstration des Daseins Gottes" vorgelegte Argumentation von 1763, von der er glaubte, sie sei „derjenigen Schärfe fähig", „die man in einer Demonstration fordert", nämlich Gottes „Dasein mit der Wahrnehmung derjenigen Nothwendigkeit einzusehen, die schlechterdings alles Gegentheil vernichtigt" (AA 2/161 f.). Vgl. dazu J. Kopper, Kants Gotteslehre, in: KantSt 47 (1955/56) 31-61.
[204] KrV A 392.
[205] KrV A 391.
[206] KrV A 387.
[207] KrV A 368.
[208] KrV A 393 f..
[209] KrV A 392.
[210] So H. Rickert, Der Gegenstand der Erkenntnis. Einführung in die Transzendentalphilosophie (Tübingen ⁶1928), der bei der Darstellung des erkenntnistheoretischen Subjekts „als Grenz-

tion der transzendentalen Apperzeption nur noch als Aufhänger dient, aber keinen realen Gegenstand als solchen mehr bezeichnet[211]. Das „Ich-denke" ist dann nur noch „die bloß logische Funktion, mithin lauter Spontaneität der Verbindung des Mannigfaltigen einer bloß möglichen Anschauung"[212], so daß das „denkende(n) Ich (Seele)" „*die Kategorien, und durch sie alle Gegen*stände, in der absoluten Einheit der Apperception" „*durch sich selbst* erkennt", nicht aber gleichzeitig oder nachträglich „*sich selbst durch die Kategorien*", weil die Voraussetzung jeder Erkenntnis eines Objekts überhaupt nicht auch selbst noch einmal als Objekt erkannt werden kann[213]. Von hier aus wird dann die Gültigkeit der als Paralogismen bezeichneten Argumente der rationalen Psychologie bestritten, die alle dieselbe, wenn man so sagen darf, ‚enharmonische Verwechselung' im Begriff des denkenden Ich aufweisen: der erste Vernunftschluß der „Substantialität" gibt „das beständige logische Subject des Denkens für die Erkenntniß des realen Subjects der Inhärenz" aus und gelangt damit höchstens zu einer „Substanz in der Idee, aber nicht in der Realität"[214]; im zweiten Vernunftschluß „der Simplicität"

---

begriff" vom Begriff „eines empirisch bewußten Subjekts" ausgeht, „und durch allmähliche Verminderung seines *Inhaltes*, d.h. dessen, was sich darin auch als *Objekt* denken läßt, die Form des Subjekts oder des Bewußtseins überhaupt" oder „die *Form* der Subjektheit" gewinnt (56 f.).
   [211] Vgl. Kalter, a.a.O. (54) 112-116.
   [212] KrV B 428.
   [213] KrV A 401 f..
   [214] KrV A 350 f.. Zum Substanzbegriff der Seele vgl. auch J. Nailis, a.a.O. (122). — Die in der Behandlung des Paralogismus der Substantialität erreichte Position ist geradezu die Umkehrung der eigenen früheren Verwendung des Substanzbegriffs, der aus der Wahrnehmung des denkenden Ich gewonnen wurde und als analogatum princeps für die Übertragung auch auf die äußeren und körperlichen Dinge diente. „Es ist lächerlich, die Seele korperlich gedenken zu wollen; denn wir haben den Begrif der substantz nur von der Seele, und den des korpers bilden wir uns darnach" (R 5294, AA 18/145, unsichere Datierung ab etwa 1769; das unmittelbare Wahrnehmen („intuitively") der eigenen Seelensubstanz „by reflecting on my own soul" und Übertragung des geläuterten und überhöhten Begriffs auf Gott schon in Berkeley's Three dialogues between Hylas and Philonous [London 1713, französische Übersetzung Amsterdam 1750, deutsche Übers. Rostock 1756] im 3. Dialog). „Das Gemüth schaut die substantz an. Von außeren Dingen nur die Handlungen, woraus auf substantz geschlossen wird, weil es praedicate sind" (R 5295, AA 18/145 f.). Aus dieser Sicht sind die Körper „substantiae comparativae, substrata phaenomenorum" (R 5294, AA 18/145), was dem § 201 der Baumgartenschen Metaphysik als Anmerkung gegenübergestellt wurde, in der von „Phaenomenis substantiatis" die Rede ist (vgl. AA 17/68). Nachdem Kant aber zugleich bereits zwischen der „substantz als noumenon oder phaenomenon" (R 5294, AA 18/145; ein Überbleibsel davon in KrV A 379: „Substanz in der Erscheinung") unterschied, mußte er folgerichtig das Vermögen des ‚inneren Sinnes' den Möglichkeiten der äußeren Sinne entsprechend auf die Wahrnehmung des Ich als Erscheinungsgegenstand reduzieren. Das deutet sich bereits in derselben Reflexion 5294 an: „Die Nothwendigkeit kann nicht in der Erfahrung vorkommen, imgleichen die substanz; daher gilt der intellectuale Begrif nicht in seiner gantzen reinigkeit von dem sinnlichen." Bei dieser Wende scheint Locke's: An essay concerning human understanding eine Rolle gespielt zu haben, und zwar in der damals vorliegenden Übersetzung: Herrn Johann Lockens Versuch vom Menschlichen Verstande. Aus dem Englischen übersetzt und mit Anmerkungen versehen von Heinrich Engelhard Poleyen (Altenburg 1757), nicht nur, weil hier die Lehre von inneren Sinn vertreten wurde („die Empfindung der Wirkungen unserer Seele in uns" ... „Und ob sie schon keinen Sinn abgiebt, indem sie mit den äußerlichen

wird die ,,absolute, aber logische Einheit des Subjects (Einfachheit)'' als Erkenntnis der ,,wirkliche(n) Einheit'' des denkenden Subjekts betrachtet[215],
während dementsprechend im dritten Vernunftschluß der ,,Personalität'' die

---

Gegenständen nichts zu schaffen hat: so kömmt sie ihm doch sehr nahe, und könnte in einem
noch ganz eigentlichen Verstande der *innerliche Sinn* genannt werden'', a.a.O. 77), sondern weil
die so gebildeten Begriffe ,,sensificirt'' (KrV A 271 = B 327) werden. Als äußerer Anhaltspunkt,
daß Kant auf Locke zurückgegriffen hat, könnte auch dienen, daß hier das Wort ,,substratum''
zur Erklärung des Substanzbegriffs vorkommt, das bei Baumgarten an der entsprechenden Stelle
nicht verwendet wird und von Kant als Anmerkung nachgetragen wurde (R 3572, AA 17/66, auch
z.B. R 5289, 5294 [s.o.] und 5297 (AA 18/144 f.). Der Lockesche Text zum Substanzbegriff nach
der Poleyschen Übersetzung: ,,Und weil wir ... es nicht zu begreifen vermögend sind, wie diese
einfachen Begriffe für sich bestehen können: so pflegen wir eine Unterlage (Anm.: substratum)
voraus zu setzen, auf welcher sie ihren Bestand haben, und woher sie entspringen, die wir denn
eine *Substanz* nennen.'' ,,Da nun der Begriff, den wir haben, und den wir mit dem allgemeinen
Namen *Substanz* bemerken, nichts anders ist, als der vorausgesetzte und unbekannte Träger derjenigen Eigenschaften, die wir in einem Dinge wirklich antreffen, und von denen wir glauben, daß
sie ohne etwas, das sie trägt, (Anm.: Sine re substante) nicht bestehen könnten: so nennen wir solchen Träger eine Substanz, welches nach der wahren Bedeutung des Wortes schlechthin auf
Deutsch eine Unterstützung oder etwas bemerket, das unter einem Dinge steht, und es hält''
(293). Von der Seele: ,,Eben das ereignet sich auch, was die Wirkungen der Seele, nämlich das
Denken, das Schließen, das Fürchten u.s.w., betrifft. Denn da wir sehen, daß sie nicht für sich bestehen; und da wir nicht begreifen, wie sie dem Körper eigen seyn, oder von ihm hervorgebracht
werden können: so glauben wir leicht, daß sie Thaten einer andern Substanz sind, die wir den
Geist nennen. Woraus denn gleichwohl augenscheinlich erhellet, daß wir von der Materie keinen
Begriff haben, sondern nur von etwas, in welchem die vielen sinnlichen Eigenschaften, die unsere
Sinne rühren, bestehen, daß wir auch, wenn wir eine Substanz voraus setzen, in welcher das Denken, die Erkenntniß, das Zweifeln, die Kraft zu bewegen, u.s.w., bestehen, einen so klaren Begriff von der Substanz des Geistes haben, als wir von der Substanz des Körpers haben. ... Diesem-
nach ist es klar, daß der Begriff von einer körperlichen Substanz in der Materie von unserer Einsicht so weit entlegen ist, als es immer der Begriff von einer geistigen Substanz, oder von dem Geiste seyn mag'' (296). ,,Wollte iemand vorgeben: er wisse nicht, was dasjenige sey, das in ihm denke: so meynet er nichts anders, als daß er nicht wisse, was die Substanz eines solchen denkenden
Dinges sey. Und da sage ich denn, daß er auch so wenig weis, was die Substanz eines dichten Dinges ist. Saget er ferner: er wisse nicht, wie er denke: so antworte ich, er weis es auch nicht, wie er
ausgedehnt ist, wie die dichten Theile eines Körpers vereiniget sind, oder an einander hängen,
daß die eine Ausdehnung bewerkstelligen'' (307). Daß Kant nach Erreichen der kritischen Position auf den vorsichtigeren Ausdruck ,das Substantiale' ausweicht (,,Folglich verwechsele ich die
mögliche *Abstraction* von meiner empirisch bestimmten Existenz mit dem vermeinten Bewußtsein
einer *abgesonderten* möglichen Existenz meines denkenden Selbst, und glaube das Substantiale in
mir als das transscendentale Subject zu erkennen, ...'' B 427; vgl. auch B 441 bzw. A 414: das
Substantiale als ,,der Begriff vom Gegenstande überhaupt, welcher subsistirt, sofern man an ihm
bloß das transscendentale Subject ohne alle Prädikate denkt'' oder AA 4/333 f.: das ,,Substan-
tiale'' als das nach Absonderung aller Prädikate übrigbleibende ,,eigentliche'' und ,,letzte(s)''
,,*absolute Subject*'', das nicht ,,gedacht werden'' kann und im Falle des ,,Ich'' nicht als ,,be-
stimmter Begriff'', sondern nur als ,,regulatives Princip'' im Sinne einer bloßen ,,Idee'' anzusehen ist, aus der keinerlei Folgerungen über die Natur ,,unseres denkenden Wesens'' gezogen werden können) und daß Kant diesen Ausdruck auch in der ,,Preisschrift über die Fortschritte der
Metaphysik'' zur Verdeutlichung des logischen Ich verwendet (,,es ist gleichsam, wie das Substan-
ziale, was übrig bleibt, wenn ich alle Accidenzen, die ihm inhäriren, weglassen habe, das aber
schlechterdings gar nicht weiter erkannt werden kann, weil die Accidenzen gerade das waren, wo-
ran ich seine Natur erkennen konnte'' AA 20/270), braucht dagegen nicht mit Poleys Ausführungen über das ,,Substantialische'' (,,In der Welt giebet es außer den Kräften nichts substantiali-
sches'', a.a.O. 295 ff.) zusammenzuhängen, weil sich der Ausdruck ,,substantiale'' bereits bei

,,logische(n) Identität'' des Ich-Bewußtseins ,,in verschiedenen Zeiten'' ,,nur eine formale Bedingung meiner Gedanken und ihres Zusammenhanges'' ist und nichts über die ,,numerische Identität meines Subjects'' über den Bereich der Erfahrung hinaus oder die Unmöglichkeit seiner totalen ,,Umwandelung'' beweist[216]. Das so verstandene ,,Ich-denke'' verklammert also das Paralogismenkapitel mit dem transzendentalen Idealismus und gleichzeitig mit einem zentralen Stück der transzendentalen Analytik[217]. Der einzige die drei früheren Paralogismen zusammenfassende Grundsyllogismus der zweiten Auflage, nach dem ein denkendes Wesen als solches nicht anders denn als Subjekt und damit als Substanz existiert, weil es nicht anders denn als Subjekt gedacht werden kann[218], wird ähnlich aufgelöst: Beim Selbstbewußtsein handelt es sich um ,,gar kein Object'', sondern nur um ein ,,Subject (als die Form des Denkens)'', so daß von ihm nicht gilt, was von einem Objekt überhaupt gesagt werden kann[219]. Diese Lösung wird dann ausdrücklich zurückbezogen auf ,,den Abschnitt von den Noumenen'' in der transzendentalen Analytik[220], in dem dargelegt wird, daß der ,,transscendentale Gebrauch'' von apriorischen Verstandesbegriffen oder -grundsätzen zu völlig inhaltsleeren Sätzen führe[221], und auf eine in der zweiten Auflage in die transzendentale Analytik neu eingefügte ,,Anmerkung zum System der Grundsätze'', in der (auch am Beispiel Subjekt-Substanz) erläutert wird, daß Kategorien ,,für sich gar keine *Erkenntnisse*, sondern bloße *Gedankenformen*'' sind, und daß ihre ,,*objective Reali-*

Baumgarten findet in der Bedeutung: ,,substantia, quatenus est subiectum'' oder ,,id, cui accidentia inhaerere possunt'' (§§ 196 u. 199, AA 17/67 f.). — In den oben erwähnten Reflexionen stellt Kant auch Überlegungen zum Zusammenhang von Substanz und Akzidens im Hinblick auf ihre Verwendbarkeit als Subjekt und Prädikat an, der später im 1. Paralogismus von A und im gemeinsamen Syllogismus der B-Auflage zugrunde gelegt wird (R 5278-5297, AA 18/141-147). ,,Das substantiale'' ist ,,das Ding an sich selbst und unbekant.'' (R 5292, AA 18/145).

[215] KrV A 356.

[216] KrV A 363.

[217] D. Henrich nennt das ,, ,Ich-denke'-Bewußtsein'' bei Kant ,,die Basis für alle seine letzten Argumente'' für die transzendentale Deduktion (Identität und Objektivität. Eine Untersuchung über Kants transzendentale Deduktion. Sitzungsber. d. Heidelb. AkWiss, Philos.-hist. Kl., 1, 1 [Heidelberg 1976] 111). Henrich weist nach, daß in der transzendentalen Deduktion zwei Argumentationslinien sich überlagern, die meistens nicht klar auseinandergehalten werden, und zwar die Bezugnahme auf die Einfachheit des Subjekts und auf seine Identität in verschiedenen Zuständen. ,,Beide Eigenschaften zusammen haben zur Folge, daß unser Bewußtsein als *Einheitsprinzip* bestimmt werden muß'' (56). ,,Kant hat seine Widerlegung der rationalen Psychologie auf das Argument gegründet, daß aus der Einfachheit und der Identität, die dem Selbstbewußtsein zukommen, nicht die Einfachheit und Selbigkeit einer Substanz in der Folge ihrer Zustände gefolgert werden dürfen. Er hat aber damit dem Selbstbewußtsein nicht die Eigenschaft absprechen wollen, auch über eine Reihe von Zuständen mit sich identisch zu sein. Vielmehr bezeichnet er die Eigenschaft seiner Identität einmal ganz ausdrücklich näher als die Identität des ,Ich denke' *in jedem Zustand meines Denkens* (B 419)'' (57 f.).

[218] KrV B 410 f., hier verkürzt.

[219] KrV B 411 f..

[220] KrV B 412.

[221] KrV A 238 f., B 297 f.. Zu Kants ,,völlig leer an Inhalt'' vgl. Leibniz in seinen Nouveaux Essais 4. Buch, Kap. 8: ,,Von den inhaltsleeren Sätzen'' (dt., a.a.O. (144) 510).

tät" nur mit Hilfe von äußeren Anschauungen „darzuthun" sei[222]. Gleichwohl ist das „Ich" des „Ich-denke" als Apperzeption auch ein „Reales" eigener Art, das weder als Erscheinung noch als Ding an sich selbst gegeben ist, aber doch „in der That existirt"[223], nicht als Empfundenes (als Antizipation der Wahrnehmung)[224], sondern als Gedachtes, nicht eigentlich erkannt, sondern nur bezeichnet, „sofern das Denken in Funktion tritt"[225]. Die Anpassung des Begriffs an diesen Sonderfall unterstreicht die Funktion der gleichzeitigen Abgrenzung und Verklammerung, die dem „Ich-denke" zukommt. In der zweiten Auflage setzt sich Kant in mehreren Anläufen mit dem „Cogito" auseinander, um die endgültige Abgrenzung vom Idealismus besonders des Descartes zu verdeutlichen. Den Anstoß dazu hat offenbar der Idealismusvorwurf der Göttinger Rezension[226] gegeben, was vor allem aus den reaktiven Nachträgen in den „Prolegomena" (1783) hervorgeht. Dort wird dem Descartes nacheinander ein „empirischer"[227], ein „materieller"[228] und ein „skeptischer" Idealismus zugeschrieben[229], der schließlich in der 2. Auflage der Kritik ein „problematischer" Idealismus genannt wird, der „nur Eine empirische Behauptung (assertio), nämlich: *Ich bin*, für ungezweifelt erklärt"[230]. Schon in der ersten Auflage wurde der „vermeintliche *Cartesianische* Schluß: cogito, ergo sum" als „tautologisch" bezeichnet, weil das „cogito (sum cogitans) die Wirklichkeit unmittelbar aussagt"[231]. In den „Prolegomena" ist die Reflexion des „cogito" für Kant der Anlaß, seinen „transscendentalen" Idealismus nun künftig den „formalen, besser noch den kritischen

---

[222] KrV B 288-294.
[223] KrV B 424. Nach Heimsoeth, a.a.O. (116) 186 eignet dem Ich als diesem ‚Realen' „ein Sachcharakter von Bewußtsein-Selbstbewußtsein". Henrich zu dieser besonderen Realität: „Denn das Subjekt des ‚Ich-denke'-Bewußtseins ist gewiß Einzelnes und Spontaneität und damit auch etwas Reales, — von welch besonderer Art auch immer. Es ist aber im Entscheidenden falsch aufgefaßt, wenn man übersieht, daß man ihm ein Wissen von den Bedingungen seiner Identität zuschreiben muß, die man nur als logische Prinzipien beschreiben kann und die Kant selbst auch so charakterisiert hat. Keinen dieser beiden Aspekte darf man bei der Begründung von Kants Erkenntnistheorie außer acht lassen." (Henrich a.a.O. (217) 111 f.).
[224] KrV A 166, B 204; vgl. Heimsoeth, a.a.O. (116) 185 f. Anm. 280.
[225] Heimsoeth, ebd. 186.
[226] Vgl. B. Erdmann, Immanuel Kants Prolegomena zu einer jeden künftigen Metaphysik, die als Wissenschaft wird auftreten können, hrsg. u. hist. erkl. von ... (Leipzig 1878) ab XLI, XCIX-CV. Arnoldts Einspruch gegen eine doppelte Redaktion der Prolegomena (Kants Prolegomena nicht doppelt redigiert. Widerlegung der Benno Erdmannschen Hypothese, a.a.O. (28) 3/3-101), der auf einer Abneigung gegen entwicklungsgeschichtliche Forschung im Erdmannschen Sinne beruht (5-8), kann hier außer Betracht bleiben, weil Arnold zugesteht, daß „Kant in den Prolegomenen an mancherlei Stellen die Irrtümer der Göttinger Rezension über seine Lehrmeinungen zurückweist und beseitigt" (9). Ausdrücklich befaßt sich Kant in den Prolegomena in einem eigenen Abschnitt mit dieser Rezension (AA 4/372-380, zu vergleichen mit AA 23/53-65).
[227] AA 4/293.
[228] AA 4/337.
[229] AA 4/375.
[230] KrV B 274 in der der zweiten Auflage eingefügten „Widerlegung des Idealismus".
[231] KrV A 355, vgl. das „ich bin denkend" bei Leibniz (s. oben Anm. 149).

Idealism zu nennen"²³², ja, die ursprüngliche Benennung wird wegen der Gefahr der Mißdeutung förmlich zurückgenommen²³³. Für die erste Auflage der Kritik der reinen Vernunft war das „logische Ich der Apperception" „ein Name für das transscendentale Ich, dessen Erscheinung uns durch das empirische Ich des inneren Sinns zum Bewusstsein kommt" (so Benno Erdmann)²³⁴. Das logische Ich wurde dabei bereits in seiner Doppelfunktion dargestellt: in seiner apriorischen im Hinblick auf seine Beziehung zu den Kategorien, und in seiner transzendentalen hinsichtlich seiner Beziehung zum transzendentalen Subjekt des Denkens als Ding an sich selbst und damit mittelbar auf das Ich in der Erscheinung²³⁵. In den „Prolegomena" wird nun versucht, diesen Zusammenhang rückwärts zu lesen, obwohl tatsächlich der Zugriff auf das logische Ich nicht ohne das empirische Ich stattfindet. Das logische Ich wurde schon in der ersten Auflage andeutungsweise als existierend gedacht (oder doch wenigstens ‚vorgestellt'), und zwar als Voraussetzung dafür, daß die Kategorie des Daseins auf das empirische Ich angewendet werden konnte²³⁶. Diese Voraus-

---

²³² AA 4/375, vgl. auch 4/337.

²³³ AA 4/293, vgl. Kalter, a.a.O. (54) 271-282.

²³⁴ Erdmann, a.a.O. (226) C.

²³⁵ Erdmann, a.a.O. (226) CI.

²³⁶ So Erdmann, a.a.O. (226) CIII, der sich dabei auf zwei Stellen stützt, die nicht ganz eindeutig sind, aber aus dem Gesamtzusammenhang kaum anders interpretiert werden können: einmal die Bezeichnung als „Correlatum alles Daseins, aus welchem alles andere Dasein geschlossen werden muß", die in einem unvollständigen Satz vorkommt — „denkt" ist von Mellin und Erdmann ergänzt (A 402) —, und dazu, was in A 400 von etwas, das „einfach im Begriffe" ist, wozu auch „die bloße Apperception (Ich)" zählt, ausgesagt wird, daß man davon „wirklich nichts weiter, als bloß, daß es etwas sei, zu sagen" wisse. Die genannten Zitate gehören dem Schlußteil der Appendix an, der nach Kalter a.a.O. (54) 108, 112, 124 aus der Zeit der Endredaktion stammt und trotz der erreichten transzendental-logischen Betrachtungsweise („Ich denke" als „formale Bedingung … eines jeden Gedankens" A 398; „Ich bin" als „einzelne Vorstellung", die „die reine Formel aller meiner Erfahrung (unbestimmt) ausdrückt" A 405) das Ich weiterhin als Konkretum kennt und von „Mir, als einem denkenden Wesen überhaupt" (A 399), als „denkende(s)m Ich (Seele)" (A 401) und (indirekt) als „Substratum (Ding selbst)" (A 399) spricht. Daß Kant allerdings in diesem Schlußabschnitt der Appendix von einer „Substanz in der Erscheinung" spricht (A 399), die auf eine frühere Phase verweist (substantia phaenomenon und substantia noumenon, vgl. Kalter, a.a.O. (54) 109) läßt vermuten, daß die Kaltersche Datierung hier noch weiter differenziert werden müßte. Aber auch in der Einleitung des Paralogismenkapitels, die der Schicht des transzendental-logischen Ich zugerechnet und unverändert in die B-Auflage übernommen wird (ab A 341 = B 399 Mitte, vgl. Kalter, a.a.O. [54] 112 ff.; der erste Absatz offenbar nachträglich hinzugefügt, vgl. Kalter, ebd. 105 ff.) wird zunächst vom „Ich, als denkend Wesen" ausgegangen, das als „gegeben" bezeichnet wird (A 344 = B 402) und „nichts weiter, als ein transscendentales Subject der Gedanken vorstellt = x" (A 346, B 404); von dessen Existenz wird dann erst nachträglich abstrahiert, um nämlich alles Empirische im Sinne der angestrebten Untersuchung auszuschalten: „Der Satz: Ich denke, wird aber hierbei nur problematisch genommen; nicht sofern er eine Wahrnehmung von einem Dasein enthalten mag, (das Cartesianische *cogito, ergo sum*) sondern seiner bloßen Möglichkeit nach, um zu sehen, welche Eigenschaften aus diesem so einfachen Satze auf das Subject desselben (es mag dergleichen nun existiren oder nicht) fließen mögen" (A 347, B 405). „der Satz: *Ich denke* (problematisch genommen), die Form eines jeden Verstandesurtheils überhaupt enthält und alle Kategorien als ihr Vehikel begleitet" (A 348, B 406, vgl. auch A 341 = B 399, das „Ich denke" als „Vehikel aller Begriffe überhaupt, und mithin auch der transscendentalen"). Damit bleibt die Existenz nur aus-

setzung ist aber nur eine logische und transzendentale und bedeutet keine zeitliche Bestimmung. Kant ringt in den ,,Prolegomena'' förmlich nach Worten.
Nachdem er festgestellt hat: ,,das Ich ist gar kein Begriff, sondern nur Bezeichnung des Gegenstandes des innern Sinnes'', kein ,,bestimmter Begriff eines absoluten Subjects, sondern nur wie in allen andern Fällen die Beziehung
der innern Erscheinungen auf das unbekannte Subject derselben''[237], erklärt

---

geklammert, ohne aber bestritten zu werden. Die Abstraktion bezieht sich nicht auf ein freischwe-
bendes Bewußtsein (das ohne Existenz gar nicht gedacht werden könnte), sondern auf ein solches,
das, wenn es überhaupt ein erkennendes und denkendes und damit ein handelndes ist, (hypothetisch) als faktisch reales vorkategorial vorausgesetzt werden muß, ohne daß die Kategorie ,,Da-
sein'' auf dieser Basis schon anwendbar wäre. In die gleiche Richtung geht Kants Randbemerkung
in seinem Handexemplar der ersten Auflage, in der er den Satz: ,,Die Seele ist *Substanz*'' mit
,,Die Seele existirt als Substanz'' erklärt (AA 23/50), ohne diese Veränderung aber in die zweite
Auflage zu übernehmen (vielleicht aufgrund des Systemzwangs, die Existenzkategorie nur unter
Nr. 4 unterbringen zu können, vgl. die Fußnote in der KrV zu dieser Stelle). Als weitere Bestätigung dieser Überlegungen mag gelten, daß Kant in seinen Reflexionen im genannten Handexemplar das ,,Ich denke'' als ,,Satz a priori'' bezeichnet (AA 23/39), und zum ,,Ich bin'' fragt: ,,ist
dieses ein analytisches oder synthetisches Urteil?'' Seine Antwort lautet: ,,A, ein Object überhaupt existirt, ist immer ein synthetisches Urtheil, und kann nicht a priori erlangt werden: ,Ich
bin' ist also kein Erkenntnis des Subjects, sondern blos das Bewußtseyn der Vorstellung des
Objects überhaupt'' (AA 23/42 f.).
[237] AA 4/334. — Es ist an dieser Stelle nicht möglich, der Entwicklung der Lehre vom ,inneren
Sinn' bei Kant im einzelnen nachzugehen. Verwiesen sei dazu insbesondere auf die Arbeiten von
F. Rademaker, Kants Lehre vom innern Sinn in der ,,Kritik der reinen Vernunft'' (Diss. Marburg
1908), A. Monzel, Die Lehre vom inneren Sinn bei Kant. Eine auf entwicklungsgeschichtliche und
kritische Untersuchungen gegründete Darstellung (Bonn 1913, Teilabdruck der Teile I und II unter dem Titel: Die historischen Voraussetzungen und die Entwicklung der Kantischen Lehre vom
inneren Sinn als Diss. Bonn 1912) u. H. Schulz, Innerer Sinn und Erkenntnis in der Kantischen
Philosophie (Diss. Köln 1962). Bei Kalter, a.a.O. (54) vgl. besonders die Ausführung auf den Seiten 116, 161, 169, 213. — Der ,innere Sinn' als vermittelnde Instanz zwischen sinnlicher und intel-
lektueller Erkenntnis wird von Kant in der Frühzeit breiter gefaßt und insgesamt uneinheitlich zugeordnet. 1755 wird der ,innere Sinn' im Zusammenhang mit der Commercium-Problematik als
Vermögen der passiven Wahrnehmung innerer Empfindungen neben dem aktiven Denkvermögen
(= die Eindrücke zu wiederholen, zu verbinden und zu vergleichen) der Seele zugewiesen (AA
1/355 und 411). Die sich aus der Cartesianischen Annahme ausgedehnter und denkender Substanzen ergebende schwierige Aufgabe, beide Seiten miteinander zu vermitteln, macht es verständlich,
daß der ,innere Sinn' in der von Kant damals vorgefundenen Literatur unterschiedlich bestimmt
worden war: Bei Leibniz hatte er als ,Einbildungskraft' eine zusammenfassende Einheitsfunktion
hinsichtlich der äußeren Sinne, der besonderen Sinne und des Gemeinsinnes (Lettre touchant ce
qui est independant des sens et de la matière, 1702), bei Wolff diente er eher beiläufig als
Bewußtsein der ,,operationum mentis'', um die Logik überhaupt zu ermöglichen (Philos. rationalis sive Logica Methodo scientifica pertractata ... [Francofurti & Lipsiae MDCCXXXX] 125
[§ 31]), und Baumgarten bestimmte ihn in seiner Metaphysik als ,,conscientia strictius dicta',
die zwar der Sinnlichkeit zugerechnet wurde, aber als Repräsentation des im ,,cogito'' erfaßten ,,sta-
tus(m) [praesens(-tem)] animae'' verstanden wurde (AA 15/30, § 534 f.). Gegenüber diesen Vor-
lagen werden wohl die ,,sensio interna'' A. Rüdigers (Institutiones Eruditionis, seu Philosophia
synthetica, tribus libris, De Sapientia, Justitia et Prudentia, Methodo Mathematicae aemula, bre-
viter et succincte, comprehensa, ... [Francofurti ad Moenium ³1717] 22 f.; ders.: De Sensu Veri et
Falsi Libri IV [Lipsiae ²1722] 63: ,,passio intellectus, quae a spiritibus, ab ipsa anima in motum ci-
tatis afficitur'', gegenüber dem Ausdruck ,,sensus internus'' bevorzugt'' [59]) und die ,,innerli-
chen Empfindungen'' bei Ch. A. Crusius (a.a.O. [36] Entwurf 29, 824 f.; Weg 113, 155) für Kant
von geringerem Gewicht gewesen sein. Zwei Jahre später (1757) erschien die genannte Locke-
-Übersetzung (vgl. Anm. 214). Daß Locke hier den inneren Sinn als ,,reflexion'' (so als Fußnote

er in einer offenbar durch die Göttingische Rezension veranlaßten Fußnote, „die Vorstellung der Apperception, das Ich" sei „nichts mehr als *Gefühl* eines Daseins ohne den mindesten Begriff und nur Vorstellung desjenigen, worauf

---

dort angegeben) bezeichnet (von Poley mit „Ueberdenken" übersetzt [78]), ist charakteristisch für seine Position. Rüdiger unterscheidet wenigstens andeutungsweise zwischen der „sensio interna" und der Reflexion: „Sic enim verbi gratia in cogitationibus ipsis (1) sentio *rem* me afficientem, (2) sequitur *cogitatio*, (3) iterum *sentio* cogitationem, quae est sensio interna, (4) hanc iterum sequitur *cogitatio*, quam veteres bene dicebant *cogitationem reflexam*. ... Hinc recte dixit *Cartesius, cogito*, id est, sentio me cogitare: porro, *cogito me cogitare*, id est sentio, me sentire cogitationes meas. Nihil autem conciperes, utut ulterius diceres, *cogito, me cogitare, me cogitare*" (De sensu veri et falsi 65). 1762 hält Kant („meine jetzige Meinung") den ‚inneren Sinn' für ein unableitbares „Grundvermögen" vernünftiger Wesen, auf dem deren „ganze obere Erkenntnißkraft" „beruht" und das ähnlich wie bei Locke dazu dient, „seine eigene Vorstellungen zum Objecte seiner Gedanken zu machen" (AA 2/60). In den 1765 veröffentlichten „Nouveaux Essais" spricht Leibniz von der ‚Apperzeption', die zusammen mit der ‚Reflexion' die ‚Perzeptionen' begleitet (dt. a.a.O. [144] 10, 120), aber auch fehlen kann (ebd. 151) und uns mit Tieren gemeinsam ist (ebd. 12), was für die ‚Reflexion' nicht zutrifft (ebd. 112); „Cette continuation & liaison de *perceptions* fait le même individu reellement, mais les *apperceptions* (c'est à dire lorsqu'on s'apperçoit des sentimens [!] passés.) prouvent encore une identité morale, & font paroitre l'identité reelle." (Originalausgabe, a.a.O. [143] 198). Da der Ausdruck ‚Apperzeption' aber in Kants Druckwerken nicht vor der KrV verwendet wird, scheint insofern ein sofortiger Einfluß nicht nachweisbar zu sein. In den Institutiones Historiae philosophicae usui academicae iuventutis adornatae (Lipsiae 1747) teilte J. Brucker über die Leibnizsche Terminologie mit, „hunc statum transeuntem, multitudinem in vnitate repraesentantem esse perceptionem, ab apperceptione seu conscientia probe distinguendam" (632). Unter Berufung auf Leibniz hatte bereits Wolff in seiner Psychologia empirica (Methodo scientifica pertractata ... [Francofurti & Lipsiae MDXXXVIII, reprogr. Nachdr. Hildesheim 1968]) den Begriff der „Apperceptio" verwendet („Menti tribuitur *Apperceptio*, quatenus perceptionis suae sibi conscia est" 17) und in seiner Psychologia rationalis wieder aufgegriffen (a.a.O. [12] 11; „*Ex claritate perceptionum partialium nascitur apperceptio.* ... Hinc non mirum obscuritate tolli apperceptionem" 16). Im Jahre 1739 definiert auch Baumeister (a.a.O. [27] 341) unter Berufung auf Leibniz die Apperzeption als Perzeption der Perzeption: „Quatenus ... anima huius repraesentationis sive perceptionis simul sibi est conscia, dicitur *appercipere*." Die Verwendung dieses Begriffes durch Baumeister und vor allem durch Tetens dürfte Kant entscheidend beeinflußt haben. Demgegenüber gibt es für Leibniz auch eine „Intuition' als erste Stufe der Erkenntnis (433), mit der „die *ursprünglichen* Wahrheiten" erkannt werden (419), zu denen auch „das unmittelbare Bewußtsein unseres eigenen Daseins und unseres Denkens" gehört, das uns gleichzeitig „die *ersten aposteriorischen* oder faktischen Wahrheiten, d.h. die ersten Erfahrungen liefert" (518 f.). Dies könnte schon für J. G. H. Feder bestimmend gewesen sein, der 1768 in seiner Antrittsvorlesung (De sensu interno exercitatio philosophica prima / ad orationem qua munus Professoris Philosoph. P. O. in inclita Georgia Avgusta ad diem XXX. Aprilis capessiturus est invitaturus scripsit... [Goettingae (1768)]) den literarischen Ursprüngen des ‚inneren Sinnes' nachging, die er wie folgt zusammenfaßt: „Hanc puto vim, *quam veteres mentis aciem se ipsam intuentem* b), *sensum animi* & constitutionis suae, dixerint, *quo id sentitur, per quod reliqua sentiuntur* c). Cui vero praecipue sensus interni nomen vindicarunt recentiores potissimum metaphysici" unter Bezugnahme auf b) CICERO Tusc. quaest. i. 30 und c) SENECA epist. CXXXI (a.a.O. 10 f.). Nachdem Kant im gleichen Jahre dem ‚inneren Sinn' noch die Anschauung der Realität des „absoluten und ursprünglichen Raum(es)" zugesprochen hatte (AA 2/383), ist es daher vielleicht kein Zufall, daß er in seiner Dissertation von 1770 vom „intuitus purus" in dem („in quo") alles Sinnliche gedacht wird und dessen Formalprinzip (Raum und Zeit) die Bedingung ist, unter der („sub qua") überhaupt etwas Gegenstand unserer Sinne sein kann (AA 2/396 f.). In seinem Brief an M. Herz vom 21. Februar 1772 ordnet Kant deutlicher die Zeit als Form dem inneren Sinne zu, und er wirft im Zusammenhang damit die Frage nach der Wahrnehmung der Wirklichkeit auf, wobei er feststellt: „bey dem innern Sinne aber ist das Dencken oder das existiren des Gedanckens und meiner Selbst einerley" (AA 10/134, vgl. auch Monzel,

alles Denken in Beziehung ... steht"[238]. Der schillernde Ausdruck ,,Gefühl'',
der die Wahrnehmung von Empfindungen der inneren und äußeren Sinnlichkeit objektiver oder bloß subjektiver, ungegenständlicher Art bezeichnet, spä-

---

a.a.O. 55 f.). Tetens versucht dann 1777, die Positionen von Leibniz und Locke miteinander zu
verbinden, indem er den äußeren Sinnen einen inneren Sinn gegenüberstellt und gleichzeitig eine
Apperzeption kennt. Außerdem kommt dem ,Gefühl' bei Tetens eine wichtige Bedeutung zu, und
es lassen sich sogar Anklänge an die Metaphysikvorlesung Kants nach Pölitz angeben. Da aber
Kant selbst schon früher dem Gefühl ein großes Gewicht beimißt, läßt sich in diesem Punkt eine
Beeinflussung nicht behaupten (vgl. W. Ueberle, Johann Nicolaus Tetens nach seiner Gesamtent-
wicklung betrachtet mit besonderer Berücksichtigung des Verhältnisses zu Kant. Unter Benützung
bisher unbekannt gebliebener Quellen. KSt Erg.H. 24. [Berlin 1912, Innentitel 1911] 113 ff.). Insgesamt bleibt die begriffliche Durcharbeitung bei Tetens, wohl durch seinen Eklektizismus bedingt, eher unscharf, wodurch sich für Kant vermutlich eine Fülle von Fragen ergab, die sein Denken vorantrieb. So ist für Tetens z.B. das Gefühl zusammen mit der Apperzeption (= Gewahr-
nehmung) Bestandteil des Bewußtseins (1/263). Das Gefühl hat ,,das *Absolute* in den Dingen zum
Gegenstand'', während die Apperzeption auf ,,*relative* Prädikate'' gerichtet ist (1/275), die selbst
wieder die Grundlage der beurteilenden Vernunfttätigkeit abgeben (1/274). Demgegenüber wird
die ,,Apperception'' einmal als ,,Eine von den Wirkungen der Denkkraft'' bezeichnet (1/299),
dann wieder als ein ,,lebhaftes, hervorstechendes Gefühl einer empfundenen oder vorgestellten
Sache'' hingestellt (1/264, vgl. auch 1/606). An einer anderen Stelle wird der Ausdruck ,inneres
Gefühl' schließlich in der Bedeutung ,innerer Sinn' verwendet (1/45 f.). Der von Kant in der
2. Auflage der KrV ausgesprochene Vorwurf gegenüber der zeitgenössischen Psychologie, ,,den
inneren Sinn mit dem Vermögen der *Apperception* ... für einerlei auszugeben'' (B 153), trifft daher wenigstens im Hinblick auf die genannte terminologische Unschärfe auch für Tetens zu. Demgegenüber dürfte die Bedeutung des fünften Versuchs bei Tetens für die Konzeption des
Paralogismus-Kapitels im allgemeinen und die Rolle des 4. Paralogismus im besonderen bisher
nicht genügend beachtet worden sein. Vor allem die Abschnitte V-VIII (S. 1/388-1/414) enthalten
die entscheidenden Fragestellungen, die Kant im Paralogismenkapitel und mit der Lehre von der
transzendentalen Apperzeption beantwortet hat. Kalters entwicklungsgeschichtliche Analysen
lassen sich von hier aus für diese Phase bestätigen und ergänzen. Tetens untersucht unter Verweis
auf Locke und Leibniz, wie das Ich als zunächst nur gefühlte dunkle gemeinsame Grund
aller Empfindungen und Wahrnehmungen aufgrund einer schon in der Empfindung als ganzer
selbst vorgefundenen Einheitsfunktion zunächst als Subjekt, das existiert, und dann erst als Objekt und als Substanz darstellt, wobei die Einstufung des Ich als wirkliches Objekt nicht der
Wahrnehmung anderer wirklicher Dinge vorausgeht, sondern bei allem zugegebenen Vorrang nur
zugleich möglich ist, so daß der unentwickelte Begriff (Empfindung) einer Verursachung der Vorstellungen anderer Dinge von außen her schon als sekundär bezeichnet werden kann, weil er die
Existenz mehrerer Dinge bereits voraussetzt. Besonders interessant ist dabei, daß Tetens ein Zitat
aus Hume's Treatise bringt, der Kant sonst nicht zugänglich war, und in dem die Idee von unserem Ich als von ,,*Einem* Ganzen, als einem Subjekt'' noch nicht bedeutet, daß die Seele auch
schon ,*ein Ding, ein Ganzes Eins*, ein wirkliches Ding sey'' (1/392 f.). Kalter stellt fest, daß Kant
bis lange nach der Dissertation die Begriffe ,,Subjekt'' und ,,Substanz'' als synonym behandelt
hat (a.a.O. [54] 101) und daß sich in früheren Textstücken des 4. Paralogismus noch Elemente einer kausalen Theorie der Wahrnehmung finden, die später aufgegeben wurde (ebd. ab 148). Die
bei Tetens bereits als vorgegeben betrachtete Einheit des Bewußtseins läßt sich zudem unschwer
als Ausgangspunkt für die Lehre von der transzendentalen Apperzeption verstehen. Zu beachten
ist dabei, daß Tetens sich an mehreren Stellen auf Kant beruft, hier im Hinblick auf die Vorstellung der Zeit (1/398, vgl. auch 1/277 und 1/359). — In der ersten Auflage der KrV definiert Kant
den ,inneren Sinn' noch als die ,,*empirische Apperception*'', die den faktischen Zustand des
Selbst erfaßt, während mit der transzendentalen Apperzeption das ,,reine ursprüngliche, unwan-
delbare Bewußtsein'' gemeint ist, das als ,,notwendig und numerisch identisch'' vorgestellt wird
(A 107) und zwar im Hinblick auf ein ,,*mögliches* empirisches Bewußtsein'', das seinerseits wiederum notwendig auf das transzendentale ,,Vermögen'' der reinen Apperzeption bezogen ist (A
117). Erst der neu verfaßte Text der 2. Auflage gesteht auch der transzendentalen Apperzeption

ter (,,moralisches Gefühl'') in der Kritik der praktischen Vernunft (= KpV)
für die Achtung vor dem Sittengesetz (bzw. für die Mißachtung alles diesem
Widersprechenden) verwendet wird[239] und schließlich in der Vorrede der Kritik der Urteilskraft (= KU) (,,Gefühl(e) der Lust und Unlust'') ein Vermögen
benennt, das ein ,,Mittelglied(e) zwischen dem Erkenntnißvermögen und
Begehrungsvermögen''[240] bildet, dient hier zur Kennzeichnung einer allem
Denken überhaupt je schon zugrunde liegenden, aber noch nicht kategorial
bestimmten Ur-Wahrnehmung faktischer Existenz, die sich freilich nicht anschaulich, sondern nur als denknotwendige Voraussetzung unter logischer
Rücksicht darstellt[241]. Es handelt sich offenbar um den notwendigerweise un-

einen grundsätzlichen Realitätsbezug zu, insofern die bloße ,,Handlung des Denkens'' oder das
Faktum, ,,daß ich denke'', vor jeder Anschauung das Bewußtsein impliziert, ,,nicht wie ich mir
erscheine, noch wie ich an mir selbst bin, sondern nur daß ich bin''. ,,Das Dasein ist dadurch also
schon gegeben'', nicht jedoch die ,,Art, wie ich es bestimme'' soll. Der ,innere Sinn' vermag darüber hinaus nur noch die Erkenntnis zu liefern, ,,wie ich mir selbst *erscheine*'', oder wie ich von
mir selbst affiziert werde, nicht jedoch, wie ich ,,an mir selbst bin'' (B 156 ff.), weil er notwendigerweise die Zeit als seine Form mit ins Spiel bringt (A 33, B 49). Sein Schema der Substanz ist
schon auf die ,,Beharrlichkeit des Realen in der Zeit'' abgestellt (A 143-146, B 182-185), während
die Frage nach der Substantialität der Seele gerade auf ihre Beharrlichkeit jenseits der Zeit abzielt
und daher auf diesem Wege nicht beantwortet werden kann.

[238] AA 4/334, Hervorhebung von mir. G. Kullmann wollte den Text der einzigen Anmerkung
zu § 46 in zwei Teile zerschneiden, so daß der von uns zitierte Satz eine eigene Anmerkung darstellt, weil der Text des § 46 tatsächlich zwei Verweisungszeichen aufweist. Da jedoch seine Gründe nicht überzeugen und die Änderung nichts von Belang einbringen würde, braucht hier nicht
weiter auf diesen Vorschlag eingegangen zu werden (G. Kullmann, Kantiana. I. Korrekturen und
Konjekturen zu den Prolegomena, hrsg. (postum) von Justizrat Kullmann [Wiesbaden 1922],
32-38). Vgl. auch R 4225, AA 17/464 f.: ,,Das Ich ist eine Unerklärliche Vorstellung. Sie ist eine
Anschauung, die unwandelbar ist.'' (Unklare Datierung ab 1769).

[239] AA 5 ab 73.

[240] AA 5/168.

[241] Vgl. KrV B 157: ,,ein *Denken*, nicht ein *Anschauen*''. Erdmann hielt schon 1878 die Bestimmung des ,,Ich'' der transzendentalen Apperzeption ,,als Gefühl eines Daseins'' für ,,die seltsam-
ste Behauptung, welche die Prolegomena enthalten'', wofür die erste Auflage der KrV ,,nicht die
leiseste Spur einer Analogie'' biete (a.a.O. [226] C). Nach seiner Auffassung handelt es sich hier
um die Fortbildung der Kantschen Überlegungen über das ,,Ich an sich'', und zwar hinsichtlich
des Verhältnisses ,,zwischen der Voraussetzung seiner Existenz und der Folgerung seiner Uner-
kennbarkeit durch die Kategorien'' (ebd. CV). Man wird aber darüber hinaus auch von einer konsequenten begrifflichen Korrektur sprechen können. Denn die genannte Anmerkung (als zusam-
mengehörige Einheit genommen) verwahrt sich dagegen, daß das Ich der transzendentalen Apperzeption als Begriff betrachtet werden könnte, ,,wodurch irgend etwas gedacht würde''. Genau
dies wurde aber in der ersten Auflage der KrV an der Stelle nahegelegt, wo Kant Substanz und
Einfachheit in der Erscheinung und ,,im Begriffe'' unterschieden hatte, um dann fortzufahren:
,,Nun ist die bloße Apperception (Ich) Substanz im Begriffe, einfach im Begriffe usw.''. Damals
hatte Kant nur festgestellt, daß ,,alle diese Prädicate'' ,,gar nicht von der Anschauung'' gelten
und daher nichts über den ,,Ursprung(s) und künftigen Zustand(es)'' auszumachen gestatten (A
400). In der Fußnote der Prolegomena werden nun auch noch solche als Prädikate verwendbaren
Begriffe über das transzendental-logische Ich verworfen: ,,Nun ist es nichts mehr als Gefühl eines
Daseins ohne den mindesten Begriff und nur Vorstellung desjenigen, worauf alles Denken in Beziehung (relatio accidentis) steht.'' Nach Kalter stammt die genannte Passage der A-Auflage
der KrV aus der Zeit der Endredaktion (a.a.O. [54] 108, 124). Vielleicht könnte man die Anmerkung in den Prolegomena als Fuß- oder Schnittpunkt zweier gegenläufiger Gedankenbewegungen

zulänglichen Versuch, den Abstraktionsprozeß gegenzulesen und das, was als letzter Aufhänger übrigbleibt, als ersten Ausgangspunkt zu beschreiben. Denn erst wenn überhaupt (etwas) gedacht wird, und sei es noch so unbestimmt und bloß auf das Subjekt als solches konzentriert (cogito), kommt das logische Ich mit seiner Einheitsfunktion zu Zuge, indem es die angebotenen Erscheinungen des inneren Sinnes, in denen das denkende Ich sich darstellt, verknüpft, und, wie es nun in den „Prolegomena" heißt, dadurch die „Wirklichkeit meiner Seele (als eines Gegenstandes des inneren Sinnes)" „beweiset"[242]. Das „Substantiale", „das unbekannte Subjekt" der „innern Erscheinungen" bleibt dabei als das Ding an sich selbst unbekannt, ebenso wie seine Eigenschaften, von denen die etwaige „Beharrlichkiet" besonders interessieren würde[243]. Damit kommt der Aspekt des Ich als eines „Noumenon" deutlicher in den Blick, der in der zweiten Auflage der Kritik mehr Gewicht erhält und für die weitere Entwicklung des Seelenproblems zunehmend wichtiger wird. Die zweite Auflage unterscheidet nun nachdrücklicher zwischen dem „Erkennen" des durch „die Funktion des Denkens" aufgrund gegebener Anschauung „*bestimmbaren*" Selbst und dem im bloßen Denken gegebenen Bewußtsein des transzendentalen Subjekts als des (nur unbestimmt wahrgenommenen[244]) „*bestimmenden* Selbst"[245], das als bewußte Spontaneität „Intelligenz" genannt wird[246]. Das „Reale" dieses Ichs der Apperzeption ist, wie jetzt ohne begriffliche Unsicherheiten gesagt wird, „gegeben"[247]: das „Ich" des empirischen Satzes „ich

---

ansehen: einerseits der möglichst vollständigen Zurücknahme und ‚Ausdünnung' des transzendental-logischen Ich, die umso leichter fiel, je mehr sich zu diesem Zeitpunkt bereits ein anderer, tragfähigerer Zugang über die „Spontaneität" des Erkennens (B 158) und des Handelns in Freiheit (B 430) abzeichnete. Von Einfluß werden dabei vermutlich die Vorarbeiten für die KpV, vor allem aber auch die Vorbereitungen für die Metaphysik der Sitten (1785, ²1786) gewesen sein, in der die Frage nach dem Ich im Zusammenhang mit der Freiheitsproblematik weiterentwickelt wurde (vgl. AA 4/451 ff.), so daß in der Zeit vor Erscheinen der 2. Auflage der KrV in veränderter Fassung die Einstufung der Seele als „Intelligenz" und „Noumenon" zunehmend an Bedeutung gewann. In Kants eigenen Nachträgen zur A-Auflage der KrV findet sich übrigens noch eine umschreibende Formulierung für das „Gefühl" der Prolegomena: „Hier empfinde ich gleichsam die Categorien oder weiß sie a priori." (AA 23/39).

[242] AA 4/336. Zum Selbstbewußtsein bei Kant vgl. auch B. Kuhse, Der Begriff und die Bedeutung des Selbstbewußtseins bei Kant (Diss. Halle a.S. 1886); H. Amrhein, Kants Lehre vom „Bewußtsein überhaupt" und ihre Weiterbildung bis auf die Gegenwart. KSt Erg. H. 10 (Berlin 1909); F. W. Garbeis, Das Problem des Bewusstseins in der Philosophie Kants. Eine erkenntnistheoretische Untersuchung der Grundlagen des Denkens und des Seins (Wien u. Leipzig 1924); zum „Cogito": St. C. Patten, Kant's Cogito, in: KSt 66 (1975) 331-341; H. Scholz, Über das Cogito, ergo sum, in: KSt 36 (1931) 126-147; W. Röd, Zum Problem des Premier Principe in Descartes' Metaphysik, in: KSt 51 (1959/60) 176-195; J. Kopper, Descartes und Crusius über „Ich denke" und leibliches Sein des Menschen, in: KSt 67 (1976) 339-352.

[243] AA 4/333 ff.; vgl. KrV B 427. Zum „Substantiale(n)" vgl. oben Anm. 214.

[244] KrV B 423.

[245] Gegenüber dem „*bestimmbaren* Selbst" KrV B 406 f., zu vergleichen mit A 402.

[246] KrV B 158, ebenfalls für die 2. Auflage neu verfaßt (Transz. Deduktion d. reinen Verstandesbegriffe).

[247] KrV B 422 f.. Die eigene Existenz wird nicht wie bei Cartesius aus dem „Cogito" gefolgert, „sondern ist mit ihm identisch". Der Satz „Ich denke" drückt eine „unbestimmte empirische

denke'' ist selbst keine empirische, sondern eine ,,rein intellektuell(e)'' ,,Vorstellung'', die ,,zum Denken überhaupt gehört'', wobei das Empirische nur die Bedingung dafür ist, daß ,,der Aktus, Ich denke'' überhaupt stattfinden kann[248]. Daß das Gegebensein des eigenen Selbst in der Anschauung empirisch auf Erfahrung hin weiterverfolgt werden könnte, wird nicht bestritten, sondern nur beiseitegesetzt[249]. Denn was wirklich interessiert, die substantielle Beharrlichkeit der Seele über den Tod hinaus, kann niemals an Daten der Erfahrung abgelesen werden. Darum wird von der ,,empirisch bestimmten Existenz'' abstrahiert[250], um, wenn überhaupt, wie es die rationale Psychologie wollte, aus den ersten Grundbegriffen, womöglich a priori, zu notwendigen und allgemeingültigen Erkenntnissen zu gelangen, die den Erfahrungsbereich übersteigen. Das aber ist unmöglich, so weit man auch die Abstraktion treiben mag: ,,im Bewußtsein meiner Selbst beim bloßen Denken bin ich'' zwar, so Kant, ,,das *Wesen selbst*, von dem mir aber freilich dadurch noch nichts zum Denken gegeben ist''[251]. Damit ist ein Abschnitt aus der Einleitung in das Paralogismenkapitel, der unverändert in die zweite Auflage übernommen wurde, näher bestimmt, in dem gesagt wurde, daß der Satz ,,ich denke'' ,,niemals rein'' sei und ,,ein empirisches Prinzipium'' enthalte, das als ,,innere Erfahrung überhaupt'' oder ,,Wahrnehmung überhaupt'' ohne weitere empirische Bestimmung ,,nicht als empirische Erkenntnis'', sondern ,,als Erkenntnis des Empirischen überhaupt angesehen werden'' müsse und nur ,,zur Untersuchung der Möglichkeit einer jeden Erfahrung'' gehöre, ,,welche allerdings transscendental ist''[252]. Gleichwohl wirft die Umarbeitung des Paralogismenkapitels neue Fragen auf: einmal wird festgehalten, daß das transzendentale Subjekt aller inneren Erscheinungen ,,nicht als Gegenstand *gegeben*'' sei, so daß die Frage nach der Seele ,,selbst *nichts*'' und die Nichtbeantwortung der Fragen der ,,transscendentalen Seelenlehre'' ,,auch eine Antwort'' ist (aus der ersten Auflage übernommen)[253]; dann aber ist nach den neuen Texten in der

---

Anschauung, d.i. Wahrnehmung'' aus, die der Erfahrung vorausliegt, und die so angetroffene Existenz ist ,,hier noch keine Kategorie''. Das entspricht dem Ausdruck ,,Gefühl'' in den Prolegomena AA 4/334 Anm., vgl. oben unsere Anm. 241.

[248] KrV B 424.

[249] KrV B 429. Vgl. Lose Blätter zur Preisschrift: ,,Das logische *Ich* ist für ihm selbst kein Object der Erkentnis aber wohl das physische *selbst* und zwar durch die categorien als Arten der Zusammensetzung des Manigfaltigen der ineren (empirischen) Anschauung so fern sie (die Zusammensetzung) a priori möglich ist.'' (AA 20/338).

[250] KrV B 427. Vgl. R 5998, AA 18/420: ,,Das Wesen, daß sich selbst allein die Zeit und sich in der Zeit vorstellt, kan sich nicht als beharrlich erkennen; sondern nur dasjenige Wesen kan es, was ausser ihm ist.'' Dazu R 6001, AA 18/420 f..

[251] KrV B 429.

[252] KrV A 343, B 401.

[253] KrV A 478 f. = B 506 f.. Diese Formulierungen entstammen offenbar einer Zwischenphase vor der Endredaktion der A-Auflage, in der die Unterscheidung des ,transzendentalen Gegenstandes' als ,Ding an sich' von seiner , Erscheinung' entscheidendes Gewicht bei der Behandlung der rationalen Psychologie zukam, wie die dazugehörige Definition der Seele ausweist: ,,das Etwas, dessen Erscheinung (in uns selbst) das Denken ist'' (ebd.).

unbestimmten Wahrnehmung des „Ich" im Denken überhaupt doch „etwas Reales ... gegeben", „zwar nur zum Denken überhaupt" (kurz danach heißt es wieder, es sei „nichts zum Denken gegeben"[254]!) und weder als Erscheinung noch als Noumenon, aber doch immerhin als „in der That" existierendes, das präkategorial als „*Subject* der Gedanken" oder als „*Grund* des Denkens" vorgestellt wird, so daß man nach Kant sagen kann: „Im Bewußtsein meiner selbst beim bloßen Denken bin ich das *Wesen selbst*"[255]. Hier stellt sich die Frage, ob der so ambivalent beschriebene „Grenzbegriff"[256] nicht vielleicht gerade selbst eine faktische, vorgängige, wenn auch nicht weiter erklärbare Einheit des transzendental-logischen und des empirischen Ich zum Ausdruck bringt, die die abgelehnten Argumente der rationalen Seelenlehre schließlich doch in einer entsprechend modifizierten Form ermöglichen würde, nachdem die abstraktive Reduktion des Selbstbewußtseins auf die wenigstens präkategoriale Tatsächlichkeit der transzendentallogischen Einheitsfunktion des Bewußtseins angewiesen bleibt, will sie sich nicht in reine Spekulationen des bloß Möglichen und schließlich Beliebigen verlieren. Muß der denkerische Aufwand, hinter die Form der Zeit zurückzufragen, im bloßen Nicht-Wissen endigen, oder könnte nicht die ursprüngliche Spontaneität des Denkens überhaupt, die unter dieser Rücksicht zwar genannt, aber nicht weiter verfolgt wird[257], ähnlich wie die ursprüngliche Spontaneität des Handelns in Freiheit, auf die sich später das Interesse Kants verlagert, gewisse, wenn auch vorsichtigere, metaphysische Grundaussagen über die Seele gestatten? Es fällt in diesem Zusammenhang auf, daß die Bestimmung der Syllogismen der Seelenlehre als Paralogismen nicht ganz eindeutig ist und auf eine gewisse gedankliche Unabgeschlossenheit schließen läßt. In beiden Auflagen der KrV werden sie als „„sophisma figurae dictionis" eingestuft wegen einer ‚quaternio termino-

---

[254] KrV B 429.
[255] KrV B 423 u. 429.
[256] „Grenzbegriff" als Bezeichnung des Noumenon A 255, B 310 f..
[257] Vgl. KrV B 158 Anm.: „Das: Ich denke, drückt den Actus aus, mein Dasein zu bestimmen. Das Dasein ist dadurch also schon gegeben, aber die Art, wie ich es bestimmen, d.i. das mannigfaltige zu demselben Gehörige in mir setzen solle, ist dadurch noch nicht gegeben. Dazu gehört Selbstanschauung, die eine a priori gegebene Form, d.i. die Zeit, zum Grunde liegen hat, welche sinnlich und zur Receptivität des Bestimmbaren gehörig ist. Habe ich nun nicht noch eine andere Selbstanschauung, die das *Bestimmende* in mir, dessen Spontaneität ich mir nur bewußt bin, eben so vor dem Actus des *Bestimmens* giebt, wie die *Zeit* das Bestimmbare, so kann ich mein Dasein als eines selbstthätigen Wesens nicht bestimmen; sondern ich stelle mir nur die Spontaneität meines Denkens, d.i. des Bestimmens, vor, und mein Dasein bleibt immer nur sinnlich, d.i. als das Dasein einer Erscheinung, bestimmbar. Doch macht diese Spontaneität, daß ich mich *Intelligenz* nenne." Zum Denken als Spontaneität vgl. auch KrV B 428 f.. Den Beweis der Immaterialität der Seele aus einem weiter entwickelten Begriff der „Spontaneität" zu führen, schlug schon Tetens, a.a.O. (130) 2/181 vor. I. Heidemann vertritt die These, Kant habe „wesentlich um des Begriffes der Spontaneität willen, das heißt um die mit ihm gemeinten oder verbundenen Zusammenhänge deutlicher herauszustellen, die ursprüngliche Fassung der Kritik geändert" (Der Begriff der Spontaneität in der Kritik der reinen Vernunft, in: KSt 47 [1955/56] 3-30, hier: 16).

rum'[258], die durch die wechselnde Supposition des Mittelbegriffs (einmal
transzendental-logisch, einmal empirisch genommen) bedingt sei. Damit wird
die distinctio der verschiedenen Aspekte von vornherein als divisio festge-
schrieben, was eigentlich erst zu beweisen wäre. In seinem Handexemplar der
ersten Auflage notiert sich Kant dagegen: ,,Ein Paralogism ist ein Vernunft-
schlus, der in forma falsch ist. Nun gehört zur Form auch, daß Major ein allgemeiner Satz sey, und auch, daß die Prämissen nicht tautologisch seyn. Es ist
aber hier Major ein einzelnes Urtheil und enthält in sich Tautologie. Folglich
hat der Syllogism nur 2 terminos.'' (zum ersten Absatz der Einleitung in das
Paralogismenkapitel = A 341)[259]. Eine Variante dieser Auffassung lieferte
Jürgen Bona Meyer, der die Paralogismen für Schlüsse mit ,,inhaltlich falschen oder wenigstens unerwiesenen Obersätzen'' ansah[260]. Kalter vertritt dagegen im Anschluß an Adickes und Kemp Smith die Auffassung, daß Kant bei
der Kritik der ,,falsche(n) Verwendung des Ich-Begriffs in der Minor'' ,,ihren
Inhalt überhaupt'' kritisiere, so daß entgegen seiner eigenen Behauptung von
,,richtige(n) Prämissen''[261] nicht die Rede sein könne[262]. Damit wird allerdings der logische Vorwurf der ,,quaternio terminorum'' nicht entkräftet!
Entwicklungsgeschichtliche Kriterien scheinen zu ergeben, daß die Einschätzung der Schlüsse der rationalen Psychologie als Paralogismen erst aus der
Zeit der Endredaktion stammt[263], in der auch ‚architektonische' Gründe[264]
der Gesamtkonzeption der Kritik eine gewisse Rolle spielten. Man könnte daran denken, daß der ,,Erbfehler'' der Metaphysik[265], der sich zunächst bei der
früher bearbeiteten ,,Antinomie'' der Vernunft gezeigt hatte und in einer mitt-
leren Phase auch mutatis mutandis an der Seelenlehre aufgewiesen werden
sollte, nun umso eher an transzendentalen ,,Paralogismen'' dokumentiert

---

[258] KrV A 402, B 411 f.; vgl. auch AA 18/223: ,,Der Paralogism der reinen Vernunft ist eigentlich eine transscendentale Subreption, da unser Urtheil über obiecte und die Einheit des Bewust-
seyns in demselben vor eine warnehmung der Einheit des Subiects gehalten wird.'' Das ,,vitium
subreptionis'' im Zusammenhang mit der Commercium-Problematik schon bei Baumgarten AA
17/140, §§ 737 u. 738. Kant allgemein zur Definition des Paralogismus: AA 9/134 f., dazu z.B.
AA 24.1/287 u. 479. Für A. Rüdiger galt: ,,omnis enim error paralogismus est'' (a.a.O. [237 —
De sensu] Praef. § 4). Rüdiger wird übrigens von Knutzen in seiner Logik (Elementa Philosophiae
rationalis sev Logicae cum generalis tvm specialioris mathematica Methodo in vsvm auditorvm
svorum demonstrata [Regiomonti et Lipsiae 1747]) kritisch zitiert (62 und 147).

[259] AA 23/38, Refl. CLV E 47.

[260] a.a.O. (56) 228. Kalter zitiert a.a.O. (54) 124 diese Stelle fehlerhaft.

[261] KrV A 402.

[262] Kalter, a.a.O. (54) 119-125, hier: 121 und 124.

[263] Kalter, ebd. 124 f., 142.

[264] Zur ,,architektonisch(en)'' Natur der menschlichen Vernunft und ihrem
,,architektonische(n) Interesse'' vgl. KrV A 474, B 502. Vgl. auch Adickes a.a.O. (177).

[265] KrV A 406, B 433. Vgl. die Erklärung in den Prolegomena: ,,...so ist dadurch ausgemacht,
daß in der Metaphysik ein Erbfehler liege, der nicht erklärt, viel weniger gehoben werden kann,
als wenn man bis zu ihrem Geburtsort, der reinen Vernunft selbst, hinaufsteigt'' (AA 4/379). N.
Hinske hat darauf hingewiesen, daß in dem Ausdruck ,,Erbfehler'' offenbar noch der Begriff der
,,Erb-Sünde'' aus der antithetischen Theologie Paul Antons nachklingt (Hinske, a.a.O. [48] 59).

werden konnte, je mehr sich gerade in der Zeit der Endredaktion die Auffassung von der positiven, nämlich ,,regulativen'' Funktion transzendentaler
Ideen im Sinne von Begriffen der reinen Vernunft gegenüber der früheren nur
,,negativ-kritischen'' der Aufdeckung des unvermeidlichen dialektischen
Scheins einander widersprechender fundamentaler metaphysischer Aussagen
durchsetzte[266]. Das in langer Vorgeschichte belegte Interesse am Nachweis der
,,Grenzen'' ist tatsächlich als Interesse an dem solcherart erzielbaren Gewinn
erkennbar. Schon in der ersten Auflage läßt Kant durchblicken, daß in der
Seelenfrage dasjenige, ,,was man eigentlich wissen will'', die ,,Eröffnung''
,,ihres Ursprungs und künftigen Zustandes'' sei[267]. In der zweiten Auflage
wird er deutlicher: Wenn man von einem kurzen Hinweis auf die Verbindung
mit den Möglichkeiten der praktischen Vernunft im Kapitel über die transzendentalen Ideen absieht, das schon aus der ersten Auflage übernommen
wurde[268], erläutert Kant im neugefaßten Paralogismus-Kapitel in drei Anläufen die Hintergründe seiner spekulativen Zurückhaltung, die zugleich die weitere Entwicklung der Transzendentalphilosophie beinhalten[269]. Zunächst wird
die ,,Weigerung der Vernunft, den neugierigen, über dieses Leben hinausrei-
chenden Fragen befriedigende Antwort zu geben'', als ,,ein(en) Wink'' der

---

[266] Vgl. Kalter, a.a.O. (54) 89 f.. Der ,,transscendentale Paralogism'' KrV A 406 = B 433.

[267] KrV A 400. Daneben wird schon in der ersten Auflage auf den eigentlichen Nutzen der Idee
im praktischen Gebrauch verwiesen: ,,Dagegen, weil es im praktischen Gebrauch des Verstandes
ganz allein um die Ausübung nach Regeln zu thun ist, so kann die Idee der praktischen Vernunft
jederzeit wirklich, obzwar nur zum Theil, in concreto gegeben werden, ja sie ist die unentbehrli-
che Bedingung jedes praktischen Gebrauchs der Vernunft.'' (A 328, später B 384 f.).

[268] Vgl. Anm. 267.

[269] Die Wende zum Praktischen, die sich in der weiteren Entfaltung der Kantschen Transzendentalphilosophie abzeichnet, ist nicht einfach als lineare Fortführung einer systematisch angelegten Gedankenkette, sondern als das allmähliche Hervortreten einer über lange Zeit hin parallel
verlaufenden Entwicklungslinie zu verstehen, die bei ihrem Wirksamwerden im Anschluß an die
Auseinandersetzung mit der Aporetik der spekulativen Vernunft wegen ihrer z.T. gegenläufigen
Tendenz (vgl. oben Anm. 241) den Eindruck einer Richtungsumkehr erweckt. Die Ursprünge der
praktischen Linie liegen vermutlich in der ,,Rousseauistischen Wende'' (Henrich, a.a.O. [217] 13)
begründet. Rousseaus Emile erschien 1762 im Original und in deutscher Übersetzung und hielt
Kant ,,bei seiner ersten Erscheinung einige Tage von den gewöhnlichen Spaziergängen zurück''
(Borowski, a.a.O. [2] 79). Kants erste Reaktionen um 1764-65 in seinem Handexemplar der Beobachtungen über das Gefühl des Schönen und Erhabenen im 20. Band der Akademieausgabe:
,,Rousseau hat mich zurecht gebracht.'' Weiter unten: ,,Wen es irgend eine Wissenschaft giebt
deren der Mensch bedarf so ist es die so ihn lehret die Stelle geziemend zu erfüllen welche ihm in
der Schöpfung angewiesen ist und aus der er lernen kan was man seyn muß um ein Mensch zu
seyn.'' (AA 20/44 f., vgl. auch vorher 20/29 f.; dazu 20/58: ,,Rousseau entdekte zu allererst unter der Mannigfaltigkeit der Menschlichen angenommenen Gestalten die tief verborgene Natur desselben u. das verstekte Gesetz nach welchem die Vorsehung durch seine Beobachtungen gerecht-
fertigt wird.''). 1765 erwähnt Kant in seinem Brief an Lambert unter seinen Arbeitsvorhaben ,,die
metaph: Anfangsgr: der praktischen Weltweisheit'' (AA 10/56), und 1767 (1768?) schreibt er an
Herder: ,,ich arbeite jetzt an einer Metaphysik der Sitten'' (AA 10/74). 1782 ist die Metaphysik
der Sitten in Arbeit (Hamann an Hartknoch, vgl. P. Menzers Einleitung in die Grundlegung zur
Metaphysik der Sitten AA 4/625). In der Vorrede der Grundlegung zur Metaphysik der Sitten
(spätestens 1784 geschrieben) erscheint zum ersten Mal der Hinweis auf eine ,,*Kritik der
reinen praktischen Vernunft*'' (AA 4/391, vgl. P. Natorps Einleitung zur KpV AA 5/495).

Vernunft bezeichnet, sich von der ,,fruchtlosen überschwenglichen Specula-
tion'' weg dem ,,fruchtbaren praktischen Gebrauche'' zuzuwenden, der ,,sei-
ne Prinzipien doch höher hernimmt''[270]. In einem zweiten Gange wird dies
weiter erläutert: Die Entlarvung aller spekulativen Bemühungen um die Natur
der Seele treffe ohnehin nur Beweise der Schulen, die für die ,,gemeine Men-
schenvernunft'' keine Rolle gespielt haben, während dadurch ,,für die
Befugniß, ja gar die Nothwendigkeit der Annehmung eines künftigen Lebens
nach Grundsätzen des mit dem speculativen verbundenen praktischen Vernunftgebrauchs hierbei nicht das mindeste verloren'' gehe[271], weil das praktische Vernunftvermögen den Einschränkungen des theoretischen Vernunftgebrauchs nicht unterliege und ,,unsere eigene Existenz über die Grenzen der Erfahrung und des Lebens hinaus zu erweitern berechtigt'' sei[272]. Aus der ,,*Analogie mit der Natur* lebender Wesen in dieser Welt'' und aus dem Anspruch
des moralischen Gesetzes im Menschen, das die Berufung in sich schließe,
,,sich durch sein Verhalten in dieser Welt, mit Verzichtthuung auf viele Vortheile'', sogar ,,bei Ermangelung aller Vortheile'', ,,zum Bürger einer besse-
ren, die er in der Idee hat, tauglich zu machen'', ergebe sich ein ,,mächtige(r),
niemals zu widerlegende(r) Beweisgrund'' zusammen mit einer ,,sich unauf-
hörlich vermehrende(n) Erkenntniß der Zweckmäßigkeit in allem'', einer
,,Aussicht in die Unermeßlichkeit der Schöpfung'' und dem ,,Bewußtsein einer gewissen Unbegrenztheit in der möglichen Erweiterung unserer Kenntnisse''[273]. Schließlich wird zum Abschluß des Kapitels dieser künftig weiter zu
verfolgende (und z. T. schon schriftlich fixierte) Weg der praktischen Vernunft und der Urteilskraft in Andeutungen erläutert: Wenn sich nämlich nach
,,gewissen ... a priori feststehenden ... Gesetzen'' ohne Zuhilfenahme ,,der
empirischen Anschauung'' unser eigenes ,,*Dasein*(s) als *gesetzgebend* und diese Existenz auch selbst bestimmend'' herausstellen sollte, dann würde sich
,,unsere Wirklichkeit'' durch ,,eine Spontaneität'' und damit auch im Hinblick auf eine ,,(freilich nur gedachte)'' ,,intelligibele'' Welt aus dem
,,Bewußtsein unseres Daseins'' als bestimmbar erweisen. Zwar würde unsere
Erkenntnis in spekulativer Hinsicht dadurch nicht im mindesten erweitert werden, aber die im spekulativen Gebrauch versagenden Begriffe der reinen Vernunft könnten in ,,analogischer(n) Bedeutung'' behilflich sein, die Fragen
über das frei handelnde Subjekt, das dann aus anderen Prinzipien in seiner
Wirklichkeit feststellbar wäre, zu erklären(t)''[274], und Anleitung zum ,Den-

---

[270] KrV B 421.
[271] KrV B 424.
[272] KrV B 425.
[273] KrV B 425 f..
[274] KrV B 430-432. Die unzulänglichen Ergebnisse der spekulativen Vernunft sind keine bloßen
,,Schattenbilder eines Traumes'' (B 503), so daß die Metaphysik sich darauf beschränken dürfte,
unter Berufung auf ihren ,,transscendentale(n) Schein'' (z.B. A 293 - B 349) nur den ,,Schein dem
Schein'' entgegenzusetzen (R 5464, AA 18/190). Die Vermittlung zwischen den theoretischen An-

ken' dessen geben, was theoretisch nicht im eigentlichen Sinn erkennbar war[275]. Jedenfalls wird zu Beginn des Antinomiekapitels betont, daß ,,der

---

sprüchen und den praktischen Erfordernissen stellt sich als ein asymmetrisches Verhältnis der wechselseitigen Ergänzung zwischen dem spekulativen und praktischen Gebrauch der reinen Vernunft dar, wobei die jeweiligen Ergebnisse nur analog aufeinander bezogen werden können: die spekulative Vernunft leistet Erklärungshilfe für von der praktischen Vernunft geforderte Voraussetzungen, während die praktische Vernunft den spekulativen Ideen eine wenn auch nur praktisch gesicherte Realität verleiht (z.B. AA 5/5 f.). Weil dadurch jedoch ,,nichts von Anschauung'' gegeben wird, erfährt die spekulative Vernunft als solche ,,keine Erweiterung der Spekulation'' oder ,,des Erkenntnisses''; problematisch denkbare Begriffe werden auf Veranlassung der praktischen Vernunft assertorisch auf wirkliche Objekte bezogen, die nunmehr als gegebene ,,durch Kategorien'' gedacht werden können, aber trotzdem weiterhin keine synthetischen Sätze zulassen. Transzendente und bloß regulative Ideen der theoretischen Vernunft werden unter praktischer Rücksicht immanent und konstitutiv, aber nicht zum spekulativen Gebrauch; der Nutzen liegt nicht in einer Zunahme einer theoretischen Gegenstandserkenntnis, sondern der Zuwachs kommt der Vernunft selbst zugute: er dient ,,zur Sicherung ihres praktischen Gebrauchs'', d.h. letzten Endes zur Abwehr möglicher Gefahren für die Moralität (AA 5/134 ff.). Deshalb soll die spekulative Philosophie der praktischen ,,freie Bahn schaffe(n)'', indem sie mit ihrer eigenen theoretischen ,,Uneinigkeit'' ins reine kommt (AA 4/456). Praktische Vernunft kann sich dann ,,von der Last befreien, die die Theorie drückt'' (AA 4/448); ,,sie füllt den leeren Platz aus'', der von der spekulativen Vernunft leer gelassen wurde (AA 5/49) und ergänzt im Hinblick auf das höchste Gut ,,als Endzweck'' ,,unvermerkt den Mangel der theoretischen Beweise'' (AA 20/309), so daß schließlich ,,eine *transscendentale Theologie*'' ,,das Ideal der höchsten ontologischen Vollkommenheit zu einem Prinzip der systematischen Einheit'' nehmen kann, was schon in der KrV seit der 1. Auflage angestrebt wird (A 816 = B 844).
[275] In der Vorrede zur zweiten Auflage der KrV spricht Kant von der ,,Einschränkung aller nur möglichen Erkenntnis der Vernunft auf bloße Gegenstände der *Erfahrung*'' und fährt dann fort: ,,Gleichwohl wird, welches wohl gemerkt werden muß, doch dabei immer vorbehalten, daß wir eben dieselben Gegenstände auch als Dinge an sich selbst, wenn gleich nicht erkennen, doch wenigstens müssen *denken* können''. Das wird in einer Anmerkung näher erklärt: ,,Einen Gegenstand *erkennen*, dazu wird erfordert, daß ich seine Möglichkeit (es sei nach dem Zeugniß der Erfahrung aus seiner Wirklichkeit, oder a priori durch Vernunft) beweisen könne. Aber *denken* kann ich, was ich will, wenn ich mir nur nicht selbst widerspreche, d.i. wenn mein Begriff nur ein möglicher Gedanke ist, ob ich zwar dafür nicht stehen kann, ob im Inbegriffe aller Möglichkeiten diesem auch ein Object correspondire oder nicht. Um einem solchen Begriffe aber objective Gültigkeit (reale Möglichkeit, denn die erstere war bloß die logische) beizulegen, dazu wird etwas mehr erfordert. Dieses Mehrere aber braucht eben nicht in theoretischen Erkenntnißquellen gesucht zu werden, es kann auch in praktischen liegen.'' (B XXVII f.). Ähnlich später in der KpV: ,,Nun sind hier aber *Ideen* der Vernunft, die in gar keiner Erfahrung gegeben werden können, das, was ich durch Kategorien denken müßte, um sie zu erkennen. Allein es ist hier auch nicht um das theoretische Erkenntniß der Objecte dieser Ideen, sondern nur darum, daß sie überhaupt Objecte haben, zu thun. Diese Realität verschafft reine praktische Vernunft, und hiebei hat die theoretische Vernunft nichts weiter zu thun, als jene Objecte durch Kategorien blos zu *denken*, ...'' (AA 5/136). Hinter diesen scheinbar klaren Formulierungen verbirgt sich die strittige Frage, ob die von Kant angedeutete ,,transscendentale Bedeutung'' der Kategorien, die eigentlich nur von ,,empirischem ... Gebrauche'' sind, sich von dem unrechtmäßigen ,,transscendentalen Gebrauch'' der Kategorien unterscheidet (A 248, B 304 f.). Kvist vertritt mit Janoska, Schneeberger und Teichner gegen Adickes und Paton die These, daß es einen von Kant nicht abgelehnten ,,transzendentale(n) Gebrauch'' der Kategorien gibt, der im ,,Denken des noch nicht anschaulich gegebenen oder transzendentalen Gegenstandes'' besteht, so daß es für Kant neben dem ,,Denken, dessen Möglichkeit sich innerhalb der auf sinnliche Anschauung beruhenden Erfahrung bewährt'' ein anderes Denken gibt, ,,das nur in dem Sinne möglich ist, dass die reinen Verstandesbegriffe oder Kategorien ohne Widerspruch sich auf Dinge überhaupt beziehen können'' (Kvist, a.a.O. [64] 41 f., vgl. auch 113 u. 290 f.). Mit dieser These ließe sich die oben auf S. 143 erwähnte

Vortheil ... gänzlich auf der Seite des Pneumatismus" liege trotz seines „Erb-
fehler(s)", sich gegenüber der Kritik „in lauter Dunst aufzulösen"[276]. Denn
der „transscendentale Schein" der theoretischen Vernunftideen[277], der sich
wohl aufdecken, aber als „unvermeidliche(n) *Illusion*" nicht beheben läßt,
beruht auf einer „subjective(n) Nothwendigkeit einer gewissen Verknüpfung
unserer Begriffe zu Gunsten des Verstandes"[278], die durchaus ihre positive
Seite hat, wenn sie nämlich nicht für sich allein genommen und für objektiv
gehalten wird, sondern in ihrer dienenden Funktion für den praktischen Vernunftgebrauch vor dem Hintergrund der einheitsstiftenden Urteilskraft zum
Tragen kommt.

3. *Die Frage nach der Seele in der Freiheitsproblematik und im Zusammenhang mit der weiteren Entwicklung der Transzendentalphilosophie*

Den Andeutungen am Schluß des Paralogismuskapitels entsprechend verlagert sich das Problem der Seele im weiteren Gang der KrV in die Frage nach
der menschlichen Freiheit. In der Antinomie der reinen Vernunft wird die jeweilige „Thesis" als diejenige Position angegeben, die allein ein System
„eines Gebäudes von Erkenntnissen" möglich macht und sich deshalb dem
„architektonische(n) Interesse der Vernunft" natürlicherweise empfiehlt[279].
Aus der Sicht der dritten Antinomie (bei der wie in der vierten im Gegensatz
zu den beiden ersten Antinomien die Positionen der Thesis und der Antithesis
„*beide wahr* sein können"[280]) bedeutet das die Annahme der „transscenden-
tale(n) Idee der Freiheit" auch des Menschen, eines gänzlich unbewiesenen
Vermögens, „eine Reihe von successiven Dingen oder Zuständen *von selbst*
anzufangen"[281], das der praktischen Freiheit als der „Unabhängigkeit der
Willkür von der *Nöthigung* durch Antriebe der Sinnlichkeit"[282] zugrunde
liegt. Diese besondere Art der Kausalität wird als „intelligibel" bezeichnet
„nach ihrer *Handlung* als eines Dinges an sich selbst"[283], das als selbst sogar

---

Unstimmigkeit klären, die dadurch entstand, daß nach den neu verfaßten Texten der B-Auflage
der KrV in der unbestimmten Wahrnehmung des „Ich" „etwas Reales" „zum Denken überhaupt" und dann wieder „nichts zum Denken gegeben" ist. Demnach könnte man unter dem
„Denken überhaupt" den rechtmäßigen, wenn auch keine Erkenntnis bewirkenden, transzendentalen Gebrauch der Kategorien verstehen. Es fällt jedenfalls auf, daß nach der oben angeführten
Stelle in der KrV, in der von der transzendentalen Bedeutung der Kategorien die Rede ist, ein aus
mehreren Seiten bestehendes neues Textstück die entsprechende frühere Fassung ersetzt (B 305:
„Es liegt indessen" bis B 309: „verstanden werden." statt A 248: „Erscheinungen, sofern" bis A
253: „gedacht wird."). Zu „*gedacht*" und „*gegeben*" vgl. auch AA 8/276.

[276] KrV A 406, B 433.
[277] vgl. KrV ab A 293, B 349.
[278] KrV A 297 f., B 353 f..
[279] KrV A 474 f., B 502 f..
[280] KrV A 531 f = B 559 f..
[281] KrV A 448 ff. = B 476 ff..
[282] KrV A 534 = B 562.
[283] KrV A 538 = B 566.

,,empirisch unbedingt(e)'' und ,,beharrliche'' ,,*Bedingung* einer successiven Reihe von Begebenheiten''[284] seinen ,,intelligibelen Charakter''[285] offenbart, der zwar dem empirischen Charakter gemäß ,,*gedacht*'' werden muß[286], aber in dem, was er an sich selbst ist, auch seiner bloßen Möglichkeit nach[287] unbekannt bleibt[288]. Der intelligible Charakter kennzeichnet jedoch das frei handelnde Subjekt als ,,*Noumenon*'', das ,,von allem Einflusse der Sinnlichkeit und Bestimmung durch Erscheinungen freigesprochen werden'' muß[289]. Schon im Rahmen der KrV wird so der Mensch im Hinblick auf sein handelndes Prinzip als Ding an sich, d. h. als ,,Noumenon'' im Sinne einer kausalfreien und spontan handelnden Intelligenz dargestellt, was kürzlich eine Arbeit von Hans-Olaf Kvist im Rahmen des damit grundgelegten Verhältnisses von Wissen und Glauben untersucht hat[290]. In der ,,Grundlegung zur Metaphysik der Sitten'' von 1785 wird der Begriff der Freiheit als ,,Autonomie'' definiert, d. h. als ,,die Eigenschaft des Willens, sich selbst ein Gesetz zu sein''[291]. Die KpV entwickelt daraus die ,,Achtung erweckende Idee der Persönlichkeit'' des Menschen, der zugleich zur ,,Sinnenwelt'' und zur ,,intelligibelen Welt gehört''. Von daher muß ihm ,,die *Menschheit* in seiner Person'' und in jeder anderen ,,heilig sein'' als ,,*Zweck an sich selbst*'', so daß sie ,,niemals bloß als Mittel'' gebraucht werden darf[292]. Der durch das ,,moralische Gesetz bestimmbare(n) Wille(ns)'' hat aber nun aufgrund seiner Freiheit die ,,Bewirkung des höchsten Guts in der Welt'' zum notwendigen Objekt, dem ,,die *völlige Angemessenheit* der Gesinnungen zum moralischen Gesetze'' als seine ,,oberste Bedingung'' entspricht. Diese Angemessenheit, auch Heiligkeit genannt, ist eine Vollkommenheit, die ,,kein vernünftiges Wesen der Sinnenwelt'' erreicht. Da sie trotzdem als ,,praktisch notwendig gefo(r)dert wird'', ,,kann sie nur in einem ins *Unendliche* gehenden *Progressus*'' verwirklicht werden, der deshalb aus einer Notwendigkeit der praktischen Vernunft heraus postuliert werden muß, was nur möglich ist unter ,,Voraussetzung einer ins Unendliche fortdauernden Existenz und Persönlichkeit desselben vernünftigen Wesens (welche man die Unsterblichkeit der Seele nennt)'', die darum

---

[284] KrV A 552 f. = B 580 f..

[285] KrV A 539 = B 567.

[286] KrV A 540 = B 568.

[287] vgl. AA 4/461 f..

[288] ,,niemals unmittelbar gekannt (Erdmann: erkannt)'' KrV A 540 = B 568.

[289] KrV A 541 = B 569. Vgl. Kants Nachträge in seinem Handexemplar AA 23/34: ,,Das Ich ist Noumenon; Ich als Intelligenz.'' ,,Wir können Noumena nur denken, aber nicht erkennen.'' In den Vorlesungen der 90er Jahre: ,,Wir müssen einen Unterschied zwischen dem Menschen als Noumenon und Phaenomenon machen, sonst können wir nie die Freiheit beweisen. Als Noumenon ist im Menschen der Bestimmungsgrund ein intelligibler und nicht eine Begebenheit, d.i. ein empirischer Grund. Der Grund ist hier durch nichts genöthigt, sondern pure Spontaneität.'' (Heinze, a.a.O. [31] 695 entspr. AA 28.2, 1/773).

[290] Vgl. oben Anm. 64.

[291] AA 4/447.

[292] AA 5/87; vgl. auch AA 4/428 f., 451 f..

,,ein Postulat der reinen praktischen Vernunft" genannt wird und einen ,,*theoretischen*, als solchen aber nicht erweislichen Satz" bedeutet, sofern dieser
,,einem a priori unbedingt geltenden *praktischen* Gesetze unzertrennlich an-
hängt"[293]. Damit ist die Frage nach der Substantialität der Seele, die die spe-

---

[293] AA 5/122. Vgl. dazu die Analyse des Arguments bei L. W. Beck, A Commentary on Kant's
Critique of Practical Reason (The Univ. of Chicago Press 1960, ins Deutsche übers. v. K.-H. Il-
ting. Krit. Inf. 19 [München 1974] 265-271). Nach Beck ist dieses ,,moral argument" nicht identisch mit den schon in der KrV angeführten ,,Beweise(n), die für die Welt brauchbar sind" (B
424), in denen die Unsterblichkeit entweder durch einen aus dem Vergleich mit anderen Lebewesen gewonnen Analogieschluß begründet werde, der sich auf die ,,dieses(m) Leben" weit übersteigenden ,,Naturanlagen" des Menschen stützt (B 425, vgl. oben S. 146), oder aber (zusammen mit
der Existenz Gottes) als notwendige Voraussetzung dafür angenommen werde, daß ,,die herrli-
chen Ideen der Sittlichkeit zwar Gegenstände des Beifalls und der Bewunderung, aber nicht Trieb-
federn des Vorsatzes und der Ausübung" sind (A 813 = B 841), welches letztere Argument Kant
jedoch später wegen seiner Unvereinbarkeit mit der Autonomielehre fallengelassen habe (Beck
a.a.O. 266 f.). Das moralische Unsterblichkeitsargument der KpV sieht Beck höchstens in einer
Bemerkung in der Vorrede zur 2. Auflage der KrV (B XXXII: ,,die jedem Menschen bemerkliche
Anlage seiner Natur, durch das Zeitliche (als zu den Anlagen seiner ganzen Bestimmung unzulänglich) nie zufrieden gestellt werden zu können") dunkel angekündigt, aber in der zeitgenössischen Literatur nicht antizipiert (,,I have not been able to find any anticipation in other writers",
a.a.O. ebd.). Dem ist entgegenzuhalten, daß Kant an der genannten Stelle ,,Gott und ein künftiges Leben" als ,,von der Verbindlichkeit, die uns reine Vernunft auferlegt, nach Principien eben
derselben Vernunft nicht zu trennende Voraussetzungen" bezeichnet, aber nicht behauptet, daß
sie der Verbindlichkeit vorgeordnet sind (A 811 = B 839), so daß sie der späteren Postulatenlehre
(AA 5/124 ff.) entsprechend verstanden werden kann. Außerdem wurde schon in der Pölitz-
Metaphysik (L₁) der ,,moralische Beweis", der darin besteht, daß die der Würdigkeit entsprechende Glückseligkeit ,,in dieser Welt" nicht gegeben ist und also auf ,,*eine andere Welt*"
schließen läßt, ,,*wo das Wohlbefinden des Geschöpfs dem Wohlverhalten desselben adäquat seyn
wird*", als eine ,,Triebfeder zur Tugend" bezeichnet, die der moralische Gesinnung zu ihrer Wirksamkeit bereits vorausgesetzt (Pölitz a.a.O. [31] 240 f. entspr. AA 28.1/289; vgl. dazu in der KpV
AA 5/71 f.). Eine deutliche Vorstufe zu Kants ,moralischem Argument' dürfte sich darüberhin-
aus in dem schon genannten Werk von Hennings (s. oben Anm. 133) finden, das von Tetens in
seinen Philosophischen Versuchen zitiert wird (2/180 f. Anm.). Für Hennings besteht der ,,letzte
Endzweck der Schöpfung" in der ,,Glückseligkeit der Menschen und endlichen Geister" (378 f.),
dem ,,die Kundmachung und Verherrlichung der Ehre Gottes" als ,,Mittel" oder ,,Zwischen-
zweck" dient, sofern ,,die Bekanntmachung göttlicher Vollkommenheiten nicht sowohl eine Realität in Gott, als vielmehr eine Vollkommenheit außer Gott in den endlichen Geistern" genannt
werden muß (380 f.). Diese Absicht Gottes schließt jedoch ,,ein dauerhaftes Bewustseyn der
menschlichen Seele" ein, ohne das die ernstlich gewollte Glückseligkeit der Menschen unmöglich
ist: ,,soll ich glückselig seyn, so muß ich die Uebereinstimmung oder Harmonie meiner freyen
Handlungen mit denen mir zukommenden Treiben [wohl Druckfehler statt: Trieben] zur Vollkommenheit empfinden, welches aber ein Bewusteyn erheischet." Weil aber ,,die Seele eines beständigen Wachsthums der Vollkommenheiten fähig ist, ohne irgend das Ziel der Endlichkeit zu
überschreiten", wird ,,in dieser Zeitlichkeit die Absicht und Wohlfahrt der Seele nicht hinreichend erreicht", so daß Gott der Seele ,,eine ewige Dauer mit Bewustseyn" verleihen muß, damit
sie sich ,,wie die asymptotischen Linien" der ,,Vollkommenheit des unendlichen Schöpfers" immer mehr annähere, ohne sie jemals zu erreichen ,,und die Grenzen der Endlichkeit zu verlieren"
(384 f.). Hennings konnte sich dabei auf Crusius stützen, für den ,,die Menschen letzte objectivi-
sche Endzwecke Gottes" waren, die als solche nicht nur von vorübergehender Dauer sein können.
Der Hauptzweck des menschlichen Lebens aber war für Crusius die Tugend, die ,,weiter ausgebil-
det, und zur Vollständigkeit gebracht, ... hernach eine Zeitlang geübet, und bis zu einem gewissen
Ziele, welches Gott willkürlich setzen muß, gestärket und dem Grade nach erhöhet" werden soll,
damit Gott den vernünftigen Geistern ,,hernach allererst nach Proportion der Tugend die Glückseligkeit angedeyhen" lassen kann, was ,,in dem gegenwärtigen Leben gar nicht oder gar selten

kulative Vernunft wegen der unableitbaren, über die gegenwärtige Existenz hinausragenden ,,Beharrlichkeit'' nicht beantworten konnte[294], nun auf einem anderen Wege eingeholt worden, der die vergleichsweise größere Sicherheit bietet[295]. Am Rande sei daran erinnert, daß auch das Postulat der Existenz Gottes als der ,,adäquaten Ursache'' einer ,,jener Sittlichkeit angemessenen *Glückseeligkeit*'' und nicht etwa ,,*als eines Grundes aller Verbindlichkeit über-*

---

geschiehet, wie die Erfahrung lehret,'' so daß ,,ein anderes Leben bevorstehen'' muß (Crusius, a.a.O. [36 — Anweisung] 253-267 entspr. §§ 210-220). Die von Crusius noch angenommene, von Gott bestimmte Grenze dieses Wachstums ließ Mendelssohn fallen: ,,Durch die Nachahmung Gottes kann man sich allmählig seinen Vollkommenheiten nähern, und in dieser Näherung bestehet die Glückseeligkeit der Geister; aber der Weg zu denselben ist unendlich, kann in Ewigkeit nicht ganz zurück geleget werden. Daher kennet das Fortstreben in dem menschlichen Leben keine Grenzen.'' Man könne also annehmen, ,,dieses Fortstreben zur Vollkommenheit, dieses Zunehmen, dieser Wachsthum [!] an innerer Vortrefflichkeit sey die Bestimmung vernünftiger Wesen, mithin auch der höchste Endzweck der Schöpfung. Wir können sagen, dieses unermeßliche Weltgebäude sey hervorgebracht worden, damit es vernünftige Wesen gebe, die von Stufe zu Stufe fortschreiten, an Vollkommenheit allmählich zunehmen, und in dieser Zunahme ihre Glückseeligkeit finden mögen.'' (Mendelssohn, a.a.O. [166] 268 ff.). Hennings hatte die Werke von Crusius und Mendelssohn gelesen. Tetens war dagegen mehr an den psychologischen Fragestellungen interessiert. Er schreibt zwar: ,,Es ist für sich ein Grundsatz, dessen Richtigkeit auffällt, daß je mehr der Mensch vervollkommnet wird, ,einer desto größern Glückseeligkeit werde er fähig.' '' (Tetens, a.a.O. [130] 2/815), aber unsere Fragestellung wird nur ganz flüchtig im Schlußsatz des ganzen Werkes berührt, wo es heißt: ,,Mich deucht, es sey auffallend, daß es auch hier in unserer Natur Kräfte und Bestrebungen gebe, die nach Punkten hingehen, welche jenseits des Grabes liegen.'' (ebd. 2/834). Kant korrigiert allerdings die Auffassungen seiner Vorläufer über den Endzweck der Schöpfung: ,,Auch kann man hieraus ersehen: daß, wenn man nach dem *letzten Zwecke Gottes* in Schöpfung der Welt frägt, man nicht die *Glückseeligkeit* der vernünftigen Wesen in ihr, sondern *das höchste Gut* nennen müsse, welches jenem Wunsche dieser Wesen noch eine Bedingung, nämlich die der Glückseeligkeit würdig zu sein, d.i. die *Sittlichkeit* eben derselben vernünftigen Wesen, hinzufügt, ...'' (AA 5/130), und etwas modifiziert in der KU, wo der Mensch als Subjekt der Moralität als Endzweck der Schöpfung angegeben wird, weil nur in ihm ,,die unbedingte Gesetzgebung in Ansehung der Zwecke anzutreffen'' ist, ,,welche ihn also allein fähig macht ein Endzweck zu sein, dem die ganze Natur teleologisch untergeordnet ist'', wobei die Glückseeligkeit nur als die entsprechende Folge ,,nach Maßgabe der Übereinstimmung'' mit der ,,inneren moralischen Gesetzgebung'' gilt (AA 5/435 f.). Zum Zusammenhang von Glückseeligkeit und Fortschritt vgl. auch die Vorlesung zur Psychologia rationalis (L$_2$) aus dem Wintersemester 1790/91: ,,Glückseeligkeit in dieser Welt ist niemals complet. ... Die Glückseeligkeit besteht also im Fortschritte. In der künftigen Welt werden wir also seyn im Fortschritte entweder zur Glückseeligkeit oder zum Elende, ob dies aber ewig so fortdauren wird, können wir gar nicht wißen. Das moralisch Gute und Böse ist niemals hier vollkommen, es ist immer im Fortschritte.'' (AA 28.2,1/593 [nach dem Original] entspr. Heinze, a.a.O. [31] 677 [197]). Vgl. auch R 5480, AA 18/194 und R 6427, AA 18/712 f..

[294] AA 5/133.

[295] keine theoretische, sondern praktische Sicherheit, und auch diese nur indirekt: das moralische Gesetz ,,fordert'' zunächst von uns ,,uneigennützige Achtung'', und erlaubt erst dann, ,,wenn diese Achtung thätig und herrschend geworden'', ,,Aussichten ins Reich des Übersinnlichen, aber auch nur mit schwachen Blicken'' (AA 5/147). Aus der gelebten Moralität erwächst Sicherheit: ,,Da aber also die sittliche Vorschrift zugleich meine Maxime ist (wie denn die Vernunft gebietet, daß sie es sein soll), so werde ich unausbleiblich ein Dasein Gottes und ein künftiges Leben glauben und bin sicher, daß diesen Glauben nichts wankend machen könne, weil dadurch meine sittliche Grundsätze selbst umgestürzt werden würden, denen ich nicht entsagen kann, ohne in meinen eigenen Augen verabscheuungswürdig zu sein.'' (KrV A 828 = B 856).

haupt"[296] hier unmittelbar angeschlossen ist, so daß die Freiheit als Schlüssel-
begriff für die Beantwortung der wichtigsten Menschheitsfragen dient[297].

Damit ist für Kant gegenüber den an sich als unheilbar dargestellten Paralogismen der rationalen Psychologie ein entscheidender Fortschritt erzielt[298]. Im
theoretischen Gebrauch der Vernunft konnte die Seele zwar als einfaches und
beständiges Ding an sich selbst gedacht werden, ohne daß der Begriff selbst in
Widersprüche führte, was jedenfalls zum Abweis des Materialismus

---

[296] AA 5/124 f.. J. Dörenkamp nahm fälschlicherweise neben dem „Progressuspostulat" ein
„Glückseligkeitspostulat" für die Unsterblichkeit an, die er dann beide für „unvereinbar mit
Kants Ethik" erklärte (Die Lehre von der Unsterblichkeit der Seele bei den deutschen Idealisten
von Kant bis Schopenhauer [Diss. Bonn 1926] 26-48). Abgesehen davon, daß er genauerhin von
Gründen für das Unsterblichkeitspostulat hätte sprechen müssen, verfehlte er Kants Absicht
grundsätzlich, indem er den „Glückseligkeitstrieb" für den „Träger dieses Postulates" hielt (46).
Für Kant gilt dagegen Glückseligkeit auf keinen Fall als Motiv für sittliches Handeln, sondern sie
gehört als unerläßliche Voraussetzung zum *sinnvollen* Handeln, das wenigstens „die Möglichkeit
des *höchsten abgeleiteten Guts*" postulieren muß, woraus sich „das Postulat der Wirklichkeit eines *höchsten ursprünglichen Guts*", nämlich der Existenz Gottes" ergibt (AA 5/125). Erst in einem
weiteren Schritt könnte auch hier auf Unsterblichkeit geschlossen werden, was aber nicht ohne zusätzliche Überlegungen möglich ist. Dies dürfte auch der Grund sein, warum M. Albrecht bei der
Behandlung der Antinomie der praktischen Vernunft, die den Zusammenhang von Tugend und
Glückseligkeit zum Gegenstand hat und hier hineinspielt, annehmen konnte, daß die von Kant ge-
meinte Glückseligkeit „ihren Ort ausschließlich in der Sinnenwelt" habe und es „für den Kant der
Kritik der praktischen Vernunft die Möglichkeit einer ‚intellektuellen' oder ‚moralischen' (nicht-
sinnlichen) Glückseligkeit nicht gibt" (Kants Antinomie der praktischen Vernunft. Studien u.
Materialien z. Gesch. d. Philos. 21. [Hildesheim New York 1978] 51 f.). Demgegenüber stellt
Kant schon in der KrV der in dieser Beziehung versagenden „Sinnenwelt" „eine für uns künftige
Welt" und „als notwendiges Fortleben des Menschen in einer anderen Welt" entgegen, die als
„intelligible(n), d.i. *moralische(n)* Welt" gekennzeichnet und als zu der gehörig wir uns
„durch die Vernunft ... vorstellen müssen (A 810 f. = B 838 f.). In der KpV wird dies bestätigt:
„Wenn wir uns genöthigt sehen, die Möglichkeit des höchsten Guts, dieses durch die Vernunft allen vernünftigen Wesen ausgesteckten Ziels aller ihrer moralischen Wünsche, in solcher Weite,
nämlich in der Verknüpfung mit einer intelligibelen Welt, zu suchen, so muß es befremden, daß
gleichwohl die Philosophen alter sowohl als neuer Zeiten die Glückseligkeit mit der Tugend in
ganz geziemender Proportion schon *in diesem Leben* (in der Sinnenwelt) haben finden, oder sich
ihrer bewußt zu sein haben überreden können." (AA 5/115).
[297] Vgl. AA 5/473 f.. Freiheit ist der einzige „Fußsteig", „auf welchem es möglich ist, von seiner Vernunft bei unserm Thun und Lassen Gebrauch zu machen" (AA 4/455 f.). Durch „Realisirung des sonst transscendenten Begriffs der Freiheit" geschieht „Eröffnung einer intelligibelen
Welt" (AA 5/94) und „große Erweiterung im Felde des Übersinnlichen", wenn auch nur in praktischer Hinsicht (AA 5/103), ohne daß wir „außer uns hinausgehen" müssen, „um das Unbedingte und Intelligibele zu dem Bedingten und Sinnlichen zu finden" (AA 5/105), so daß der Begriff der Freiheit auch der „Schlußstein" des ganzen „Gebäude(s) eines Systems der reinen, selbst
der spekulativen Vernunft" genannt werden kann (AA 5/3 f.).
[298] „Dagegen eröffnet sich nun eine vorher kaum zu erwartende und sehr befriedigende Bestätigung der *consequenten Denkungsart* der speculativen Kritik darin, daß, da diese die Gegenstände der Erfahrung als solche und darunter selbst unser eigenes Subject nur für *Erscheinungen*
gelten zu lassen, ihnen aber gleichwohl Dinge an sich selbst zum Grunde zu legen, also nicht alles
Übersinnliche für Erdichtung und dessen Begriff für leer an Inhalt zu halten einschärfte;
praktische Vernunft jetzt für sich selbst, und ohne mit der speculativen Verabredung getroffen zu
haben, einem übersinnlichen Gegenstande der Kategorie der Causalität, nämlich der *Freiheit*,
Realität verschafft (obgleich als praktischem Begriffe auch nur zum praktischen Gebrauche), also
dasjenige, was dort bloß *gedacht* werden konnte, durch ein Factum bestätigt." (AA 5/6).

hinreichte[299]; aber der Realitätsbezug einer solchen wenn auch denknotwendigen Vernunftidee war nur in einer sich jedem Zugriff entziehenden Weise gegeben, so daß über ihre objektive Gültigkeit im Hinblick auf wirkliche Erkenntnis nicht geurteilt werden konnte[300]. Dieser Realitätsbezug wird nun durch die praktische Vernunft aufgedeckt, der das moralische Gesetz als Deduktionsprinzip dient, um der Idee der Freiheit „*objective* und, obgleich nur praktische, dennoch unbezweifelte *Realität*" zu verschaffen[301], weil sie sie „durch ein Factum beweisen" kann[302], wozu sie sich „berechtigt" und „genöthigt" sieht[303]. Freiheit bleibt dabei ein „negativ(er)" Begriff (positiv könnte er nur für eine uns nicht gegebene intellektuelle Anschauung werden)[304], aber wenigstens zum praktischen Gebrauch ist ihre „Realität" durch ein „Factum bestätigt", das „sich für sich selbst uns aufdringt als synthetischer Satz a priori"[305]; sie ist die „einzige unter allen Ideen der speculativen Vernunft, wovon wir die Möglichkeit a priori *wissen*, ohne sie doch einzusehen", nämlich als „ratio essendi" des moralischen Gesetzes, das selbst als „ratio cognoscendi der Freiheit" dient[306]. Auf diese Weise steht für Kant die „transscendentale *Freiheit* nunmehr(o) fest"[307]. Damit ist die spekulative Kritik bestätigt, die ein „Ding an sich selbst zum Grunde" legte und den Weg wies, nicht „alles Übersinnliche für Erdichtung" zu halten[308], und z. B. den Begriff einer „causa noumenon" wenigstens gelten zu lassen[309], ohne ihn doch einzusehen. Dies alles gilt für Kant freilich nur „*in praktischer Absicht*"[310], die aber für ihn die letztlich wichtige und entscheidende ist und die es auch gestattet, sonst bloß „regulative" Ideen und Prinzipien als „konstitutiv" zu betrachten[311]. In der „Kritik der Urteilskraft" wird die scheinbare Schroffheit der Paralogismuskritik noch weiter abgemildert, wenn auch nicht zurückgenommen. Obwohl praktische und spekulative Vernunft „einerlei Erkenntnisvermögen zum Grunde" haben, insofern sie „beide *reine Vernunft*" sind[312],

---

[299] KrV A 383, B 420.
[300] vgl. KrV B XXVI-XXVIII; AA 5/56, 147, 340.
[301] AA 5/49.
[302] AA 5/6, 104.
[303] AA 5/94.
[304] AA 5/29, 31.
[305] AA 5/6, 31.
[306] AA 5/4.
[307] AA 5/3 (Cassirer 5/3: „nunmehro").
[308] AA 5/6.
[309] AA 5/55.
[310] AA 5/133.
[311] AA 5/135. Damit wird der Vernunft, die als spekulative in ihren Ideen „immer überschwenglich wurde", im Zusammenhang mit der „Sicherung" des Freiheitsbegriffs „*objective* und obgleich nur praktische, dennoch unbezweifelte *Realität* verschafft", so daß sich insofern ihr „transscendente(n)r Gebrauch in einen *immanenten*" verwandelt (AA 5/48 f.; vgl. auch AA 5/6, 54, 132). Dieser praktische Vernunftgebrauch erfolgt „zwar den Kategorien des Verstandes gemäß", aber nicht in theoretischer Absicht (AA 5/65).
[312] AA 5/89; vgl. auch AA 4/391; 5/121, 135.

ergeben sich die Naturbegriffe aus der Gesetzgebung des Verstandes, während
der Freiheitsbegriff zur Verwirklichung des aufgegebenen Zweckes in der Sinnenwelt auf der Gesetzgebung der Vernunft beruht[313], so daß beide Gesetzge-
bungen durch eine ,,unübersehbare Kluft'' voneinander getrennt sind[314]. Im
Hinblick auf die zur Verwirklichung der Freiheit notwendige Einheit zwischen
beiden   Bereichen[315]   fungiert   die   (reflektierende)   Urteilskraft   als
,,Mittelglied''[316], indem sie nach einem allerdings bloß subjektiven ,,a priori''
einer Zweckmäßigkeit der Natur den ,,vermittelnden Begriff'' liefert zur
Verknüpfung der ,,Gesetzgebungen des Verstandes und der Vernunft''[317].
Das bedeutet für unsere Frage: Nachdem der Verstand ein unbekanntes
,,übersinnliches Substrat'' der von uns erkannten Erscheinungen anzeigt, verschafft die Urteilskraft ,,durch ihr Prinzip a priori der Beurtheilung der Natur
nach möglichen besonderen Gesetzen derselben ihrem übersinnlichen Substrat
(in uns sowohl als außer uns) *Bestimmbarkeit durch das intellektuelle Vermö-*
gen'', dem die Vernunft ,,durch ihr praktisches Gesetz a priori die *Bestim-*
mung'' gibt[318]. Auf diesem Wege, der hier nur angedeutet ist, kommt Kant zu
der in seinem Sprachgebrauch ungewöhnlichen Aussage, daß die Idee der
Freiheit ,,die einzige unter allen Ideen der reinen Vernunft'' ist, ,,deren Gegenstand Thatsache ist und unter die *scibilia* mit gerechnet werden muß''[319].
Durch seine ,,an der Natur'' bewiesene ,,objective Realität'' macht der Freiheitsbegriff die ,,Verknüpfung'' der beiden anderen Postulate der praktischen

---

[313] AA 5/176 ff.. Der Terminus ,,Vernunft'' wird von Kant einmal im weiteren Sinne als Bezeichnung für ,,das ganze obere Erkenntnißvermögen'' (KrV B 863) verwendet, das den Verstand
mit einschließt, und dann wieder im engeren Sinne einer ,,obersten Erkenntnißkraft'' (KrV B 355)
verstanden, die im Unterschied zum Verstande (= ,,das Vermögen der Regeln'') ,,das *Vermögen*
der Principien'' genannt wird (KrV B 356). Im Bereich der theoretischen Erkenntnis ist allein der
Verstand ,,a priori gesetzgebend'', während die Vernunft sich hier in Paralogismen und Antinomien verstrickt; auf dem Gebiet der praktischen Philosophie, die es im Zusammenhang mit dem
Begehrungsvermögen mit dem Freiheitsbegriff zu tun hat, ist jedoch allein die ,,reine(n) Vernunft'' ,,a priori gesetzgebend'' (AA 5/174-179), deren sonst transzendente und bloß regulative
Prinzipien hier als immanent und konstitutiv angesehen werden, allerdings ,,nur in praktischer
Absicht''. Damit ist ein ,,Zuwachs'' gegeben, der zwar keine Erweiterung der theoretischen Gegenstandserkenntnis über den Bereich der Erfahrung hinaus darstellt, aber wegen des hinzuge-
wonnenen Realitätsbezuges der Vernunftideen als praktische ,,Erweiterung der theoretischen
Vernunft'' hinsichtlich des Gegebenseins übersinnlicher Gegenstände überhaupt bezeichnet wird,
wodurch sich die spekulative Vernunft in der Lage sieht, ,,läuternd(,) mit jenen Ideen zu Werke''
zu gehen, d.h. mit ihrer Hilfe gegen ,,den Anthropomorphism als den Quell der *Superstition''*
und den ,,*Fanaticism''*, wirksam vorzugehen, um Schaden für echte Moralität abzuwehren (vgl.
5/132-136). Vgl. zur Terminologie das Übersichtsschema am Ende der Einleitung in die KU AA
5/198).
[314] AA 5/175, vgl. 5/55, 195.
[315] AA 5/175 f., vgl. auch 5/91.
[316] AA 5/168, 177, 298.
[317] AA 5/177 und 196.
[318] AA 5/196.
[319] AA 5/468.

Vernunft (Gott und Unsterblichkeit) ,,mit der Natur, aller dreien aber unter einander zu einer Religion möglich'', so daß Vernunft zu einer, ,,obgleich nur in praktischer Absicht möglichen'' Erkenntnis ,,der Idee des Übersinnlichen'' ,,in uns'' und ,,außer uns'' über die der bloß theoretischen Vernunft gesetzten Grenzen hinaus gelangen kann[320]. Die Bestimmung der Begriffe Gottes und der Seele ,,(in Ansehung ihrer Unsterblichkeit)'' kann demnach ,,nur durch Prädikate geschehen, die, ob sie gleich selbst nur aus einem übersinnlichen Grunde möglich sind, dennoch in der Erfahrung ihre Realität beweisen müssen; denn so allein können sie von ganz übersinnlichen Wesen ein Erkenntnis möglich machen''[321]. Für die theoretische Vernunft aber bleibt weiterhin ,,eine unendliche Kluft'' zwischen dem Sinnlichen und dem Übersinnlichen, die überbrücken zu wollen nur einer ,,eiteln Fragsucht'' in den Sinn kommen kann, nicht aber einer ,,gründlichen Wißbegierde''[322]. Das Bedürfnis der Vernunft in ihrem theoretischen Gebrauch ist jedoch ,,nur bedingt'', wenn wir nämlich ,,*urtheilen wollen*'', während das des praktischen ,,unbedingt'' ist, weil wir hier ,,*urtheilen müssen*''[323]. Als Ergebnis mag an dieser Stelle der bekannte Satz aus dem Beschluß der KpV gelten, in dem von dem Blick auf ,,*das moralische Gesetz in mir*'', der ,,das Gemüth mit immer neuer und zunehmender Bewunderung und Ehrfurcht erfüllt'', gesagt wird: er ,,erhebt ... meinen Werth, als einer *Intelligenz*, unendlich durch meine Persönlichkeit, in welcher das moralische Gesetz mir ein von der Thierheit und selbst von der ganzen Sinnenwelt unabhängiges Leben offenbart, wenigstens so viel sich aus der zweckmäßigen Bestimmung meines Daseins durch dieses Gesetz, welche nicht auf Bedingungen und Grenzen dieses Lebens eingeschränkt ist, sondern ins Unendliche geht, abnehmen läßt''[324].

In den persönlichen Notizen Kants deuten sich bis in die Zeit nach Erscheinen der KrV hinein zum Thema ,,Seele'' im Zusammenhang mit dem Commercium-Problem und im Blick auf eine persönliche Unsterblichkeit ungeschützt skizzierte Überlegungen an, die breiter durchgespielt werden, als dies in den Druckschriften zum Ausdruck kommt. Veranlaßt durch die entsprechenden Abschnitte der Baumgartenschen Metaphysik über die ,,Natura animae humanae'' (§§ 740-760), die ,,Origo animae humanae'' (§§ 770-775), die ,,Immortalitas animae humanae'' (§§ 776-781) und über den ,,Status post mortem'' (§§ 782-791)[325] werden die verschiedenen Theorien über Ursprung und Fortleben der Seele ins Auge gefaßt und mehrfach systematisch

---

[320] AA 5/474.
[321] AA 5/473.
[322] AA 5/55.
[323] in der Schrift: Was heißt: sich im Denken orientieren? im Hinblick auf die Existenz Gottes formuliert (AA 8/139).
[324] AA 5/161 f..
[325] AA 17/140-155.

geordnet[326], während der Begriff „Metempsychose"[327] in den Druckschriften
überhaupt nicht vorkommt und von „Präexistenz" nur einmal im Zusammenhang mit der Jungfrauengeburt die Rede ist[328]. Nach diesen Aufzeichnungen
ist Kant in der vorkritischen Zeit geneigt, die Geburt für den „anfang ...
nur des thierischen Lebens" zu halten[329], so daß die Menschenseelen also ein
geistiges Leben schon „vor dem Korper gehabt" haben[330], weil das „reine
Geistige Leben das Ursprüngliche und selbständige Leben" ist[331]. Dementsprechend ist auch das Fortleben der Seele nach dem Tode nicht nur als bloße
„Fortdauer ihrer Substantz", sondern als Fortdauer der „Persohnlichkeit"
und damit des „Bewustseyn(s)" zu verstehen, so daß „Geburth und Tod ...
Anfang und Ende eines auftritts" sind, „in dem nur die moralitaet erheblich
ist"[332]. Damit ist der Tod „nichts anderes, als das Ende der Sinnlichkeit",
und die „andere Welt wird nicht andere Gegenstände, sondern eben dieselbe
gegenstande anders (nemlich intellectualiter) und in andern Verhältnissen zu
uns gesehen vorstellen. Und die Erkentnis der Dinge durch das göttliche Anschauen, imgleichen das Gefühl der Seeligkeit durch ihn ist nicht mehr die
Welt, sondern der Himmel"[333]. Noch in der kritischen Zeit wird der Tod als
„das Aufhören der Sinlichkeit und der Anfang des spirituellen und intellectuellen Lebens" und die „andere Welt" als die „Gegenwartige" beschrieben,
die „entweder durch andere Sinne oder geistig angeschaut" wird[334]. Dabei
wird allerdings nicht der Anspruch erhoben, die Frage nach der Geistnatur der
Seele und der damit verbundenen überzeitlichen Personalität des Menschen a
priori beweisen zu können (was der einzige wirkliche „Stein des Anstoßes" ge-

---

[326] z.B. R 4108, AA 17/418 f.; R 4230, AA 17/467 ff.; R 4442, AA 17/548; R 6014, AA
18/423.

[327] genannt z.B. R 3634, AA 17/152; R 4108, AA 17/418 f.; R 4230, AA 17/467 ff.; R 6014,
AA 18/423. Ablehnend: R 5473, AA 18/192. „Palingenesie" kommt fünfmal in den Druckschriften vor (AA 2/256, 3/450 [= KrV A 684 = B 711], 6/340, 8/53 und 9/365), wird aber nur
einmal (in der KrV) in Bezug auf die Menschenseele gebraucht („keine windige Hypothesen von
Erzeugung, Zerstörung und Palingenesie der Seelen"). „Metamorphose" kommt in den Druckschriften nur zweimal (AA 6/340 und 7/55) und nur im (jeweils verschiedenen) übertragenen Sinne vor. Zum Zusammenhang vgl. R 6014: „Palingenesis (vel resurrectionis vel [in reno (= sensu?)
substitutionis] metamorphoseos; metamorphosis vel evolutionis vel migrationis)".

[328] AA 6/80.

[329] R 4107, AA 17/417.

[330] R 4239, AA 17/473; vgl. auch R 4237 u. 4238, AA 17/471 f..

[331] R 4240, AA 17/474 f..

[332] R 4239, AA 17/473. Vgl. AA 1/460: „Der Mensch ist nicht geboren, um auf dieser Schaubühne der Eitelkeit ewige Hütten zu erbauen. Weil sein Leben ein weit edleres Ziel hat, ...". Es
gilt zu beweisen, daß die Person als Intelligenz im Bewußtsein ihrer Identität fortdauern werde,
und zwar „nicht blos dem Vermögen, sondern auch dem actu nach" (R 5473 u. 5474, AA
18/192 f.). Ähnlich noch in der kritischen Phase R 6012-13, AA 18/422 f.; zugleich aber auch gegenüber einem umfassenderen Auferstehungsglauben differenzierend: „Die Hofnung des künftigen Lebens kan auf Auferstehung ohne Seelen Existenz gegründet seyn" (R 6009, AA 18/422).

[333] R 4240, AA 17/474 f. (nach Adickes bis 1771). Vgl. dazu R 4108, AA 17/418: „Irgend eine
Sinnlichkeit wird wohl bleiben."

[334] R 6015, AA 18/423 f. (nach Adickes um 1785-88).

gen die ,,ganze Kritik'' sein würde[335]), so daß Kant sich nicht der Beschäftigung mit einer Frage ohne Sinn[336] schuldig gemacht oder als ,,dogmatische(r)
Spiritualist''[337] eine transzendent-überschwengliche These[338] vertreten hat;
der praktisch-moralische Beweis ist Grund genug, solche Überlegungen
anzustellen[339], denn: die ,,moralische postulata sind evident, ihr Gegentheil
läßt sich ad absurdum morale bringen. ... also ist es eine nothwendige moralische hypothesis, eine andre Welt anzunehmen. Wer sie nicht annimmt, verfällt in ein absurdum practicum''[340]. Die von Adickes aufgrund von Hand-
schriftkriterien angegebenen Datierungen der einzelnen Reflexionen sind in
den meisten Fällen so ungenau, daß sich von hier aus kaum ein brauchbarer
Anhaltspunkt für entwicklungsgeschichtliche Überlegungen bietet. Vielleicht
ist es in Zukunft möglich, die Datierung mit wortstatistischen Methoden nach
Norbert Hinske[341] weiter einzugrenzen.

Noch klarer äußert sich Kant in seinen Vorlesungen über die rationale Psychologie in der ersten Hälfte der neunziger Jahre[342], in denen er sich ,,lebendi-
ger, frischer und freier ergangen'' hat[343]. Manches darin klingt zwar ,,recht
dogmatisch'', ,,da er die kritische Einschränkung nicht stets beifügt'' und
wohl auch ,,innerlich ... diesen dogmatischen Sätzen'' zuneigt, wie Heinze
feststellt[344]. Zur Darstellung des Leib-Seele-Verhältnisses greift Kant hier auf
das schon früher gebrauchte[345] Bild vom Karren zurück, an den ein Mensch
geschmiedet ist: er behindert ihn zwar grundsätzlich, aber er kann ihn auch
stützen, wenn die Räder gut geschmiert sind[346]. Auch hier ist Kant an einer

---

[335] KrV B 409.
[336] vgl. KrV A 684 = B 712.
[337] KrV A 690 = B 718.
[338] vgl. KrV B 427.
[339] ,,Nur die *Einwürfe*, welche der materialist gegen die Unsterblichkeit der Seele macht, können metaphysisch widerlegt werden. Der Beweis selbst ist nur *moralisch*.'' (R 5471, AA 18/192).
Dazu R 5475, AA 18/193: ,,Der moralische Beweis sagt nicht, daß die Seele künftig leben werde,
sondern daß der rechtschaffene nicht vermeiden könne, dieses anzunehmen und wenigstens als
moglich anzusehen.'' In der gleichen Phase ($\varphi^2 - \psi$) wird jedoch der moralische Beweis noch einmal unterschieden: ,,a. theologisch aus dem Zufalligen willen Gottes ...; b. absolut moralisch aus
dem nothwendigen Willen Gottes, indem die Moralitaet als an sich nothwendig angesehen wird
und den Glauben an Gott und zugleich den Begrif von seinem Willen bestimmt'' (R 5472, AA
18/192).
[340] R 5477, AA 18/193.
[341] vgl. N. Hinske, Kants neue Terminologie und ihre alten Quellen. Möglichkeiten und Grenzen der elektronischen Datenverarbeitung im Felde der Begriffsgeschichte, in: KantSt 65 (1974)
Sonderheft: Akten des 4. Internat. Kant-Kongr. Mainz, 6.-10. April 1974, Teil 1, 68*-85*.
[342] Zur Datierung vgl. Heinze, a.a.O. (31) 506 ff. [26 ff.]; G. Lehmann, AA 28.2, 2/1346.
[343] Heinze, a.a.O. (31) 561 [81].
[344] Heinze, a.a.O. (31) 658 [178].
[345] Pölitz, a.a.O. (31) 236 f. entspr. AA 28.1/286, ähnlich in R 5464, AA 18/190.
[346] im Text K$_2$, Heinze, a.a.O. (31) 687 [207] entspr. AA 28.2,1/763. Der Vergleich erinnert
von Ferne an das Bild von der ,,Wirkungseinheit'' eines geflügelten Rossegespanns und des Wa-
genlenkers zur Darstellung der Seele in Phaidr. ab 246 A (vgl. O. Wichmann, Platon. Ideelle Ge-
samtdarstellung und Studienwerk (Darmstadt 1966) 220), ein Einfluß dürfte jedoch nicht vorliegen. In R 5464, AA 18/190 wird das Bild vom Karren als eine Argumentation ,,κατ ανθρωπον''
bezeichnet; es wird der ,,Schein dem Schein entgegengesetzt''.

Unsterblichkeit interessiert, die ,,aus der Natur der Seele'' und nicht nur ,,ex
decreto divino'' folgt und in der ,,Fortdauer ihrer Substanz und der Identität
ihrer Persönlichkeit'', d.h. im ,,Bewußtsein, dasselbe Subjekt zu sein'',
besteht[347], was aber nicht theoretisch und a priori[348], sondern nur ,,theo-
-teleologisch(e)'' bewiesen wird mit dem Ergebnis einer ,,moralisch
praktischen Hypothese''[349], die dazu dient, ,,unsern Vernunftglauben an ein
künftiges Leben zu rechtfertigen''[350]. Hinsichtlich der verschiedenen Theorien
über den Ursprung der Seele scheint Kant auch hier einer wie immer gearteten
Präformation der Seele zuzuneigen[351], während eine jeweilige Erschaffung der
Seele von Gott als ,,blosse Glaubenssache'', die einer philosophischen Untersuchung unzugänglich ist, ausgeklammert wird[352]. Der Zustand der Seele nach
dem Tod ist der ,,Eines völligen Bewußtseins seiner selbst''[353], während die
Lehre von der Metempsychose wegen des dabei angenommenen ,,letheum po-
culum'' als ,,abgeschmackt'' bezeichnet und eine ,,Palingenesie durch Resur-
rection'' in die Nähe eines sublimen Materialismus gerückt wird (,,Was soll
unser kalkerdigter Leib im Himmel?'')[354]. Unter ,,Himmel'' versteht Kant
hier ,,Das Maximum alles Guten, sowohl des Wohlbefindens als auch der
Würdigkeit glücklich zu sein'', ,,die Liebe zum höchsten Gut'' und den ,,pro-
gressus infinitus zum Guten''[355]. Als Bestätigung des Gesagten mögen Kants

---

[347] Heinze, a.a.O. (31) ebd..

[348] Heinze, a.a.O. (31) 689 [209] entspr. AA 28.2,1/765.

[349] Heinze, a.a.O. (31) 690 [210] entspr. AA 28.2,1/766 f.

[350] Heinze, a.a.O. (31) 691 [211] entspr. AA 28.2,1/768.

[351] Heinze, a.a.O. (31) 686 [206] entspr. AA. 28.2,1/761; dem widerspricht nicht, daß es eine
Seite vorher heißt, das System der Epigenesis habe ,,mehrere Gründe für sich als das System der
Präformation'' (Heinze, a.a.O. (31) 685 [205] entspr. AA 28.2,1/760). Entscheidend bleibt für
Kant, daß die Eltern keine eigentliche Schöpferkraft haben und zu einer ,,productio ex nihilo''
nicht fähig sind, was schließlich den Ausschlag gibt (Heinze 686). Dem entspricht auch der Satz in
R 6014, AA 18/423: ,,Großer Einwurf gegen die Unsterblichkeit aus der epigenesis der Seele''.

[352] Heinze, a.a.O. (31) 685 [205] entspr. AA 28.2,1/760: ,,Nimmt man an, die Seele werde von
Gott bei der Geburt geschaffen, so ist ihr ortus hyperphysicus, und wer dies annimmt, ist Creatia-
ner (Hypernaturalist).'' Hier wird deutlich, wie Kant strikt die Grenzen philosophischer Erkenntnis einzuhalten bestrebt ist (vielleicht kommt hier auch die Unschärfe der Hörernachschrift ins
Spiel). Wenn man die Angabe ,,bei der Geburt'' nicht preßt, sind Präformation und Creation
durchaus kompatibel: die entscheidende Frage wird nur verlagert, aber nicht präjudiziert.

[353] Heinze, a.a.O. (31) 692 [212] entspr. AA 28.2,1/770.

[354] Heinze, ebd., entspr. AA 28.2,1/769, etwas abgeschwächt: Heinze, a.a.O. (31) 690 [210]
entspr. AA 28.2,1/767; ausführlicher begründet in der Religionsschrift AA 6/128 f..

[355] Heinze, a.a.O. (31) 693 [213] entspr. AA 28.2,1/770. Vgl. dazu die entsprechende Stelle in
L₂: ,,Der Zustand der Seele nach dem Tode. Hierzu lässt sich nicht viel sagen, ausser was Negatives, d.h. was wir nicht wissen. In die körperliche Welt können wir die Seele nach dem Tode nicht
setzen, auch in keine andere Welt, die etwa weit entfernt wäre. Wir sagen: sie kommt entweder in
den Himmel oder in die Hölle. Durch den Himmel muss man das Reich der vernünftigen Wesen in
Verbindung ihres Oberhauptes als des allerheiligsten Wesens, verstehen. Der Mensch, der tugend-
haft ist, ist im Himmel, er schaut sich nur nicht an, er kann es aber durch die Vernunft schliessen.
Der Mensch, der immer Ursachen findet, sich zu verachten und zu tadeln, ist hier schon in der
Hölle.'' (Heinze, a.a.O. (31) 677 [197] entspr. AA 28.2,1/592, dort nach dem Original zitiert in
der ursprünglichen Orthographie). In der Religionsschrift bevorzugt Kant ,,die Hypothese des
Spiritualismus vernünftiger Weltwesen, wo der Körper todt in der Erde bleiben und doch dieselbe

Ausführungen über die Tierseele in der Psychologievorlesung L_2 (vermutlich aus den Jahren 1790-91[356]) gelten: Weil „Alle Materie ... leblos" ist[357], müssen auch Tiere „Seelen haben", die aber keine Vernunft, sondern nur ein „analogon rationis" besitzen, das als „Instinct" bezeichnet wird, der als eine Einrichtung einer „höhere(n) Vernunft" erscheint. Darum sind sie nicht nur quantitiv („dem Grad nach"), sondern „der Qualitaet nach" von den Seelen der Menschen unterschieden[358].

Im Jahre 1796 wird die menschliche Seele in der Schrift „Von einem neuerdings erhobenen vornehmen Ton in der Philosophie" im Kontext einer Betrachtung über Pythagoras als „ein freies sich selbst bestimmendes Wesen" und gleichzeitig als das „belebende Prinzip im Menschen" beschrieben[359]. Im gleichen Jahr findet sich in Kants Bemerkungen zu Samuel Thomas Sömmerings Schrift „Über das Organ der Seele" der Ausdruck des „absoluten

---

Person lebend dasein, imgleichen der Mensch dem Geiste nach (in seiner nicht sinnlichen Qualität) zum Sitz der Seligen, ohne in irgend einem Ort im unendlichen Raume, der die Erde umgiebt (und den wir auch Himmel nennen), versetzt zu werden, gelangen kann". Diese Position ist für Kant „der Vernunft günstiger" als ein von ihm sogenannter „*Materialism der Persönlichkeit* des Menschen", der „unsere Existenz nach dem Tode" bloß auf dem Zusammenhalten eines gewissen Klumpens Materie in gewisser Form beruhen" läßt, anstatt „die Beharrlichkeit einer einfachen Substanz als auf ihre Natur gegründet" zu denken (AA 6/128 f.). Weitere Umschreibungen des Himmels: „Sitz der Seligkeit", „Gemeinschaft mit allen Guten" (ebd.), „Reich des Lichts" (AA 6/60).

[356] Zur Datierung vgl. oben Anm. 342. Die Ausführungen sind veranlaßt durch die §§ 792-795 in Baumgartens Metaphysik (AA 17/155 f.).

[357] Heinze, a.a.O. (31) 676 [196] entspr. AA 28.2,1/591. Daß Materie „für sich nicht leben" kann („materia est iners"), ist ein verschiedentlich von Kant gebrauchter Satz gegen den „Hylozoism". Vgl. auch K_2, Heinze, a.a.O. (31) 679 [199] entspr. AA 28.2,1/753; 687 [207] entspr. AA 28.2,1/762. Dazu R 4237, AA 17/471; R 4240, AA 17/474; R 5468, AA 18/191. In der KU: „Aber die Möglichkeit einer lebenden Materie (deren Begriff einen Widerspruch enthält, weil Leblosigkeit, inertia, den wesentlichen Charakter derselben ausmacht) läßt sich nicht einmal denken" (AA 5/394), entsprechend der in der KrV gegebenen Definition der Materie: „undurchdringliche leblose Ausdehnung" (A 848 = B 876). Vgl. dazu auch K. Roretz, Zur Analyse von Kants Philosophie des Organischen. Akwiss. in Wien, Philos.-hist. Kl., Sitzungsber. 193, 4 (Wien 1922) und neuerdings R. Löw, Philosophie des Lebendigen. Der Begriff des Organischen bei Kant, sein Grund und seine Aktualität (Frankfurt/M 1980).

[358] Heinze, a.a.O. (31) 678 [198] entspr. AA 28.2,1/594. Das „analogon rationis" schon in der Metaphysik L_1, Pölitz, a.a.O. (31) 219, entspr. AA 28.1/276. Dort auch das Prinzip: „Alle Materie als Materie (materia, qua talis) ist leblos. Woher wissen wir das? Der Begriff, den wir von der Materie haben, ist dieser: materia est extensum impenetrabile iners" (Pölitz, a.a.O. (31) 216, entspr. AA 28.1/274 f., vgl. die deutsche Fassung oben in Anm. 357). Nach L_1 sind die Tierseelen ebenfalls „nicht dem Grade nach von der menschlichen Seele unterschieden, sondern der Species nach", was durch das Fehlen des inneren Sinnes und des Ich-Bewußtseins begründet wird: „Das Bewußtseyn seiner selbst, der Begriff vom Ich, findet bei solchen Wesen, die keinen innern Sinn haben, nicht statt; demnach kann kein unvernünftiges Thier denken. Ich bin; hieraus folgt der Unterschied, daß Wesen, die einen solchen Begriff vom Ich haben, *Persönlichkeit* besitzen." (Pölitz, a.a.O. (31) 218 ff. entspr. AA 28.1/275 ff.). Gleichzeitig kündigt sich die kritische Perspektive an: „Der Begriff von thierischen Seelen und von höhern Geistern ist nur ein Spiel unserer Begriffe." (Pölitz, a.a.O. (31) 222 entspr. AA 28.1/278). Vgl. auch H. E. Jones, Kant's principle of personality (Madison, Milwaukee, and London 1971).

[359] AA 8/392.

Selbst's" für die Seele, deren Ort anzugeben aber „auf eine unmögliche Größe (√-2)" führe[360]. 1797 wird die Seele in der „Metaphysik der Sitten (Tugendlehre)" zunächst als „Lebensprincip des Menschen im freien Gebrauch seiner Kräfte" definiert[361], dann aber wird wiederum für den Bereich der bloß spekulativen Erkenntnis offengelassen, ob das Lebensprinzip des Menschen „eine vom Körper unterschiedene und von diesem unabhängig zu denken vermögende, d.i. geistige Substanz" im Sinne einer Seele oder bloß „eine Eigenschaft der Materie" sei[362]. Die „Anthropologie in pragmatischer Hinsicht" von 1798 beginnt mit der Darstellung des Menschen als Person, und zwar, „vermöge der Einheit des Bewußtseins", als eine und dieselbe Person, die „durch Rang und Würde" von den Tieren „ganz unterschieden(es)" ist, „selbst wenn er das Ich noch nicht sprechen kann"[363]. Nach dieser Schrift hält der Mensch, wenn er seine innere Erfahrung nicht bloß „anthropologisch, wo man nämlich davon absieht, ob der Mensch eine Seele (als besondere unkörperliche Substanz) habe oder nicht, sondern psychologisch" deutet, sein „Gemüth" für eine besondere in ihm „wohnende Substanz" und die Seele für „das Organ des inneren Sinnes", aber in Wirklichkeit entdeckt er dabei in seinem Gemüt doch nichts anderes, als was er selbst vorher hineingetragen hat[364]. Damit will Kant offenbar nur daran erinnern, daß nach den Resultaten der Kritik die innere Erfahrung für metaphysische Aussagen über die Seele und besonders über ihren Zustand nach dem Tode gänzlich unzureichend ist, weil man die Seele zu Lebzeiten nicht experimentell isolieren kann. Im zweiten Entwurf zur „Preisschrift" hatte Kant ein solches Unterfangen mit dem Ver-

---

[360] AA 12/34 f..

[361] AA 6/384.

[362] Weder die Erfahrung noch „Schlüsse der Vernunft" geben „hinreichend" darüber Auskunft (AA 6/419). — Man könnte meinen, Kant sei hier zum Teil hinter den Stand des mit seiner kritischen Philosophie Erreichten zurückgefallen, für die es als ausgemacht galt, daß wenigstens die Position eines psychologischen Materialismus auch theoretisch widerlegbar sei (vgl. KrV A 383, B 420). Dem ließe sich entgegenhalten, daß im gegebenen Zusammenhang zur Lösung der Antinomie der „Pflicht gegen sich selbst" nur die Unterscheidung zwischen dem Menschen als „vernünftiges Naturwesen (homo phaenomenon)" und als „mit innerer Freiheit begabtes Wesen (homo noumenon)", d.h. als „Persönlichkeit" (AA 6/418), nicht aber die Unterscheidung zwischen Seele und Körper weiterführt, so daß es sich hier nur um eine unscharfe Ausdrucksweise in einer beiläufigen Anspielung handeln würde. Man könnte auch daran denken, daß etwa die unausgesprochene Unterscheidung zwischen einer organischen Lebenskraft und einer eigentlichen Geistseele die zurückhaltende Formulierung nahegelegt hat. Man dürfte jedoch der Wahrheit am nächsten kommen, wenn man annimmt, daß sich hier die im Opus postumum deutlicher zum Ausdruck kommende ganzheitliche Schau der Wirklichkeit bereits ankündigt, die vom Verstehen des Übersinnlichen ausgeht und der sich Menschsein „enthüllt" als „das Gegenwärtigsein Gottes, das geschieht, indem die Welt sich zeigt" (J. Kopper, Kants Gotteslehre, in: KSt 47 (1955/56), 31-61, hier 59). Von dieser Warte aus gesehen mag sich für Kant ein begriffliches Widerlegen des Materialismus als ein sekundäres und durchaus müßiges Unternehmen dargestellt haben, das er ohne viel Aufhebens hinter sich lassen konnte.

[363] AA 7/127.

[364] AA 7/161 f..

such verglichen, mit geschlossenen Augen vor dem Spiegel festzustellen, wie man aussieht, wenn man schläft[365].

Ein letzter Entwicklungsschritt, der sich etwa mit den Stichworten „Leben" und „Geist" bezeichnen läßt, in vielem aber auf die Psychologievorlesungen und auf frühere Reflexionen zurückgreift, scheint sich mit zerfließenden Konturen im Opus postumum darzustellen. Unter „Seele" wird jetzt in der Spätzeit das bewegende und belebende Prinzip des auf Zwecke gegründeten[366] organischen Lebens im allgemeinen verstanden, das unteilbar[367] und immateriell[368] ist („Eines in Vielen der Materie unmittelbar gegenwärtig"[369]), das aber vielleicht einem „allmäligen erlöschen" unterworfen ist[370]. Im spätesten 1. Konvolut wird die Seele organischer Körper zunächst ausdrücklich als zwar einfaches, aber nicht verständiges Wesen dem Geist gegenübergestellt[371]; dann wird diese Frage als für die Transzendentalphilosophie unentscheidbar bezeichnet[372], aber schließlich versucht Kant doch, die Seele organischer Körper auch als „imaterielles Vernunftwesen" zu denken, das ihnen „iniglich gegenwärtig" ist[373]. Er unterscheidet eine „vis vitalis" als „organisch//plastische Kraft", die „das Subject selbst hat", von einer „vis vivifica", „die ein anderes Subject der Materie verschafft"[374]. Wohl in diesem Sinn schreibt er dem Menschen neben einer organischen Seele auch einen „Geist"[375] (mens)[376] zu, den er als „imaterielles verständiges Wesen"[377] oder auch als „Ein imaterielles und intelligentes Princip als Substanz"[378] definiert. Dieser Geist wird einmal ein „Endlicher Geist" genannt, der „nur durch Schranken zum Absoluten gelangt"[379]; dann wieder wird von ihm gesagt, er sei „Spinozens Gott"[380], und schließlich heißt es, Gott sei „der iñere LebensGeist des Menschen in der Welt"[381]: „Es ist also ein Wesen über der Welt der *Geist* des Men-

---

[365] vgl. AA 20/309.
[366] z.B. AA 22/56.
[367] AA 22/373.
[368] AA 21/66, 85, 95, 100; 22/50, 97, 418. Vgl. AA 21/29: „Ob es eine dreyfache oder 4fache Art von Immaterialität gebe. Spiritus (Animantis) Animae et Mentis (Dido)".
[369] AA 22/294.
[370] AA 21/404.
[371] AA 21/85.
[372] AA 21/100.
[373] AA 21/122.
[374] AA 21/488.
[375] AA 22/57: „ein Geist als Geist"; 22/65, zu vergleichen mit 21/87.
[376] AA 21, 18, 25, 29; 22/50, 112. „Mens" auch für den göttlichen Verstand gebraucht AA 21/14.
[377] AA 21/85.
[378] AA 21/18.
[379] AA 21/76.
[380] AA 21/99.
[381] AA 21/41.

schen"[382]. Diesem Geist wohnt als „reines Princip"[383] das unbedingte Gebot
der Pflicht inne[384], das den Begriff der Freiheit ermöglicht und die Personalität des Menschen erweist[385]: „Es ist ein actives (durch) keine Sinenvorstellung
erregbares dem Menschen einwohnendes nicht als Seele den das setzt einen
Körper voraus sondern als Geist begleitendes Princip im Menschen der gleich
als eine besondere Substanz nach dem Gesetze der moralisch//practischen
Vernunft über ihn unwiderstehlich gebietet ihn den Menschen in Ansehung
seines Thun und Lassens durch seine eigne Thaten entschuldigt oder verda-
met. — Kraft dieser seiner Eigenschaft ist der moralische Mensch eine *Person*
d.i. ein Wesen das der Rechte fähig ist ... unter dem categorischen Imperativ
steht, zwar frey ist aber doch unter Gesetzen denen er aber sich selbst unter-
wirft ... und nach dem transsc. Idealism Göttliche Gebote ausübt"[386]. Zwar
sind die Begriffe von einem Geist und von Gott als Ideen nur gedacht (ideale
und nicht reale, wenn auch begründete „Dichtungen": „Gott ist kein *Appre-
hensibler* sondern nur ein *denkbarer* Gegenstand", ein „cogitabile, non dabi-
le")[387], aber gerade darin liegt nun der Beweis einer Wirklichkeit, die die Realität der Naturdinge weit hinter sich läßt: „Die bloße Idee" von Gott „ist zugleich Beweis seiner Existenz"[388], und indem „das denkende Subject sich
selbst ... als Person constituirt und jenes Systems der Ideen selbst Urheber
ist", hat der an sich „idealistische(r) Act, d.i. der Gegenstand dieser durch
reine Vernunft geschaffenen Idee" im Bereich des moralisch-praktischen

---

[382] AA 21/42.

[383] AA 22/112.

[384] AA 22/65, 112, 121. Daß der Geist des Menschen hier als vom Geist Gottes getragen erscheint, wirft auf die Autonomie des Sittengesetzes und die Erfüllung der Pflicht als (instar: AA
6/443, 487; noch um 1800 vgl. R 8110, AA 19/650: „Die Befolgung aller Moralischen Pflichten
als (instar) göttlicher Gebothe") Gottes Gebot ein neues Licht. Es dürfte sich zeigen lassen, daß
dies keine nachtägliche Korrektur ist, sondern immer schon unausgesprochen gemeint war. Vgl.
auch AA 21/28: „Der Ausdruck *als* göttlicher Gebote kan hier mit tanquam (gleichals) oder auch
durch ceu (als schlechthin g" (bricht ab); im VII. Conv. hieß es noch: „tanquam, non ceu" (AA
22/125).

[385] Vgl. AA 21/29, 43, 62. „Die Eigenschaft Person zu seyn ist die Personlichkeit" (AA
22/119). Person wird im Opus postumum ein Wesen genannt, das „zu sich selbst sagen kan ich
denke" (AA 21/103), das also Bewußtsein hat und vernünftig ist, das der Selbstbestimmung in
Freiheit mächtig und daher der Rechte und Pflichten, der Zurechnung und auch der Schuld fähig
ist (vgl. AA 21/9, 14, 43, 44, 62, 74, 103; 22/48, 51, 56, 122). Der Personalität Gottes kommen
dagegen keine Pflichten, sondern nur Rechte zu (AA 22/119 f., 124).

[386] AA 22/55 f..

[387] Vgl. AA 21/28 ff., 78, 105, 144, 151.

[388] AA 21/14, 92, 140. Damit gelangt Kant nach einem langen Wege zu jener Unmittelbarkeit,
von der Anselm von Canterbury ausging bei seinem Argument des Proslogion. Die Schranken des
Begriffs werden nicht nur im Bereich des moralisch-praktischen, sondern auch des Denkens selbst
überwunden. Gott ist zu groß, als daß er in der Reichweite gegenständlichen Denkens liegen
könnte. Nur im lebendigen Vollzug seiner äußersten Möglichkeiten berührt ihn das Denken, zwar
ungegenständlich, aber gerade deshalb umso wirklicher, als den im Scheitern des höchsten
Gedachten sich andeutenden, das Denken je schon umgreifenden und allererst ermöglichenden,
sich aber jedem Zugriff entziehenden Grund aller Vernunft. (Vgl. dazu auch Kopper, a.a.O. (362)
58-61).

Lebensvollzuges ,,Wirklichkeit vermöge der Persönlichkeit die ihrem Begriffe identisch zukomt"[389].

4. *Das Problem der Seele vor dem Hintergrund des Grundanliegens der Kantschen Transzendentalphilosophie*

Es dürfte sich zeigen lassen, daß die Frage nach der Unsterblichkeit der Seele, eingebettet in ein grundsätzliches theologisches Interesse, zu dem auch das Gottesproblem gehört, als ein erstrangiger antreibender Faktor für die Entwicklung der Kantschen Transzendentalphilosophie anzusehen ist. In den Frühschriften bricht gerade an den Stellen, in denen vom künftigen Leben des Menschen die Rede ist, eine tiefe Ergriffenheit und kaum verhaltene Begeisterung durch, die dem eher nüchternen Stil Kants sonst fremd ist; man denke nur an die entsprechende Passage in der ,,Allgemeinen Naturgeschichte" (2, 7), die sich schon der poetischen Sprache nähert[390]. Der Überschwang geht

---

[389] AA 21/91. — Kant sagt zwar von seiner Transzendentalphilosophie, sie sei ,,ein Idealism; da nämlich das Subject sich selbst constituirt" (AA 21/85), aber er lehnt gleichzeitig einen Idealismus ab, der sich auf einen Egoismus zurückführen läßt (AA 21/54). Schelling wird zweimal im OP erwähnt als Vertreter eines ,,transsc: Idealism" (AA 21/87 u. 97), wohl im Blick auf das ,,System des transzendentalen Idealismus" von 1800. ,,Identität" wird zwar gelegentlich für die Objektivität des Subjektiven verwendet, die in der bewußten Wahrnehmung durch Wirkung und Gegenwirkung zwischen der apriorischen Aktivität des Verstandes und dem sinnlichen Affiziertwerden durch den Gegenstand gegeben ist (AA 22/453 f.), und sie wird sogar für die Realität der Gottesidee in Anspruch genommen (AA 21/92), die sich auf ein Wesen bezieht, das ,,absolut und durchgangig bestimend (ens omnimodo determinatum)" ist (AA 21/58). Aber es fällt auf, wie sehr Kant das Asymptotische aller Erkenntnis betont, zumeist freilich für den Bereich der Erfahrungserkenntnis (AA 21/46, 53, 59, 61, 76, 79, 85, 90, 93; 22/99, 103, 107), dann aber auch bezogen auf die Transzendentalphilosophie (AA 21/56, 84, 125; 22/102). Kants Transzendentalphilosophie, wie er sie in immer neuen Anläufen im OP zu definieren versucht, hat nichts zu tun mit einem Idealismus des Begriffs und der Spekulation. Sie versteht sich als ,,Gott und die Welt unter Einem Princip synthetisch vereinig(t)ende" (AA 21/23) ,,Weisheitslehre" (AA 21/95), die vom ,,All der Wesen" (= omnitudo), ,,nicht (sparsim) disjunctiv (in logischer Absicht) betrachtet nicht fürs *discursive* sondern coniunctim *intuitive* Erkenntnis" (AA 21/140, keine ,,intellektuelle Anschauung" gemeint!) ausgeht, um ,,*von dem All zu Einem*" (AA 21/84) fortzuschreiten, um ,,Das Eine und Alles in dem Einen sich zu denken" (AA 21/91) in einem ,,absolute(n) Ganze(n) der Ideen" (AA 21/97). Die Denkbewegung verläuft ,,Nicht *von Außen hinein* sondern *von ihen hinaus*" (ebd.), d.h. sie geht nicht von der Erfahrung aus, sondern denkt auf Erfahrung und deren Möglichkeit hin. Sie ist der Versuch der Vernunft, sich selbst und die Welt durch die unbehebbare Weltgebundenheit unseres unzulänglichen Erkennens hindurch aus der in ihrer eigenen Tiefe waltenden Gegenwart Gottes als ihres Erkenntnis- und Seinsgrundes heraus zu verstehen. (Vgl. Kopper, a.a.O. (362) 60). Dabei bleibt Gott der ganz Andere: ,,In der Welt ist bloße *Receptivität* — in Gott absolute *Spontaneität*" (AA 21/43, vgl. 21/52, 55, 57, 66), unbeschadet dessen, daß ,Spontaneität' in einem weiteren und abgeleiteten Sinn (nicht ,absolut') auch vom Subjekt als ,,Ding an sich" (AA 22/415, vgl. auch 22/405), von der Freiheit, vom Selbstbewußtsein und vom oberen Erkenntnisvermögen ausgesagt und sogar für die sinnliche Erkenntnis und das Lebensprinzip organischer Körper verwendet wird.

[390] AA 1/321 f. (im Anschluß an eine Schilderung des unerschöpflichen Reichtums des Universums): ,,so versenkt sich der Geist, der alles dieses überdenkt, in ein tiefes Erstaunen; aber annoch mit diesem so großen Gegenstande unzufrieden, dessen Vergänglichkeit die Seele nicht gnugsam zufrieden stellen kann, wünscht er dasjenige Wesen von nahem kennen zu lernen, dessen Ver-

später zurück, der Glaube bleibt; er wird stiller und innerlicher, so daß man ihn übersehen kann, aber er wird nicht geringer. 1756 schreibt Kant: ,,Der Mensch ist nicht geboren, um auf dieser Schaubühne der Eitelkeit ewige Hütten zu erbauen''[391]; er solle einsehen, ,,daß dieser Tummelplatz seiner Begierden billig nicht das Ziel aller seiner Absichten enthalten sollte''[392]. Wir Menschen sind ,,Fremdlinge'' auf Erden, die ,,kein Eigentum besitzen''[393]. 1760 spricht Kant von ,,der Brücke, welche die Vorsehung über einen Theil des Abgrundes der Ewigkeit geschlagen hat, und die wir *Leben* heißen''[394]. Dieser selbstverständliche Glaube ist es, der das seltsame Schwanken zwischen Zustimmung und Ablehnung in Bezug auf die Geisterwelt in den ,,Träumen eines Geistersehers'' bewirkt, weil die Leitern der verfügbaren Schulmetaphysik nicht so hoch hinauf reichen. Bezeichnend ist eine Anmerkung in dieser Schrift, die sich an das alte Symbol des Schmetterlings als Sinnbild der Hoffnung auf Verwandlung nach dem Tode bezieht und wo es heißt: ,,Unsere innere Empfindung und die darauf gegründete Urtheile des *Vernunftähnlichen*

---

stand, dessen Größe die Quelle desjenigen Lichtes ist, das sich über die gesammte Natur gleichsam als aus einem Mittelpunkte ausbreitet. Mit welcher Art der Ehrfurcht muß nicht die Seele sogar ihr eigen Wesen ansehen, wenn sie betrachtet, daß sie noch alle diese Veränderungen überleben soll, sie kann zu sich selbst sagen, was der philosophische Dichter von der Ewigkeit sagt: [folgen sechs Gedichtzeilen nach A. v. Haller]. O glücklich, wenn sie unter dem Tumult der Elemente und den Trümmern der Natur jederzeit auf eine Höhe gesetzt ist, von da sie die Verheerungen, die die Hinfälligkeit den Dingen der Welt verursacht, gleichsam unter ihren Füßen kann vorbei rauschen sehen! Eine Glückseligkeit, welche die Vernunft nicht einmal zu erwünschen sich erkühnen darf, lehrt uns die Offenbarung mit Überzeugung hoffen. Wenn dann die Fesseln, welche uns an die Eitelkeit der Creaturen geknüpft halten, in dem Augenblicke, welcher zu der Verwandlung unsers Wesens bestimmt worden, abgefallen sind, so wird der unsterbliche Geist, von der Abhängigkeit der endlichen Dinge befreit, in der Gemeinschaft mit dem unendlichen Wesen den Genuß der wahren Glückseligkeit finden. Die ganz Natur, welche eine allgemeine harmonische Beziehung zu dem Wohlgefallen der Gottheit hat, kann diejenige vernünftige Creatur nicht anders als mit immerwährender Zufriedenheit erfüllen, die sich mit dieser Urquelle aller Vollkommenheit vereint befindet. Die Natur, von diesem Mittelpunkte aus gesehen, wird von allen Seiten lauter Sicherheit, lauter Wohlanständigkeit zeigen. Die veränderlichen Scenen der Natur vermögen nicht, den Ruhestand der Glückseligkeit eines Geistes zu verrücken, der einmal zu solcher Höhe erhoben ist. Indem er diesen Zustand mit einer süßen Hoffnung schon zum voraus kostet, kann er seinen Mund in denjenigen Lobgesängen üben, davon dereinst alle Ewigkeiten erschallen sollen. [folgt Zitat von acht Gedichtzeilen nach J. Addison in der Übersetzung nach Gottsched].''

[391] AA 1/460; vgl. R 4239, AA 17/473: ,,Das physische dieses Lebens ist von keiner Bedeutung, ...; aber das moralische, welches nur in der Seele gemäß ihrer geistigen Natur kan angetroffen werden, hängt mit dem Geistigen Leben zusammen, und weil das moralische zu dem innern Werth der Persohn gehört, so ist es unausloschlich, indessen das Glük und unglük, da es blos zu dem flüchtigen Zustande Gehört, nach seiner kurzen Dauer allen Werth verliert. Daher müssen wir dieses Leben gringe schätzen. ... Geburth und Tod sind Anfang und Ende eines auftritts, in dem nur die moralitaet erheblich ist, ...''; Pölitz, a.a.O. (31) entspr. AA 28.1/283: ,,Der Anfang des Lebens ist die Geburt; dieses ist aber nicht der Anfang des Lebens der Seele, sondern des Menschen. Das Ende des Lebens ist der Tod; dieses ist aber nicht das Ende des Lebens der Seele, sondern des Menschen.''
[392] AA 1/431.
[393] AA 1/456.
[394] AA 2/39.

führen, solange sie unverderbt sind, ebendahin, wo die Vernunft hin leiten würde, wenn sie erleuchteter und ausgebreiteter wäre"[395]. Der Himmel wird von Kant in dieser Zeit (wie auch später) nicht lokal, sondern geistig verstanden[396], was in Reflexionen bis in die Mitte der achtziger Jahre hinein verdeutlicht wird[397]. Dieser Jenseitsglaube war der Grund dafür, daß Carl Frh. du Prel, als er 1889 die Psychologievorlesung Kants nach Pölitz neu herausgab, der festen Überzeugung war, Kant sei ein ,,Mystiker'' gewesen, der heute Spiritist sein würde, womit er allerdings auf heftigen Widerspruch stieß[398]. Diese Vorlesung bringt bereits die aus der kritischen Zeit bekannte Zielangabe: ,,*Gott* und die *andere Welt* ist das einzige Ziel aller unserer philosophischen Untersuchungen, und wenn die Begriffe von Gott und von der andern Welt nicht mit der Moralität zusammenhingen, so wären sie nichts

---

[395] AA 2/350.

[396] AA 2/332 f..

[397] R 4240, AA 17/474 f.; R 6015, AA 18/423 f.. Diese Auffassung wird später beibehalten, vgl. dazu oben Anm. 355.

[398] C. du Prel war überzeugter Spiritist {vgl. C. du Prel, Der Spiritismus (Leipzig [1893])} und glaubte, in Kant einen Vertreter dieser Art von ,,Mystik'' gefunden zu haben (vgl. Immanuel Kants Vorlesungen über Psychologie mit einer Einleitung: ,,Kants mystische Weltanschauung'', hrsg. v. Dr. C. du Prel [Pforzheim 1964, Nachdruck der Ausg. von 1889 mit e. Vorwort v. Th. Weimann]). Gegenschrift: P. von Lind, ,,Kant's mystische Weltanschauung'', ein Wahn der modernen Mystik. Eine Widerlegung der Dr. C. du Prel'schen Einleitung zu Kant's Psychologie (München o.J.). Wie oben mehrfach belegt, war Kant sehr wohl persönlich der Überzeugung, daß es eine ,,andere'', ,,intelligibele'' Welt gebe, und daß die menschliche Seele als ,,verknüpft mit zwei Welten'' anzusehen sei (vgl. AA 2/332). Er wehrte sich aber entschieden dagegen, einen schon in diesem Leben gegebenen erfahrungsmäßigen Umgang mit anderen ,,Intelligenzen'' etwa durch spiritistische Phänomene oder auch nur auf dem Wege schwärmerischer Intuition anzunehmen, selbst wenn sich die Tatsächlichkeit einiger berichteter unerklärlicher Vorkommnisse nicht ohne weiteres bestreiten oder widerlegen lasse. Eine in diesem Sinne verstandene ,,Mystik'' lehnte er ab: ,,Die Gemeinschaft mit der anderen Welt ist entweder mystisch oder physisch. Die mystische kann in dieser Welt nicht admittirt werden, weil dadurch Erfahrungsgesetze unterbrochen würden.'' (R 5479, AA 18/194). Seine Zurückweisung einer mit der Vernunftreligion vereinbaren religiösen ,,Mystik'' fiel dagegen 1798 bedeutend milder aus (vgl. AA 7/69 Anm. verglichen mit AA 19/647 f.). Am deutlichsten bringt Kant seine Stellung zur Mystik im sog. ,,Jachmann--Prospekt'' von 1800 zum Ausdruck. Mystik ist hier für ihn ,,das gerade Gegentheil aller Philosophie'' (AA 8/441) oder, nach einem Entwurf für diesen Text: ,,das antipodische Standpunkt des Philosophie'' und ,,das gerade Wiederspiel der Philosophie'' (AA 23/467). In einem von D. Henrich edierten weiteren Entwurf verdeutlicht Kant den gemeinten Unterschied: Philosophie muß sich ihre Einsicht ,,selbst erringen'', indem sie ,,von der Erde zu den Himelischen aufwärts'' denkt, während der Mystiker versucht, ,,vom Himel zur Erde herab zu gehen'', um sich seine Erkenntnisse ,,zu erseufzen''. Diese Verfahrensweise sei jedenfalls für die Philosophie genauso unsinnig wie der ,,Stein der Weisen'' des Alchimisten für die Chemie (vgl. D. Henrich, Zu Kants Begriff der Philosophie. Eine Edition und eine Fragestellung, in: Kritik und Metaphysik. Studien, Heinz Heimsoeth zum achtzigsten Geburtstag (Berlin 1966) 40-59, hier: 42 f.). Zu Kants Mystik vgl. Heinze, a.a.O. (31) 559 f. [79 f.] und G. Lehmann in: AA 28.2,2/1347 f.. Hierher gehört auch die Kontroverse über ,,reine'' (Hartenstein u. Erdmann) und ,,keine Privatmeinungen'' (Orig., Cassirer, Schmidt, Weischedel) in der KrV A 782 = B 810; vgl. B. Erdmann in AA 3/590 verglichen mit L. Goldschmidt: Kants ,,Privatmeinungen'' über das Jenseits und Die Kantausgabe der Königliche preußischen Akademie der Wissenschaften. Ein Protest (Gotha 1905). ,,Der Mensch als Bürger zweier Welten'', Antonopoulos a.a.O. (81).

nütze"[399]. Die „wichtigste aller unserer Erkenntnisse: *Es ist ein Gott*"
(1763)[400] zerlegt sich in die zwei „Vornehmste(n)" Fragen nach Gott und dem
künftigen Leben[401], die als dreiteilige „unvermeidliche(n) Aufgabe(n)"[402] die
„Endabsicht" und „die ganze Zurüstung" der reinen Vernunft bestimmen[403],
in der kritischen Zeit in der systematischen Reihenfolge: Freiheit, Unsterblichkeit und Dasein Gottes[404], und in der eher ganzheitlichen Schau des Opus postumum als Titelentwurf: „*Gott*, die *Welt*, und dieser ihr Inhaber, *der Mensch*
in der Welt"[405] oder auch: „*Gott*, die *Welt* u. die *Persönlichkeit* des Menschen in der Welt"[406], wobei dem Menschen als dem „Verbindungsmittel bey-
der"[407] die Rolle der „copula" oder des „medius terminus" zukommt[408].

---

[399] Pölitz, a.a.O. (31) 261 entspr. AA 28.1/301.

[400] AA 2/65.

[401] R 4459, AA 17/559 f.; vgl. R 4859, AA 18/12, R 6357, AA 18/681 f., R 6432, AA 18/714
u.a..

[402] KrV B 7 (Einschub in der zweiten Auflage).

[403] „Endabsicht mit allen Zurüstungen" auf Metaphysik bezogen ebd.; „Endabsicht" auf Vernunft bezogen A 3 bzw. B 7; das „*Unbedingte*" als „Endabsicht" der Vernunft A 417, B 445, vgl.
A 575 = B 603 Anm.. „Endabsicht" der „Spekulation der Vernunft im transscendentalen Gebrauche" auf die „drei Gegenstände" gerichtet A 798 = B 826, „Die ganze Zurüstung ... der
Vernunft" „nur auf die drei gedachten Probleme gerichtet" A 800 = B 828.

[404] KrV A 798 = B 826, meist aber Gott vorangestellt: „*Gott, Freiheit* und *Unsterblichkeit*"
KrV B XXX, 7, KpV AA 5/5, KU AA 5/473 und 474; R 6212, AA 18/497; „Gott, Freyheit, Geistiges Wesen" R 6350. AA 18/675 f.; auch: „Gott, Unsterblichkeit und Freyheit" R 6317, AA
18/623-629, hier: 629, in der syst. Reihenfolge 626.

[405] AA 21/38.

[406] AA 21/74. Der Titelentwurf wird in vielen Varianten durchgespielt; auch z.B. „Gott — die
Welt u. Ich (der Mensch)" (AA 21/42).

[407] insofern er als „Naturwesen [,] doch zugleich Persönlichkeit hat um das Sinen Princip mit
dem Übersinnlichen zu verknüpfen" (AA 21/31) und dadurch „zu *beyden Welten gehört*" („am-
phibolie") (AA 21/43). „Ich der Mensch" bin als „Weltwesen" und „Sinenwesen" zugleich
„*Verstandeswesen*" und „Person" („animal rationale") und insofern „auf zwiefache Art zu behandeln", denn „Gott u. der Mensch beydes *Personen*" („Dieser an *Pflicht gebunden* Jener
Pflicht gebietend ist"; „Die *Personalität* der obersten Ursache ist Spontaneität") (AA 21/37, 43,
44, 45, 49, 51, 55). Angezielt ist dabei aber der transzendentalphilosophische Aspekt, daß der
Mensch Gott und Welt „beyde in einem system vereinigt" (AA 21/41), was das „Verbindungsmittel" Kants von Herders „Mittelglied zweier Welten" („Mittelring", „Mittelgattung", „Mit-
telgeschöpf") unterscheidet (vgl. J. G. Herder, Ideen zur Philosophie der Geschichte der Menschheit, Textausgabe mit einem Vorwort von G. Schmitt [Wiesbaden o.J., Originalausgabe 1784-
1791] 146 ff., 75). Als das zuletzt Verbindende hatte sich Freiheit herausgestellt. In seinem Handexemplar der 1. Auflage der KrV hatte sich Kant notiert: „Die größte Schwierigkeit macht die
Freyheit, weil sie ein Wesen, das zur Sinnenwelt gehöret, zugleich mit dem intellectualen nach einem gegebenen Gesetze verbindet, und dadurch auch mit Gott." (R CLXXVII E 52 — A 566, AA
23/42). Später wurde dann Freiheit als „Grundbegriff" beschrieben, der die Vernunft über jene
Grenzen erweitern kann, die alle theoretischen Naturbegriffe „ohne Hoffnung" einschränken
(AA 5/474, vgl. auch 5/113). „Der einzige Begriff der Freiheit verstattet es, daß wir nicht außer
uns hinausgehen dürfen, um das Unbedingte und Intelligibile zu dem Bedingten und Sinnlichen
zu finden" (AA 5/105). Indem wir durch das moralische Gesetz „genöthigt, eben dadurch aber
auch berechtigt werden", Freiheit anzunehmen, widerfährt uns „die Eröffnung einer intelligibelen Welt durch Realisirung des sonst transscendenten Begriffs der Freiheit" (AA 5/94). So wurde
Freiheit schließlich zum „*Schlußstein* von dem ganzen Gebäude eines Systems der reinen, selbst
der speculativen Vernunft ...", und alle andere Begriffe (die von Gott und Unsterblichkeit), welche

,,Alles Interesse'' der Vernunft vereinigt sich in den bekannten drei Fragen: ,,1. *Was kann ich wissen?* 2. *Was soll ich thun?* 3. *Was darf ich hoffen?*''[409], die sich zusammenfassen lassen in der einzigen Frage: ,,*Was ist der Mensch?*''[410], oder in der transzendentalphilosophischen Formulierung der Spätzeit: ,,*Wie sind synthetische Sätze des Übersinnlichen möglich?*''[411]. Sein persönliches Interesse an den Fragen nach dem mundus spiritualis hat Kant selbst sogar zugegeben und als eine gewisse Parteilichkeit bezeichnet: ,,Die Verstandeswage ist doch nicht ganz unparteiisch, und ein Arm derselben, der die Aufschrift führt: *Hoffnung der Zukunft*, hat einen mechanischen Vortheil ... Dieses ist die einzige Unrichtigkeit, die ich nicht wohl heben kann, und die ich in der That auch niemals heben will''[412]. Dieses Interesse verrät sich im kritischen Werk in beiläufigen Formulierungen wie z.B. der Rede vom Wagnis des Schrittes ins Transzendente als eine ,,für sich bestehende Wirklichkeit''[413], von der ,,Erlaubniß'', von der ,,Befugniß'', ja gar der ,,Nothwendigkeit'' der Annehmung eines künftigen Lebens, oder, wenn es heißt, daß praktische Freiheit ,,gerettet'' werde, ohne daß die Naturnotwendigkeit beeinträchtigt wird[414]. ,,Denn sind Erscheinungen Dinge an sich selbst, so ist Freiheit nicht

als bloße Ideen in dieser ohne Haltung bleiben, schließen sich nun an ihn an und bekommen mit ihm und durch ihn Bestand und objective Realität, d.i. die *Möglichkeit* derselben wird dadurch *bewiesen*, daß Freiheit wirklich ist; denn diese Idee offenbart sich durchs moralische Gesetz'' (AA 5/3 f.). Vgl. vorkritisch: ,,Mittelstand zwischen der Weisheit und Unvernunft'' (AA 1/365).

[408] ,,Der medius terminus (copula) im Urtheile ist hier das Urtheilende Subject (das denkende Weltwesen, der Mensch, in der Welt) Subject, Praedicat, Copula'' (AA 21/27). ,,Gott u. die Welt sind die beyde Objecte der Transsc. Philos. und (Subject, Praed. u. copula) ist der denkende *Mensch*. Das Subject der sie in einem Satze verbindet. — Dieses sind logische Verhältnisse in einem Satze nicht die Existenz der Objecte betreffend sondern blos das Formale der Verhältnisse diese Objecte zur synthetischen Einheit zu bringen Gott, die Welt und Ich der Mensch ein Weltwesen selbst, beide verbindend'' (AA 21/37).

[409] KrV A 804 f., B 832 f..

[410] AA 9/25.

[411] ,,Als regulative Principien der praktischen Vernunft. Die des Sinnlichen als constitutive Begriffe der theoretischen'' (R 6345, AA 18/670; ähnlich R 6351, AA 18/678 f.. Beide Reflexionen nach Adickes aus 1797, die letztere auch später).

[412] AA 2/349 f.; ähnlich in der KU AA 5/143.

[413] ,,Dergleichen transscendente Ideen haben einen bloß intelligibelen Gegenstand, welchen als ein transscendentales Object, von dem man übrigens nichts weiß, zuzulassen, allerdings erlaubt ist, wozu aber ... wir weder Gründe der Möglichkeit ... noch die mindeste Rechtfertigung, einen solchen Gegenstand anzunehmen, auf unserer Seite haben, und welches daher ein bloßes Gedankending ist. Gleichwohl dringt uns unter allen kosmologischen Ideen diejenige, so die vierte Antinomie veranlaßte, diesen Schritt zu wagen. ... Weil aber, wenn wir uns einmal die Erlaubniß genommen haben, außer dem Felde der gesammten Sinnlichkeit eine für sich bestehende Wirklichkeit anzunehmen, Erscheinungen nur als zufällige Vorstellungsarten intelligibeler Gegenstände von solchen Wesen, die selbst Intelligenzen sind, anzusehen sind: so bleibt uns nichts anders übrig als die Analogie, ...'' (KrV A 565 f. = B 593 f.). Zu ,,wagen'' vgl. auch B 295 u. 878 (diese und die folgenden Verweise zitieren wir nur nach der B-Auflage).

[414] Nachdem von den ,,nothwendigen Schranken unserer Vernunft'' die Rede war: ,,Gleichwohl wird hiedurch für die Befugniß, ja gar der Nothwendigkeit der Annehmung eines künftigen Lebens nach Grundsätzen des mit dem speculativen verbundenen praktischen Vernunftgebrauchs hiebei nicht das mindeste verloren; denn der bloß speculative Beweis hat auf die gemeine Men-

zu retten"[415]. Metaphysik wird insofern zur ,,Schutzwehr'' der Religion (in der KrV gegen Schluß und mehrfach in den Reflexionen), als sie ,,die Verwüstungen abhält, welche eine gesetzlose speculative Vernunft''[416] durch die ,,ungemeine Biegsamkeit'' ihrer Hypothesen[417] angesichts der ,,nun allererst aufkeimenden Freiheit zu denken''[418] anrichten könnte. Kant formuliert sein eigenes Programm, wenn er im letzten Teil der KrV schreibt: ,, ... es bleibt euch noch genug übrig, um die vor der schärfsten Vernunft gerechtfertigte Sprache eines festen *Glaubens* zu sprechen, wenn ihr gleich die des *Wissens* habt aufgeben müssen''[419]. Um ,,zum *Glauben* Platz zu bekommen'', brauchte er aber nicht alles *Wissen* aufzuheben[420], sondern nur jenes, das ,,vermessen'' seine Grenzen überschreitet[421], um so dem ,,Skandal'' des ,,*Materialism, Fatalism*'' und ,,*Atheism*'' vorzubeugen und ,,dem freigeisterischen *Unglauben*, der *Schwärmerei* und *Aberglauben*, die allgemein schädlich werden können, zuletzt auch dem *Idealism* und *Scepticism*'' ,,selbst die Wurzel'' abzuschneiden, weil diese Lehren ,,über kurz oder lang'' die Konsequenz eines überbordenden Vernunftgebrauches sein würden[422], wenn nämlich versucht werden sollte, das Geheimnis Gottes oder auch nur des Menschen spekulativ auf einen adäquaten Begriff zu bringen. Falls man geneigt sein sollte, diese unheilvolle Voraussage im weiteren Verlauf der Geschichte als erfüllt anzusehen, wird man sich womöglich die Antwort auf die Frage, ob Kant bei allem Eifer in seiner Gründlichkeit nicht doch etwas zu weit gegangen sei, nicht eben leicht machen.

---

schenvernunft ohnedem niemals einigen Einfluß haben können.'' (KrV B 424 [nur in B!]). Zu ,,Erlaubniß'' vgl. B 478, 520, 552, 593 f., 640, 665, 725, 798, 828, dazu auch AA 5/70. Zu ,,Befugniß'' B 431, 705, dazu AA 5/57. Zu ,,Nothwendigkeit'' B 705, dazu AA 5/57, 143. Außerdem ,,Bedürfniß'' AA 5/142 f.; ,zulassen' B 593, vgl. B 342, 542, 558, 559 Anm., 593; ,berechtigt' B 425, 624, 704, 714, 727, 770, dazu AA 5/94. — ,,Hiedurch wird also die praktische Freiheit, nämlich diejenige, in welcher die Vernunft nach objectiv = bestimmenden Gründen Causalität hat, gerettet, ohne daß der Naturnothwendigkeit in Ansehung eben derselben Wirkungen als Erscheinungen der mindeste Eintrag geschieht.'' (Prolegomena AA 4/346).

[415] KrV A 536 = B 564. Vgl. dazu AA 5/3 und Pölitz, a.a.O. (31) 209 entspr. AA 28.1/270: ,,*Demnach bleibt Moral und Religion in Sicherheit.*''

[416] KrV A 849 = B 877; R 4291, AA 17/498, vgl. R 4284, AA 17/495; R 4865, AA 18/14; R 4887, AA 18/20; R 5675, AA 18/325. Vgl. auch E. Arnoldt, Metaphysik die Schutzwehr der Religion. Rede, gehalten am 22. April 1873 in der Kant-Gesellschaft zu Königsberg, in: Arnoldt, a.a.O. (28) 2/168-191.

[417] AA 2/341.

[418] R 6215, AA 18/503-506, hier: 504.

[419] KrV A 744 f. = B 772 f..

[420] KrV B XXX.

[421] ,,Das deutsche Wort *vermessen* ist ein gutes, bedeutungsvolles Wort. Ein Urtheil, bei welchem man das Längenmaß seiner Kräfte (des Verstandes) zu überschlagen vergißt, kann bisweilen sehr demüthig klingen und macht doch große Ansprüche und ist doch sehr vermessen. Von der Art sind die meisten, wodurch man die göttliche Weisheit zu erheben vorgiebt, indem man ihr in den Werken der Schöpfung und der Erhaltung Absichten unterlegt, die eigentlich der eigenen Weisheit des Vernünftlers Ehre machen sollen.'' (AA 5/383 Anm.).

[422] KrV B XXXIV.

Nachtrag: Das Buch von K. Ameriks, An Analysis of the Paralogisms of Pure Reason (Oxford 1982), ist erst nach Redaktionsschluß erschienen und konnte nicht mehr berücksichtigt werden.

FRIEDO RICKEN
München

DAS „INNERE" DES MENSCHEN ALS THEMA DER SPRACHANALYTISCHEN PHILOSOPHIE

Im zweiten Buch von De anima (415a14-22) verweist Aristoteles auf die logische Ordnung, die der Philosoph bei der Untersuchung der Seelenvermögen (und damit der Seele) zu beachten habe: Vorgängig zu den Seelenvermögen müsse er sich mit deren Tätigkeiten befassen; ihnen seien nochmals die Objekte der Tätigkeiten logisch vorgeordnet. Überblickt man die sprachanalytische philosophy of mind, so kann man sich kaum des Eindrucks erwehren, daß sie sich in etwa an diese methodische Vorschrift hält. Schon rein quantitativ gesehen dürfte sich die überwiegende Zahl der Untersuchungen mit seelischen Vollzügen wie Lust, Emotion, Wahrnehmung, Wollen, Intention usw. befassen. Die Arbeiten, die weitergehende Fragen behandeln, z. B. die der Selbstidentität, des Personbegriffs, des Leib-Seele-Verhältnisses, setzen diese Untersuchungen voraus. Da man den zweiten Schritt nicht vor dem ersten tun kann und sprachanalytische Gedankengänge in dem Ausmaß ihre Überzeugungskraft verlieren, als man sie vergröbernd zusammenfaßt, möchte ich mich bei dem mir gestellten Thema darauf beschränken, auf die sprachanalytische Diskussion über die Semantik seelischer Erlebnisse einzugehen, und zwar anhand eines zentralen und inzwischen klassischen Textes: Wittgensteins Auseinandersetzung mit der Theorie einer sogenannten Privatsprache in den §§ 243-315 der *Philosophischen Untersuchungen* (PU).

I

Eine philosophische Position wird erst dem voll verständlich, der den Gegner kennt, gegen den sie sich richtet. So kann auch die Bedeutung der PU erst dann ganz in den Blick kommen, wenn wir nach ihrem Verhältnis zur philosophischen Tradition fragen. Nach einer weit verbreiteten Auffassung wendet Wittgensteins Spätwerk sich gegen den cartesianischen Dualismus. Ich möchte deshalb zunächst kurz andeuten, worin nach Interpretation sprachanalytischer Philosophen dieser Dualismus besteht. Anthony Kenny[1] sieht die erkenntnistheoretischen und psychologischen Neuerungen Descartes' in dessen These zusammengefaßt, daß wir unseren Geist deutlicher erkennen als unseren Körper. Sie bricht nach Kenny in zwei Punkten mit der scholastischen Tradition: 1. Eigentliches Betätigungsfeld des menschliches Geistes sei nach scho-

---

[1] Cartesian Privacy, in: A. Kenny, The Anatomy of the Soul (Oxford 1973) 113-128; zum folgenden vgl. 113-120.

lastischer Auffassung die Erforschung der sichtbaren Welt; ihr gegenüber sei
die Erkenntnis des menschlichen Geistes sekundär. 2. Die Grenze zwischen
Geist und Körper werde von Descartes neu gezogen. Geist ist nach Descartes
res cogitans. Descartes' Begriff der cogitatio umfaßt nach Kenny aber nicht
nur das, was die Scholastik unter geistigen Tätigkeiten verstand, z. B. Urteilen
und Wollen, sondern auch Tätigkeiten, die nach scholastischer Auffassung an
den Körper gebunden sind, z. B. Sinneswahrnehmung, Affekt, Lust und
Schmerz. Kenny fragt, was Descartes zu dieser neuen Abgrenzung veranlaßt
habe, und kommt zu dem Ergebnis, daß bei Descartes an die Stelle der Rationalität die Privatheit eines Aktes oder Erlebnisses als unterscheidendes Merkmal des Geistigen getreten sei. Geistige Akte sind bei Descartes nach dieser
Interpretation also dadurch gekennzeichnet, daß nur ihr Besitzer ein unmittelbares, unbezweifelbares Wissen von ihnen hat. In letzter Konsequenz führt
diese Position zum Solipsismus: Mit dem unmittelbaren Zugang zu den inneren Erlebnissen der anderen verliert die Annahme, daß außer mir selbst noch
andere geistige Wesen existieren, ihre zwingenden Gründe. Kenny weist mit
Recht darauf hin, daß geistige Tätigkeiten im Sinne der scholastischen Tradition nicht privat sind. Ob ich einen bestimmten mathematischen Beweis verstanden habe, kann mein Mathematiklehrer besser als ich selbst beurteilen. —
Um die Bedeutung von Wittgensteins Kritik richtig einzuschätzen, ist es wichtig zu sehen, daß nach Kenny der cartesianische Dualismus auch auf die englischen Empiristen einen starken Einfluß ausgeübt hat. Auch für sie seien
Ideen, Empfindungen und Sinnesdaten geistige Entitäten im Sinne von Descartes. ,,Für Locke, Berkeley und Hume ist, ebenso wie für Descartes, der
Geist bekannter als der Körper in dem Sinn, daß das Innere sicherer ist als das
Äußere und dem Privaten gegenüber dem Öffentlichen Priorität zukommt''[2].

Was Kenny hier von den klassischen Empiristen behauptet, trifft ebenso auf
Wittgensteins Lehrer Russell und in einem gewissen, eingeschränkten Sinn auf
den Wittgenstein des *Tractatus logico-philosophicus* (TLP) zu. Ich möchte
diesen Einfluß des Cartesianismus anhand dreier Beispiele kurz andeuten. Jedes dieser Beispiele steht für eine Position, gegen die der späte Wittgenstein
sich wendet. Locke, auf dessen Semantik kurz hingewiesen werden soll, kann
als Vertreter einer Sprachauffassung betrachtet werden, gegen die Wittgenstein sich mit der These von der Unmöglichkeit einer Privatsprache wendet.
Russells Analogiemodell der Erkenntnis von Fremdpsychischem zeigt, daß der
konsequente Cartesianismus zum Solipsismus führt. Die Auffassung der Tagebücher Wittgensteins von 1914-1916 (TB) und des TLP von der Zuordnung
von Wort und Gegenstand sind ein Beispiel für eine cartesianische Auffassung
intentionaler Akte, gegen die Wittgenstein sich vor allem im ersten Teil der
Philosophischen Grammatik und im *Blue Book* (BB) wendet.

---

[2] a.a.O. 114.

1. Das Verhältnis von Wort und Bedeutung ist von Locke nach dem cartesianischen Schema privat — öffentlich konzipiert[3]. Wörter sind „äußere, sinnlich wahrnehmbare Zeichen'', mit deren Hilfe die „unsichtbaren Ideen'', die die Gedanken (thoughts) des Menschen ausmachen, anderen mitgeteilt werden können[4]. „Wörter in ihrer ursprünglichen oder unmittelbaren Bedeutung stehen für nichts als die Vorstellungen im Bewußtsein desjenigen, der sie gebraucht ... es kann auch niemand sie unmittelbar als Merkmale auf etwas anderes als auf die Vorstellungen anwenden, die er selber hat''[5]. Daß Wörter auch Merkmale für die Ideen im Geiste anderer und die realen Dinge sind, ist nach Locke lediglich eine Voraussetzung, die die Menschen im allgemeinen machen[6].

2. In *Human Knowledge* gibt Russell auf die Frage, wie Fremdpsychisches erkannt werden könne, folgende Antwort: „Aus subjektiver Beobachtung weiß ich, daß A ein Gedanke oder ein Gefühl ist und B verursacht, und daß B eine körperliche Handlung ist, z. B. eine Behauptung. Ich weiß auch, daß, so oft B eine Handlung meines eigenen Körpers ist, A ihre Ursache ist. Nun beobachte ich eine Handlung der Art B an einem Körper, der nicht der meine ist, und ich habe auch weder einen Gedanken, noch ein Gefühl der Art A. Dennoch glaube ich auf Grund der Selbstbeobachtung, daß ein A vorhanden gewesen ist, welches B hervorgerufen hat, obwohl es nicht ein A gewesen ist, das ich beobachten konnte. Aus diesem Grunde schließe ich, daß auch anderer Menschen Körper mit einem Seelenleben verbunden sind, das dem meinem etwa in dem Maß ähnelt, wie ihr körperliches Verhalten meinem eigenen ähnelt''[7].

Stellen wir am Beispiel eines Schmerzerlebnisses die Prämissen heraus, auf denen Russells Analogiemodell beruht[8]:

a)   Das Prädikat „Schmerzen'' hat in Sätzen der ersten und der dritten Person die gleiche Bedeutung. Die Sätze „Ich habe Schmerzen'' und „Er hat Schmerzen'' haben die gleiche Bedeutung, wenn „er'' und „ich'' dieselbe Person bezeichnen.

b)   Der Satz „Ich habe Schmerzen'' beruht auf einer Selbstbeobachtung (Introspektion). Das Wort „Schmerzen'' erhält dadurch eine Bedeutung, daß ich es diesem inneren Erlebnis zuordne.

c)   Von den Schmerzen des anderen habe ich kein unmittelbares Wissen. Daß der andere Schmerzen hat, erschließe ich aus seinem äußeren Verhalten.

---

[3] Vgl. P. M. S. Hacker, Einsicht und Täuschung (Ffm 1978) 300-305.
[4] J. Locke, An Essay concerning Human Understanding (ed. P. H. Nidditch, Oxford 1975) III 2, 1.
[5] a.a.O. III 2, 2.
[6] a.a.O. III 2, 4-5.
[7] B. Russell, Das menschliche Wissen (Darmstadt o. J.) 474.
[8] Vgl. J. Giegel, Die Logik der seelischen Ereignisse (Ffm 1969) 15.

d. Dieser Schluß beruht auf einer Induktion. Zwischen Sätzen über das innere Erlebnis der Schmerzen und solchen über das äußere Schmerzverhalten besteht kein notwendiger, sondern ein kontingenter, empirischer Zusammenhang.

Es sei hier angemerkt, daß bereits Carnap durch seine Kritik an den Prämissen (a) und (d) die Unhaltbarkeit des Analogiemodells gezeigt hat. Er hat darauf hingewiesen, daß der ,,Analogieschluß'' auf Fremdpsychisches nicht die logische Form eines zulässigen Analogieschlusses hat, da sein Schlußsatz grundsätzlich nicht nachprüfbar ist. Carnap bringt folgendes Beispiel eines zulässigen Analogieschlusses: ,,Ich sehe eine Schachtel von bestimmter Gestalt, Größe, Farbe; ich stelle fest, daß sie Stahlfedern enthält. Ich finde eine andere Schachtel von gleichem Aussehen; ich ziehe nach Analogie den Wahrscheinlichkeitsschluß, daß auch sie Stahlfedern enthält''[9]. Im Unterschied zum Analogieschluß auf Fremdpsychisches kann hier die Folgerung ,,Die zweite Schachtel enthält Stahlfedern'' grundsätzlich nachgeprüft werden. Die beiden analogen Sätze ,,In der ersten Schachtel sind Stahlfedern'' und ,,In der zweiten Schachtel sind Stahlfedern'' sind nach Carnap logisch und erkenntnistheoretisch von gleicher Art, was für ,,Ich habe Schmerzen'' und ,,Er hat Schmerzen'' nicht zutreffe, denn hier sei der zweite Satz vom Behauptenden in völlig anderer Weise nachzuprüfen als der erste. Carnap selbst vertritt eine behavioristische Position: Sätze über Fremd- und Eigenpsychisches sind stets in die physikalische Sprache übersetzbar. Jeder psychologische Satz bezieht sich auf physikalische Vorgänge am Leib der betreffenden Person; darin erschöpft sich sein logischer Gehalt[10].

3. In den Nummern 5.62 bis 5.641 befaßt der TLP sich mit der Frage, ,,inwieweit der Solipsismus eine Wahrheit ist'' (5.62). Peter Hacker hat diesen Abschnitt mit Hilfe der Tagebücher interpretiert und ist zu dem Ergebnis gekommen, daß Wittgenstein hier einen von Schopenhauers transzendentalem Idealismus inspirierten transzendentalen Solipsismus vertritt[11]. Wie dieser näher zu verstehen ist, kann hier offenbleiben; es sei nur kurz angedeutet, inwieweit er auf cartesianischen Voraussetzungen in der Semantik des TLP beruht. Wittgenstein vertritt im TLP bekanntlich eine Abbildtheorie der Bedeutung. Aufgrund einer gemeinsamen Struktur mit der Wirklichkeit kann die Sprache die Wirklichkeit abbilden. Alle echten Sätze sind entweder zusammengesetzt oder elementar. Die zusammengesetzten Sätze sind Wahrheitsfunktionen der Elementarsätze, aus denen sie bestehen. Die Elementarsätze bestehen aus einfachen Zeichen, den Namen. Sie erhalten ihre Bedeutung durch einfache, unzerstörbare Gegenstände; diese *sind* ihre Bedeutung. Die im vorliegenden Zu-

---

[9] Psychologie in physikalischer Sprache, in: Erkenntnis 3 (1932/33) 107-142; 118.
[10] Vgl. a.a.O. 142.
[11] a.a.O. (3) 107 f.

sammenhang entscheidende Frage ist nun, wie die Zuordnung von Name und Gegenstand zustande kommt. Im TLP finden sich dazu nur Andeutungen. Hacker[12] hat anhand der Tagebücher gezeigt, daß Wittgenstein sie zur Zeit des TLP mit dem Begriff eines inneren, rein mentalen Aktes beantwortete. Die Zuordnung von Name und Bedeutung ist „ihrer Natur nach psychologisch" (TB 202)[13]. Ich bin es, der den Namen Gegenstände zuordnet: „Dadurch, daß ich den Bestandteilen des Bildes Gegenstände zuordne, dadurch stellt es nun einen Sachverhalt dar und stimmt nun entweder oder stimmt nicht" (TB 123). „‚Bedeutung' bekommen die Dinge erst durch ihr Verhältnis zu meinem Willen" (TB 177). Der Wille, so interpretiert Hacker[14], steht nicht nur für die Ethik im Zentrum, sondern auch für die Semantik. Es ist mein Wille, der die Zeichen den Gegenständen zuordnet. Wittgenstein vertritt zu dieser Zeit also eine dualistische Auffassung der Sprache. Nur durch die geistigen Vorgänge des Verstehens und Meinens, so beschreibt er diesen Cartesianismus später im BB, kann die Sprache funktionieren. „Die Zeichen unserer Sprache erscheinen tot ohne diese geistigen Vorgänge ... Wir sind versucht zu denken, daß die Aktion der Sprache aus zwei Teilen besteht; einem inorganischen Teil, dem Handhaben der Zeichen, und einem organischen Teil, den wir als Verstehen, Meinen, Deuten und Denken dieser Zeichen bezeichnen können. Diese letzteren Tätigkeiten scheinen in einer seltsamen Art von Medium stattzufinden, dem Geist" (BB 18 f.)[15]. Was „zu den toten Zeichen hinzugefügt werden muß, um einen lebendigen Satz aus ihnen zu machen, ist etwas Unkörperliches, das sich in seinen Eigenschaften von allen bloßen Zeichen unterscheidet" (BB 20). Dieses Verständnis führt notwendig zu einem sprachlichen Solipsismus. Wenn die Sprache allein dadurch funktionieren kann, daß ich durch meinen inneren Akt des Meinens das sprachliche Zeichen einem Gegenstand zuordne und ihm dadurch eine Bedeutung verleihe, so hat es diese Bedeutung nur für mich. Wenn die Zuordnung Sache meines Willens ist, verlieren die sprachlichen Zeichen ihre intersubjektive Bedeutung. Die Rede vom richtigen und falschen Verstehen eines sprachlichen Zeichens wird sinnlos. Die Sprache wird ausschließlich zu meiner Sprache.

II

„Ein philosophisches Problem", schreibt Wittgenstein in den PU (§ 123)[16], „hat die Form: ‚Ich kenne mich nicht aus'". Die Verwirrung, die mit der cartesianischen Entgegensetzung von Innen und Außen, Privat und Öffentlich gegeben ist, beschreiben die in den Jahren 1934-1936 entstandenen *Notes for*

---

[12] a.a.O. (3) 64-84.
[13] L. Wittgenstein, Schriften I (Ffm 1969).
[14] a.a.O. (3) 73 f.
[15] L. Wittgenstein, Schriften V (Ffm 1970).
[16] L. Wittgenstein, Schriften I (Ffm 1969).

Lectures (NFL)[17] folgendermaßen: ,,Die Erfahrung des Schreckens scheint uns (wenn wir philosophieren) eine amorphe Erfahrung hinter der Erfahrung des Zusammenzuckens zu sein ... Das philosophische Problem ist: ,Was ist es, das mich in dieser Sache verwirrt?' ''. ,,Es läßt sich'', so formuliert Wittgenstein anschließend das semantische Problem, das für ihn mit dem cartesianischen Dualismus gegeben ist, ,,über die bestimmte Erfahrung einiges sagen und außerdem scheint es etwas, und zwar das Wesentlichste, zu geben, was sich nicht beschreiben läßt. Man sagt hier, daß ein bestimmter Eindruck benannt wird. Und darin liegt etwas seltsames und problematisches. Denn es ist als wäre der Eindruck etwas zu ätherisches um ihn zu benennen ... Du sagst, Du hast einen ungreifbaren Eindruck. Ich bezweifle nicht, was Du sagst. Aber ich frage, ob Du damit etwas gesagt hast'' (275). Gegen Ende des Abschnitts der PU, der sich mit dem hier aufgeworfenen Problem des Benennens innerer Erlebnisse befaßt, weist Wittgenstein auf den größeren philosophischen Zusammenhang dieser Überlegungen hin: ,,Was ist dein Ziel in der Philosophie? — Der Fliege den Ausweg aus dem Fliegenglas zu zeigen'' (§ 309). Was dieser vielzitierte Satz sagen will, geht aus einer Parallele in den NFL hervor: ,,Der Solipsist flattert und flattert in der Fliegenglocke, stößt sich an den Wänden, flattert weiter. Wie ist er zur Ruhe zu bringen?'' (300).

Die Philosophie hat nach Wittgenstein eine therapeutische Aufgabe zu erfüllen (PU § 255). Philosophische Verwirrungen beruhen auf der Irreführung durch die Sprache; Philosophie ist deshalb nach einer bekannten Formulierung der PU ,,ein Kampf gegen die Verhexung unseres Verstandes durch die Mittel unserer Sprache'' (§ 109). Durch die Gemeinsamkeiten der Oberflächengrammatik verdeckt die Sprache die ,,unsägliche Verschiedenheit aller der tagtäglichen Sprachspiele'' (PU S. 537). Die grammatische Analogie, die zwischen Wörtern wie ,,Denken'' und ,,Gedanke'', und Wörtern, die körperliche Tätigkeiten bezeichnen, besteht, ,,läßt uns nach einer Tätigkeit suchen, die von diesen verschieden und doch analog zu ihnen ist und die dem Wort ,Denken' entspricht'' (BB 23). Die Sprache arbeitet mit Bildern; philosophische Verwirrungen entstehen, wenn wir es unterlassen zu fragen, wie die alltäglichen Sprachspiele diese Bilder tatsächlich verwenden. Ein solches Bild ist das von Innen und Außen. Wir müssen uns, fordert Wittgenstein in den NFL, darüber klar werden, wie die Metapher vom Offenbaren des ,,Inneren'' ,,von uns tatsächlich verwendet wird; andernfalls werden wir versucht sein, nach einem Inneren hinter dem zu suchen, was in unserer Metapher das Innere ist'' (280). Da philosophische Fragen grammatischer Natur sind, lassen sie sich nicht dadurch lösen, daß wir bestimmte Fakten in den Brennpunkt unserer Aufmerksamkeit rücken (PU § 113); die Frage nach dem ,,Inneren'' des Men-

---

[17] Wittgenstein's Notes for Lectures on ,Private Experience' and ,Sense Data', hrsg. von R. Rhees, in: Philosophical Review 77 (1968).

schen ist deshalb nicht durch Introspektion zu beantworten. ,,Es zeigt ein fundamentales Mißverständnis an, wenn ich meinen gegenwärtigen Zustand der Kopfschmerzen zu betrachten geneigt bin, um über das philosophische Problem der Empfindung ins Klare zu kommen'' (PU § 314). Wir müssen uns vielmehr besinnen auf die Art der Aussagen, die wir über die Erscheinungen machen (PU § 90). Philosophische Untersuchungen sind begriffliche Untersuchungen. Wittgenstein sieht das Wesentliche der Metaphysik darin, ,,daß sie den Unterschied zwischen sachlichen und begrifflichen Untersuchungen verwischt'' (Zettel [Z] § 458)[18]. ,,Man glaubt, wieder und wieder der Natur nachzufahren, und fährt nur der Form entlang, durch die wir sie betrachten'' (PU § 114).

Die Widerlegung des Solipsismus ist seit Wittgensteins philosophischem Neubeginn im Jahr 1929 ein durchgehendes Thema seines Philosophierens. Hacker[19] unterscheidet drei Phasen. Die erste findet sich in den Schriften von 1929 bis 1933. Hier sind vor allem die *Philosophischen Bemerkungen* zu nennen. In der zweiten Phase (1933 bis 1936) entwickelt Wittgenstein im BB und den NFL seine wichtigsten Argumente. Sie werden auf der dritten Stufe aufgenommen. Der wichtigste Text dieser letzten und reifsten Phase sind die §§ 243-315 der PU, in denen Wittgenstein den cartesianischen Dualismus und den Solipsismus durch das Argument gegen die Möglichkeit einer Privatsprache widerlegt. Ihrer Interpretation wende ich mich jetzt zu[20].

Was versteht Wittgenstein unter einer Privatsprache? Es handelt sich nicht um eine Sprache, die zwar nur von einem monologisch gesprochen wird, aber grundsätzlich von anderen verstanden werden kann. Wesentlich ist vielmehr, daß eine solche Sprache von keinem anderen verstanden werden *kann*. Das ist wiederum dadurch bedingt, wie die Wörter einer solchen Sprache ihre Bedeutung erhalten. Sie referieren auf die unmittelbaren Empfindungen des Sprechers, die in einem zweifachen Sinn privat sind: Nur der Sprecher kann mit Gewißheit wissen, daß er sie hat (epistemische Privatheit); sie sind ausschließlicher Besitz des Sprechers; nur er und kein anderer kann sie haben (Privatheit des Besitzes)[21]. Diese privaten Empfindungen sind die Bedeutung der Wörter einer solchen Sprache. In den PU ist das häufigste Beispiel einer privaten Empfindung der Schmerz. Das kann zu dem Mißverständnis führen, die Diskussion der Privatsprache beziehe sich lediglich auf einen eng begrenzten Bereich unserer Sprache und befasse sich nur mit dem Problem, wie Wörter, die Empfindungen bezeichnen, ihre Bedeutung erhalten. Daß Wittgen-

---

[18] L. Wittgenstein, Schriften V (Ffm 1970).

[19] a.a.O. (3) 251 f.

[20] Vgl. A. Kenny, Verification Principle and the Private Language Argument, in: O. R. Jones (Hrsg.), The Private Language Argument (London 1971) 189-204; ders., Wittgenstein (Ffm 1974) 208-236; Hacker, a.a.O. (3) 289-331; E. Tugendhat, Selbstbewußtsein und Selbstbestimmung (Ffm 1979) 91-113.

[21] Vgl. Hacker, a.a.O. (3) 298.

steins Anliegen umfassender ist, zeigt das Beispiel der Farbempfindungen, die
vor allem in den NFL eine wichtige Rolle spielen. Erhalten nicht auch die
Wörter, durch die wir uns auf die uns umgebenden Gegenstände beziehen,
lediglich durch Referenz auf private Sinneseindrücke ihre Bedeutung? Bezeichnet nicht auch ,,rot'' eine private Empfindung? Wie läßt sich die Annahme ausschließen, ,,ein Teil der Menschheit habe *eine* Rotempfindung, ein anderer Teil eine andere'' (PU § 272)? Der Unterschied zwischen Empfindung
und Wahrnehmung ist also für das Privatsprachenargument ohne Bedeutung.
Die philosophische Versuchung, gegen die das Argument angeht, ist ein Empirismus, nach dem unsere Kenntnis der Welt auf der Kenntnis unserer
Bewußtseinserlebnisse beruht. Unsere persönlichen Erfahrungen, so umschreibt sie das BB (75 f.), sind das Material, aus dem die Wirklichkeit besteht. Die uns umgebenden Gegenstände lösen sich auf in eine Menge isolierter
persönlicher Erfahrungen. Sie zu beschreiben, ist unsere Sprache ungeeignet.
Wir brauchen deshalb eine subtilere Sprache, die sich nicht auf Gegenstände,
sondern auf unsere inneren Erfahrungen bezieht.

Eine erste Kritik Wittgensteins setzt an bei der Frage, wie die Wörter einer
solchen Sprache eine Bedeutung erhalten (PU S. 258). Der Vertreter der Privatsprache will über das Wiederkehren einer bestimmten Empfindung Tage-
buch führen und zu diesem Zweck diese Empfindung mit dem Zeichen ,,E''
bezeichnen. Eine sprachliche Definition des Zeichens ist nicht möglich; sie
würde bereits eine Sprache voraussetzen. Der Privatsprachler greift deshalb
zum Mittel der hinweisenden Definition. Freilich kann er nicht im gewöhnlichen Sinn auf die Empfindung zeigen, aber er kann, während er das Zeichen
spricht oder schreibt, seine Aufmerksamkeit auf die Empfindung konzentrieren und sich so die Verbindung des Zeichens mit der Empfindung einprägen.
Wittgenstein weist auf die sprachlichen Voraussetzungen hin, die auch diesem
Vorgang zugrunde liegen (PU § 261). Der konsequente Privatsprachler darf
,,E'' nicht das Zeichen für eine Empfindung nennen, denn ,,Empfindung'' ist
ein Wort der allgemeinen Sprache. Beschränkt er sich darauf zu sagen, wenn
er ,,E'' schreibe, habe er etwas, so ist ihm entgegenzuhalten, daß auch ,,ha-
ben'' und ,,etwas'' zur allgemeinen Sprache gehören. Er müßte sich im Inneren vornehmen, das Zeichen ,,E'' in Zukunft in einer bestimmten Weise zu gebrauchen. Kann er dabei auf eine vorgegebene Sprache verzichten? Genügt es
dazu, die Aufmerksamkeit auf eine Empfindung zu konzentrieren? Die Frage
zu stellen bedeutet, sie zu verneinen. ,,So gelangt man beim Philosophieren
am Ende dahin, wo man nur noch einen unartikulierten Laut ausstoßen möchte'' (PU § 261). Aber auch ein solcher Laut drückt nur in einem bestimmten
Sprachspiel etwas aus, und um dieses zu beschreiben, müßten wir uns wieder
einer allgemeinen Sprache bedienen.

Werfen wir, bevor wir uns Wittgensteins entscheidender Widerlegung zuwenden, einen kurzen Blick auf eine Folgerung, die sich aus der Semantik der

Privatsprache ergibt: den Agnostizismus bezüglich der Empfindungen und Wahrnehmungen anderer. Die Bedeutung eines Wortes ist ein privates Erlebnis. Wesentlich am privaten Erlebnis ist, daß keiner wissen kann, ob der andere dasselbe Erlebnis hat und folglich den Worten dieselbe Bedeutung gibt wie der Sprechende. Die Analogietheorie könnte sich auf die Position zurückziehen, ich könne nur glauben, daß der andere Schmerzen habe; nur wenn ich selbst sie habe, könne ich es wissen (PU § 303; vgl. § 246). Gegenüber dieser Auffassung macht Wittgenstein dieselbe Kritik wie Carnap geltend: Eine solche Annahme wäre eine Hypothese, die über jede mögliche Erfahrung hinausgeht (BB 80). Das folgt notwendig aus der zweifachen Privatheit von Empfindungen. Wittgenstein veranschaulicht diesen Sachverhalt in dem bekannten Käferbeispiel: ,,Angenommen, es hätte Jeder eine Schachtel, darin wäre etwas, was wir ,Käfer' nennen. Niemand kann je in die Schachtel des Andern schaun; und Jeder sagt, er wisse nur vom Anblick seines Käfers, was ein Käfer ist. — Da könnte es sein, daß Jeder ein anderes Ding in seiner Schachtel hätte. Ja, man könnte sich vorstellen, daß sich ein solches Ding fortwährend veränderte...die Schachtel könnte auch leer sein'' (PU § 293).

Wittgensteins entscheidendes Argument gegen die Möglichkeit einer Privatsprache ist, daß der Sprecher selbst sie nicht verstehen könnte. Um eine Sprache zu verstehen, ist es erforderlich, daß der Sprecher weiß, was ihre Worte bedeuten. Das ist in einer privaten Sprache nicht möglich. Der Privatsprachler will einem Zeichen dadurch eine Bedeutung geben, daß er bei dessen Aussprechen oder Schreiben seine Aufmerksamkeit auf das zu bezeichnende innere Erlebnis konzentriert, um sich so die Verbindung des Zeichens mit der Empfindung einzuprägen. Wittgenstein fragt: ,,Aber wozu diese Zeremonie? denn eine solche scheint es doch zu sein!'' Die folgenden vieldiskutierten Zeilen bringen das entscheidende Argument: ,,Eine Definition dient doch dazu, die Bedeutung eines Zeichens festzulegen. — Nun, das geschieht eben durch das Konzentrieren der Aufmerksamkeit; denn dadurch präge ich mir die Verbindung des Zeichens mit der Empfindung ein. — ,Ich präge sie mir ein' kann doch nur heißen: dieser Vorgang bewirkt, daß ich mich in Zunkunft *richtig* an die Verbindung erinnere. Aber in unserem Fall habe ich ja kein Kriterium für die Richtigkeit. Man möchte hier sagen: richtig ist, was immer mir als richtig erscheinen wird. Und das heißt nur, daß hier von ,richtig' nicht geredet werden kann'' (PU § 258).

Wittgenstein geht aus von der Funktion einer Definition. Sie muß die Bedeutung eines Wortes festlegen und Kriterien an die Hand geben, anhand deren sich entscheiden läßt, ob der Sprecher das Wort richtig verwendet. Auch eine rein monologische Verständigung ist ohne Bedeutungskonstanz nicht möglich. ,,Bei der Verwendung des Wortes ,Bedeutung' ist es wesentlich, daß dieselbe Bedeutung während des ganzen Spiels festgehalten wird'' (NFL 289). Dieser Forderung kann die Privatsprache nicht entsprechen. Greifen wir, um das zu verdeutlichen, auf das Beispiel des privaten Tagebuchschreibers zurück. Er glaubt, er habe dem Zeichen ,,E'' durch Assoziation mit einer Empfindung, die im folgenden als Empfindung[1] bezeichnet sei, eine Bedeutung verliehen. Einige Zeit später hat er eine Empfindung[2]. Er fragt, ob er auch sie mit ,,E'' bezeichnen kann. Ob er die Frage überhaupt beantwortet oder über das Stadium der Ungewißheit nicht hinauskommt; ob er sie richtig oder falsch beantwortet; ob er nur zu einer Vermutung kommt: Um sie überhaupt stellen zu können, muß er wissen, was ,,E'' bedeutet. Er muß dem Zeichen ,,E'' eine Bedeutung zuordnen; diese Zuordnung kann richtig oder falsch sein. Die Rede von ,,richtig'' bzw. ,,falsch'' ist aber nur dann sinnvoll, wenn die Möglichkeit einer Überprüfung besteht. Die Frage nach der Richtigkeit stellt sich also auf zwei Ebenen: 1. Ist die Bedeutung, die der Sprecher dem Zeichen ,,E'' gibt, die, die ihm tatsächlich zukommt? 2. Ist es richtig, die Empfindung[2] mit ,,E'' zu bezeichnen? Die Klärung der ersten Frage ist Voraussetzung für die der zweiten, und der entscheidende Punkt in Wittgensteins Argument ist, daß der Privatsprachentheoretiker sie aufgrund seiner Voraussetzungen nicht beantworten, ja sie nicht einmal sinnvoll stellen kann. Er hat kein Kriterium, anhand dessen er die Zuordnung von Zeichen und Bedeutung nachprüfen kann. Nach der Bedeutung von ,,E'' gefragt, kann er nur mit dem Hinweis auf das Erlebnis[1] antworten. Da er es aber nicht mehr hat, muß er sich auf seine Erinnerung daran verlassen. Diese Erinnerung zu überprüfen hat er keine Möglichkeit. Verändert sich seine Erinnerung an das Erlebnis[1], so ändert sich damit die Bedeutung von ,,E''. Ob die Forderung der Bedeutungskonstanz erfüllt ist, kann nicht überprüft werden. Deshalb fordert Wittgenstein: ,,Eliminiere dir immer das private Objekt, indem du annimmst: es ändere sich fortwährend; du merkst es aber nicht, weil dich dein Gedächtnis fortwährend täuscht'' (PU S. 518).

III

Wie aber bezieht die Sprache sich dann auf das Innere des Menschen? Welche positive Antwort gibt Wittgenstein auf die Frage nach dem Sinn der Sätze, mit denen wir über fremde und eigene seelische Erlebnisse sprechen? Die bisherigen Überlegungen haben angedeutet, welchen Forderungen eine befriedigende Lösung genügen muß: 1. Aussagen über Empfindungen lassen sich nicht auf Aussagen über Verhaltensweisen reduzieren. Die behavioristische Lösung ist dogmatisch; ,,Schmerz'' bezeichnet nicht ein äußeres Verhalten. 2. Sätze über Empfindungen können nicht, das hat das Argument gegen die Privatsprache gezeigt, unabhängig von äußeren Verhaltensweisen einen Sinn haben. 3. Äußeres Verhalten und inneres Erlebnis können nicht lediglich durch eine kontingente Beziehung miteinander verknüpft sein.

Privatsprachentheorie und Analogiethese beruhen auf einem falschen Begriff der Bedeutung. Danach erhält das Wort ,,Schmerz'' seine Bedeutung durch eine Beziehung auf den Gegenstand, das innere Erlebnis, das es bezeichnet. Um zu wissen, was der Satz „Er hat Schmerzen" bedeutet, brauchen wir nach dieser Auffassung einen vorgestellten oder besser noch einen wirklichen Schmerz. Nach dieser Auffassung müßte, wie Wittgenstein in den Z bemerkt, jemand immer dann, wenn er nicht sicher ist, ob ein anderer Schmerzen hat, sich mit einer Nadel stechen, um die Bedeutung des Wortes „Schmerz" lebhaft vor der Seele zu haben und sich nicht mit einer Vorstellung begnügen zu müssen (§ 546). Nur so hat er den wirklichen Schmerz; nun weiß er, was er beim anderen bezweifeln soll. Hier werden, wie Wittgenstein mit Recht kritisiert, Gegenstand und Begriff verwechselt. „Zum Bezweifeln, ob der Andere Schmerzen hat, braucht er den *Begriff* ‚Schmerz', nicht Schmerzen" (Z § 548). Wie aber kommt er zu diesem Begriff? Wollen wir wissen, was ein Wort bedeutet, so müssen wir fragen, wie wir den Gebrauch dieses Wortes lernen bzw. lehren (vgl. PU §§ 43. 560). Das ist nach Wittgenstein nur anhand des Verhaltens möglich. Stellen wir die Sätze in der 1. Person („Ich habe Schmerzen") vorerst zurück, um uns zunächst Wittgensteins Analyse der Sätze in der 3. Person („Er hat Schmerzen") zuzuwenden. Wir lernen den Gebrauch des Wortes „Schmerz" in diesen Sätzen ausschließlich anhand des äußeren Verhaltens. Wenn die Menschen ihre Schmerzen nicht äußerten, könnte man ein Kind den Gebrauch von „Schmerz" nicht lehren (PU § 257). Mit dieser Lösung vermeidet Wittgenstein die Aporien der Privatsprachentheorie und der Analogiethese. An die Stelle des von dieser behaupteten kontingenten Zusammenhangs zwischen innerem Erlebnis und äußerem Ausdruck tritt ein auf der Bedeutung des Wortes beruhender Wesenszusammenhang. Die äußeren Verhaltensweisen sind Kriterien des inneren Vorgangs (PU § 580). Ein Kriterium ist ein empirisch gegebener Sachverhalt, der zu der Behauptung berechtigt, daß ein anderer Sachverhalt vorliegt. Von einem Kriterium kann aber nur dann die Rede sein, wenn es sich um einen wesensmäßigen Zusammenhang handelt, der auf der Bedeutung der Sätze, mit denen wir über innere Vorgänge sprechen, beruht[22]. Sätze über innere Erlebnisse in der 3. Person erhalten ihre Bedeutung nur durch ihre Beziehung auf äußere Verhaltensweisen, denn nur anhand des äußeren Verhaltens können wir ihren Gebrauch lernen und lehren.

Ist damit aber nicht der Unterschied zwischen Schmerz und Schmerzbenehmen übersehen? „Er hat Schmerzen" spricht doch über ein seelisches Erlebnis und nicht über ein äußeres Verhalten. Wie kann Wittgenstein sich gegen den Vorwurf des Behaviorismus verteidigen? Wittgenstein möchte in keiner Weise die Realität des Schmerzes als eines inneren Erlebnisses leugnen. Worauf es ihm ankommt ist, daß dieses innere Erlebnis zur Bedeutung des Wortes „Schmerz" nichts beiträgt. Er bestreitet, daß das Bild vom inneren Vorgang

---

[22] a.a.O. (3) 377-410; Tugendhat, a.a.O. (20) 114-116.

uns die richtige Idee der Verwendung des Wortes ,,Schmerz'' gibt (vgl. PU § 305). ,,Freilich, wenn das Wasser im Topf kocht, so steigt der Dampf aus dem Topf und auch das Bild des Dampfes aus dem Bild des Topfes. Aber wie, wenn man sagen wollte, im Bild des Topfes müsse auch etwas kochen?'' (PU § 297). Daß das Wasser im Topf kocht, kann ich nur dadurch abbilden, daß ich einen Topf male, aus dem Dampf aufsteigt, in dem das Wasser brodelt usw. Ich kann das Kochen nur mit Hilfe dieser Kriterien darstellen, aber diese Kriterien dienen zu nichts anderem als dazu, das Kochen darzustellen. Das Kochen selbst kann nicht Bestandteil des Bildes sein. Ebensowenig kann die Sprache den Schmerz selbst abbilden. Zum Sprachspiel mit dem Satz ,,Er hat Schmerzen'' gehört nur das Bild des Benehmens, nicht das des Schmerzes. Die Vorstellung des Schmerzes ist kein Bild (vgl. PU § 300). Für ein Bild ist es wesentlich, daß es mit der Wirklichkeit verglichen werden kann. ,,Aber in welchem Sinne ein Vorstellungsbild ein Vorstellungsbild ist, wird durch die Weise bestimmt, in der es mit der Wirklichkeit verglichen wird. Dies könnten wir die Projektionsmethode nennen. Nun denke an einen Vergleich zwischen dem Vorstellungsbild von A's Zahnschmerzen und seinen Zahnschmerzen. Wie würdest du sie vergleichen? Wenn du sagst, daß du sie ,indirekt' auf dem Umweg über körperliches Verhalten vergleichst, dann antworte ich dir: das bedeutet, daß du sie *nicht* vergleichst; vielmehr vergleichst du das Bild seines Verhaltens mit seinem Verhalten'' (BB 87). Man könnte einwenden: Wenn wir von den Schmerzen anderer sprechen, verbinden wir damit die Erinnerung an selbst empfundene Schmerzen. Dagegen hat Wittgenstein nichts einzuwenden; worauf er besteht ist, daß eine solche private Vorstellung nichts zur Bedeutung beitragen kann. Da ich nie wissen kann, ob der andere dasselbe private Erlebnis hat wie ich, ist dieses für die Frage, ob der andere das Wort ebenso versteht wie ich, irrelevant (vgl. PU §§ 271 f. 280. 293).

Ist die skizzierte Theorie auch imstande, die Bedeutung des Prädikates ,,Schmerzen'' in Sätzen der 1. Person Singular (,,Ich habe Schmerzen'') zu erklären? Hier geraten wir offensichtlich in ein Dilemma. Wenn ,,Schmerzen'' hier dieselbe Bedeutung hat wie in Sätzen der 3. Person, so folgt, daß ich mein eigenes äußeres Verhalten beobachten muß, um sagen zu können, daß ich Schmerzen habe. Das ist aber intuitiv unhaltbar; daß ich Schmerzen habe, weiß ich unmittelbar. Dann aber scheint die Privatsprachentheorie der einzig mögliche Ausweg zu sein. Wenn ich sage ,,Ich habe Schmerzen'', spreche ich doch offensichtlich über ein privates, nur mir in einer Introspektion zugängliches Erlebnis. Aber auch dieser Lösungsversuch scheitert. In diesem Fall hätte ,,Schmerzen'' in ,,Er hat Schmerzen'' und ,,Ich habe Schmerzen'' jeweils eine andere Bedeutung. Das widerspräche aber dem von Ernst Tugendhat[23] so benannten Prinzip der veritativen Symmetrie. Danach ist der Satz ,,Ich habe

---

[23] a.a.O. (20) 88 f.

Schmerzen'' notwendigerweise genau dann wahr, wenn der Satz ,,Er hat Schmerzen'', wenn er von jemand anderem geäußert wird, der mit ,,er'' mich meint, wahr ist. Die veritative Symmetrie beruht darauf, daß es sich in beiden Sätzen um denselben Sachverhalt handelt. Wenn ich sage ,,Ich habe Schmerzen'', kann ein anderer diesen Satz aufnehmen und sagen ,,Er hat Schmerzen''; beide Sprecher meinen dann denselben Sachverhalt. Zudem: Wie könnte nach dieser Auffassung der Gebrauch von ,,Schmerzen'' in Sätzen der 1. Person Singular gelernt werden?

Wittgenstein hält einerseits daran fest, daß auch in ,,Ich habe Schmerzen'' das Wort ,,Schmerzen'' nur durch seine Beziehung auf ein Verhalten eine Bedeutung hat. Damit entgeht er den Einwänden gegen die Privatsprache. Im Unterschied zu Sätzen in der 3. Person dient es jedoch nicht, und damit löst er die erste Schwierigkeit, der Identifizierung einer Empfindung durch Kriterien, sondern dem Ausdruck einer Empfindung (PU § 290). Wie lernt ein Mensch, fragt Wittgenstein, ,,die Bedeutung der Namen von Empfindungen? Z. B. des Wortes ‚Schmerz'. Dies ist eine Möglichkeit: Es werden Worte mit dem ursprünglichen, natürlichen Ausdruck der Empfindung verbunden und an dessen Stelle gesetzt. Ein Kind hat sich verletzt, es schreit; und nun sprechen ihm die Erwachsenen zu und bringen ihm Ausrufe und später Sätze bei. Sie lehren das Kind ein neues Schmerzbenehmen'' (PU § 244). Der Satz ,,Ich habe Schmerzen'' ist also eine Weise des Schmerzverhaltens, ein Ausdruck des Schmerzes unter anderen. Er ersetzt den natürlichen Ausdruck des Schmerzes, z.B. das Schreien, und Ausrufe. ,,Ich habe Schmerzen'' wird also nicht wie ,,Er hat Schmerzen'' anhand von Kriterien ausgesagt; der Satz ist vielmehr selbst ein Kriterium dafür, daß der Sprecher Schmerzen hat. Er dient als Kriterium für den über den Sprecher dieses Satzes geäußerten Satz ,,Er hat Schmerzen''. Der Gebrauch des Prädikates in der 1. Person kann nur über den Gebrauch in der 3. Person gelernt werden. Um zu wissen, welches Verhalten ich durch ,,Ich habe Schmerzen'' ersetzen kann, muß ich zuvor anhand der Sätze in der 3. Person gelernt haben, welches Verhalten Kriterium für die Anwendung des Prädikates ist.

Die hier in groben Strichen umrissene Lösung läßt fragen, ob nach Wittgenstein die Rede von einem Selbstbewußtsein des Menschen noch sinnvoll ist. Kommt in dem Satz ,,Ich habe Schmerzen'' ein Wissen zum Ausdruck, oder ist er ausschließlich als eine bestimmte äußere Verhaltensweise zu deuten? Eine Antwort hängt davon ab, in welchem Ausmaß Wittgenstein diesen Satz semantisch an ein Stöhnen oder einen Ausruf angleicht. Das ist bei den Wittgenstein-Interpreten umstritten. Norman Malcolm ist der Ansicht, ,,daß meine Sätze über meine augenblicklichen Empfindungen denselben logischen Status haben wie mein Schreien oder mein Gesichtsausdruck''[24]. Danach kann

---

[24] Wittgensteins ‚Philosophische Untersuchungen', in: Über Ludwig Wittgenstein (Ffm 1968) 7-51; 27.

von einem Bewußtsein seelischer Erlebnisse nicht die Rede sein, denn ein Aus-
ruf bringt kein Wissen zum Ausdruck. Ist diese Interpretation zwingend? Die
Diskussion hat gezeigt, daß drei Fragen zu unterscheiden sind: 1. Hat der Satz
,,Ich habe Schmerzen'' einen Wahrheitswert? 2. Wie wird er begründet? 3.
Drückt er ein Wissen aus? Ist es sinnvoll zu sagen: ,,Ich weiß, daß ich Schmer-
zen habe''?

1. Wittgensteins Texte geben auf die erste Frage keine eindeutige Antwort.
Hacker[25] und Tugendhat[26] haben jedoch gezeigt, daß der Satz einen Wahr-
heitswert hat und dies Wittgensteins Ansatz in keiner Weise widerspricht. Im
Unterschied zu einem Ausruf, z.B. ,,au'', hat, das ist gegen Malcolm geltend
zu machen, ,,Ich habe Schmerzen'' eine Struktur. Sie gestattet es, daß ein anderer über den Sprecher des Satzes ,,Ich habe Schmerzen'' die Aussage macht
,,Er hat Schmerzen''. Zwischen diesen beiden Sätzen besteht aber veritative
Symmetrie. Wenn ,,Er hat Schmerzen'' wahr bzw. falsch ist, gilt dasselbe von
,,Ich habe Schmerzen''; der Satz hat also einen Wahrheitswert. Das geht u.a.
auch daraus hervor, daß ,,Ich habe Schmerzen'' in wahrheitsfunktionalen
molekularen Aussagen vorkommen kann (z. B. ,,Ich habe starke Schmerzen,
und niemand hilft mir''), ohne daß der molekulare Satz ohne Wahrheitswert
oder nicht wahrheitsfunktional wäre. Ebenso kann ,,Ich habe Schmerzen''
Prämisse in einem gültigen Beweis sein (z. B. ,,Alle Menschen, die einen
Schmerz von der und der Art haben, leiden an der Krankheit A; ich habe einen
Schmerz von der und der Art; also leide ich an der Krankheit A'')[27].

2. Aus der Feststellung, daß ein Satz einen Wahrheitswert hat, ergibt sich
die Frage, wie der Wahrheitswert erkannt werden kann. Hier weist Wittgenstein auf einen grundlegenden Unterschied zwischen Aussagen über
Bewußtseinszustände in der 3. und in der 1. Person hin: Aussagen in der 3.
Person sind durch Beobachtung zu verifizieren, die in der 1. Person dagegen
nicht (Z § 472). Um sagen zu können, daß ich Zahnschmerzen habe, schreibt
er in den NFL, brauche ich nicht mein Verhalten im Spiegel zu beobachten.
Wie aber kann ich mich dann der Wahrheit der Aussage vergewissern? Wenn
ihre Wahrheit nicht durch äußere Beobachtung festgestellt werden kann, dann
müssen wir, so sind wir versucht zu schließen, auf eine innere Beobachtung
zurückgreifen. Dieser Schluß beruht jedoch auf einem falschen Verständnis
der Semantik des Satzes ,,Ich habe Schmerzen''. Er dient nicht der Beschreibung einer Beobachtung und kann nicht durch eine Beobachtung verifiziert
werden. Dazu müßte er folgende semantische Struktur haben: Der Subjektsbegriff müßte dazu dienen, eine bestimmte Entität zu identifizieren, und der
Prädikatsbegriff Kriterien enthalten, anhand deren geprüft werden kann, ob
dem identifizierten Gegenstand dieses Prädikat zukommt. Beide Vorausset-

---

[25] a.a.O. (3) 352-361.
[26] a.a.O. (20) 125-132.
[27] a.a.O. (3) 354 f.

zungen treffen für ,,Ich habe Schmerzen'' nicht zu. ,,Wenn ich sage, ,ich habe Schmerzen', weise ich nicht auf eine Person, die die Schmerzen hat, da ich in gewissem Sinn garnicht weiß, *wer* sie hat'' (PU § 404). Ich weiß, wer Schmerzen hat, wenn ich die Frage beantworten kann, welche Person Schmerzen hat. Das ist aber nur so möglich, daß ich die betreffende Person durch Kriterien identifiziere, z. B. ,,der in dieser Ecke steht, der Lange mit den blonden Haaren dort''. Der Gebrauch von ,,ich'' beruht aber nicht auf Kriterien; indem ich ,,ich'' sage, meine ich zwar eine Person, aber ich identifiziere sie nicht anhand von Kriterien (PU § 404). Ebensowenig beruht die Anwendung des Prädikats in ,,Ich habe Schmerzen'' auf Kriterien (PU § 290). Wir lernen seinen Gebrauch nicht durch ein inneres Hinblicken auf eine Empfindung (Z § 426). In Z § 549 geht Wittgenstein noch einen Schritt weiter und lehnt nicht nur eine Verifikation, sondern jede mögliche Begründung einer Empfindungsäußerung ab. Die Unmöglichkeit einer Begründung veranlaßt ihn zu bestreiten, daß Empfindungsäußerungen Behauptungen sind, d. h. einen Wahrheitswert haben. Die Stelle wirft zwei Fragen auf: Wie ist die These von der Unmöglichkeit jeder Begründung genauer zu verstehen; worauf beruht diese Unmöglichkeit? Wie ist sie zu vereinbaren mit der oben vertretenen Auffassung, daß ,,Ich habe Schmerzen'' einen Wahrheitswert hat? Wie kann man von einem Satz, der in keiner Weise überprüft oder begründet werden kann, behaupten, er sei wahr oder falsch?

Wir müssen bei einem Aussagesatz zwei Stufen der Richtigkeit unterscheiden[28]. Die erste Stufe, die ich als semantische Richtigkeit bezeichnen möchte, besteht darin, daß der Sprecher den Satz in der Bedeutung verwendet, die er tatsächlich hat. Die zweite Stufe der Richtigkeit ist die Wahrheit des Satzes. Wenn wir uns an einem Aussagesatz orientieren, in dem der Subjektsbegriff der Identifikation eines Gegenstandes dient, der dann durch den Prädikatsbegriff charakterisiert wird, so liegt es auf der Hand, daß die semantische Richtigkeit noch nicht die Wahrheit garantiert. Im Fall der Lüge oder des Irrtums gebraucht der Sprecher den Satz semantisch richtig; der Satz ist aber nicht wahr. ,,Ich habe Schmerzen'' unterscheidet sich nun von dem eben genannten Typ von Aussagen dadurch, daß bei ihm beide Stufen zusammenfallen, d. h. wenn dieser Satz semantisch richtig gebraucht wird, ist er wahr. Mit seiner semantischen Richtigkeit ist notwendig seine Wahrheit gegeben. Damit scheidet die Möglichkeit des Irrtums aus. Die Möglichkeit der Lüge ist gegeben, denn der Satz kann falsch sein. Allerdings sind Lüge und semantische Richtigkeit in diesem Fall unvereinbar; der Sprecher kann nur in der Weise lügen, daß er absichtlich gegen die semantische Richtigkeit verstößt. Daß semantische Richtigkeit und Wahrheit nicht differieren können, ergibt sich aus der Bedeutung dieses Satzes. ,,Ich habe Schmerzen'' ersetzt ein natür-

---

[28] Vgl. Tugendhat, a.a.O. (20) 128-133.

liches Schmerzbenehmen oder einen Ausruf. Wir gebrauchen ihn folglich nur
dann semantisch richtig, wenn er uns als Äußerung der Schmerzempfindung
dient, wenn wir also tatsächlich Schmerzen haben, d. h. wenn der Satz wahr
ist.

3. Kehren wir zu der Frage zurück, ob nach Wittgenstein die Rede von
einem Selbstbewußtsein des Menschen noch sinnvoll ist. Kommt in dem Satz
,,Ich habe Schmerzen'' ein Wissen zum Ausdruck? Wittgenstein hat das an
verschiedenen Stellen bestritten. Von mir selbst könne ich nicht sagen, ich wisse, daß ich Schmerzen habe. ,,Was soll es denn heißen — außer etwa, daß ich
Schmerzen *habe*?'' (PU § 246). Von einem Wissen zu reden sei nur dort sinnvoll, wo der Zweifel nicht logisch ausgeschlossen sei (PU S. 533). Man muß
Wittgenstein zugeben, daß bei ,,Ich habe Schmerzen'' der Zweifel in dem Sinn
logisch ausgeschlossen ist, daß mit der semantischen Richtigkeit notwendig
die Wahrheit gegeben ist (vgl. PU § 288). Deshalb ist hier, im Unterschied zu
anderen Propositionen, der Gebrauch von epistemischen Operatoren wie ,,ich
zweifle'', ,,ich glaube'', ,,ich weiß'' usw. sinnlos. Zwischen ,,Ich weiß, daß
ich Schmerzen habe'' und ,,Ich habe Schmerzen'' besteht folglich kein Bedeu-
tungsunterschied. Wittgensteins Argument wäre aber nur dann überzeugend,
wenn es sinnlos oder widersprüchlich wäre, von einem unbezweifelbaren
Wissen zu sprechen. Das anzunehmen besteht jedoch um so weniger Anlaß,
als alles empirische Wissen für seine Begründung auf solche unbezweifelbaren
Sätze der 1. Person zurückgreifen muß. Sätzen, die Wissen begründen, läßt
sich aber schwerlich das Prädikat ,,Wissen'' absprechen.

Sind wir aber damit am Ende unserer Überlegungen nicht wieder bei Descartes angelangt? Kommt nicht auch Wittgenstein zum Selbstbewußtsein als
dem letzten, unbezweifelbaren Wissen, das Grundlage allen Wissens von empirischen Sachverhalten ist? Im Unterschied zu Descartes kann ich nach Wittgenstein nur dann ein Wissen von meinen eigenen Bewußtseinszuständen haben, wenn ich imstande bin, aufgrund von Kriterien Aussagen über das
Bewußtsein anderer zu machen. Der Gebrauch des Prädikats ,,Schmerzen'' in
der 1. Person kann nur anhand von Sätzen in der 3. Person gelernt werden.
Ergibt sich dann aber nicht ein Zirkel[29]? Aussagen über die 3. Person beruhen
auf Kriterien. Kriterien sind empirische Sachverhalte. Ein Wissen von empirischen Sachverhalten beruht aber auf dem unbezweifelbaren Wissen, das in
Sätzen der 1. Person zum Ausdruck kommt. Wittgenstein anwortet auf diesen
Einwand durch die Unterscheidung zwischen der semantischen Priorität und
der Priorität in der Ordnung der Begründung (epistemische Priorität). Episte-
misch primär sind Aussagen des Sprechers über seine eigenen Wahrnehmungen und Empfindungen. Semantisch primär sind dagegen Sätze über wahrnehmbare Gegenstände bzw. Verhaltensweisen. Wittgenstein zeigt in den Z

---

[29] a.a.O. (20) 118 f.

(§ 410 ff.), daß bei Sätzen über Farben und wahrnehmbare Gegenstände das Verstehen des unmodifizierten Satzes Voraussetzung des Verstehens der subjektiv modifizierten Form ist. Bevor ein Kind lernen kann, was ,,Dies scheint mir rot'' bedeutet, muß es den Satz ,,Dies ist rot'' verstanden haben. Mit der Wendung ,,Mir scheint es...'' geben wir dem Sprachspiel ,,ein neues Gelenk'' (§ 425). ,,Im ersten Sprachspiel kommt eine Person als wahrnehmendes Subjekt nicht vor'' (§ 424). ,,Die rote Gesichtempfindung ist ein neuer *Begriff*'' (§ 423).

Damit schließt sich der Kreis unserer Überlegungen. Wittgensteins Aufweis, daß Sätze, die Empfindungen und Wahrnehmungen des Sprechers zum Ausdruck bringen, semantisch sekundär sind gegenüber Sätzen über die wahrgenommenen Gegenstände, führt über Descartes und den Empirismus zurück zur Lehre des Aristoteles von der logischen Priorität der Begriffe der Gegenstände seelischer Tätigkeiten gegenüber den Begriffen dieser Tätigkeiten selbst.

GERHARD DAUTZENBERG
Gießen

SEELE (*NAEFAEŠ—PSYCHE*) IM BIBLISCHEN DENKEN SOWIE DAS VERHÄLTNIS VON UNSTERBLICHKEIT UND AUFERSTEHUNG

Das mir gestellte Thema ,,Seele im biblischen Denken sowie das Verhältnis von Unsterblichkeit und Auferstehung'' benennt einen Problemkreis, der sich der biblischen Tradition aufgrund ihrer Begegnung mit dem griechischen Denken und aufgrund innerer Entwicklung zwar vom 2. Jahrhundert vor Christus an stellte, der in dieser Tradition aber weder in der Zeit bis zum 1. Jahrhundert nach Christus noch später[1] eine einhellige oder befriedigende Lösung gefunden hat. Die Befunde der biblischen Tradition stehen zum größten Teil einer schon in dieser Tradition gelegentlich angestrebten Lösung entgegen, haben aber andererseits dennoch immer wieder nach einer Lösung suchen lassen. Angesichts der inneren Wandlungen der biblischen Tradition von der grundlegenden Periode des hebräischen Alten Testaments zum Frühjudentum und zum Urchristentum und angesichts der Tatsache, daß sich die im Thema genannten Begriffe erst vom Frühjudentum an gelegentlich zu verschränken beginnen, kann ein solcher Überblick nur in einer größeren Zahl von einzelnen Schritten erfolgen.

I. Hebräisches Altes Testament

1. *naefaeš-Seele, Leben*[2]

a. Zum Problem der Übersetzung.

Wenden wir uns zunächst dem Begriff der ,,Seele'' im biblischen Denken zu, so empfiehlt es sich, zwei Phasen der Geschichte des Begriffs zu unterscheiden, eine im engeren Sinne alttestamentliche Phase, die durch die hebräischen Schriften des Alten Testaments belegt ist und den Zeitraum von den ältesten Überlieferungen Israels bis zum Beginn der mehr oder weniger intensiven Begegnung des Judentums mit dem Hellenismus im 3. Jahrhundert vor Christus umspannt, und eine sich anschließende Phase des Frühjudentums und Urchristentums, die durch die jüdischen und urchristlichen Schriften

---

[1] Deutlich markiert wurden die Schwierigkeiten von O. Cullmann, Unsterblichkeit der Seele und Auferstehung der Toten. Das Zeugnis des NT, in: ThZ 12 (1956) 126-156. Zur Spannung zwischen der Lehre von der Unsterblichkeit der Seele und der biblischen Auferstehungserwartung in der Theologie der alten Kirche vgl. R. Staats, Auferstehung I/4, in: TRE IV 475-477.

[2] K. Westermann, *naéfaeš* Seele, in: THAT II 71-96; E. Jacob, *psyche* B, in: ThWNT IX 614-629; H. W. Wolff, Anthropologie des Alten Testaments (München 1973) 25-48; G. Dautzenberg, Sein Leben bewahren. *Psyche* in den Herrenworten der Evangelien (München 1966) 13-30.

dieser Zeit repräsentiert wird. In dieser Phase wirken die alten Ansätze weiter, es zeichnen sich aber neue sprachliche Fügungen und begriffliche Veränderungen ab, die entweder auf innerjüdische Weiterentwicklung der alten Ansätze oder auf die Begegnung der jüdischen Tradition mit griechischem Denken über die Seele und griechischer Anthropologie sowohl in Palästina wie vor allem in der griechischsprachigen Diaspora zurückgehen[3]. Die am Anfang dieser zweiten Phase von den Übersetzern der griechischen Bibel getroffene Wahl des griechischen Wortes *psyche* für das hebräische *naefaeš* ist einerseits Teil dieses Vermittlungs- und Begegnungsprozesses und hat ihrerseits über lange Zeit bis zur historisch-kritischen Erforschung der hebräischen Anthropologie, die im vorigen Jahrhundert einsetzte, die *interpretatio graeca* der biblischen Anthropologie gefördert.

Eigenart und Entwicklung des Begriffs ,,Seele'' im biblischen Denken treten im Zusammenhang unserer Fragestellung wohl am besten heraus, wenn wir einen Vergleich mit den Komponenten des Begriffs ,,Seele'' führen, die Albrecht Dihle als ,,Vulgärvorstellungen der nachklassischen Zeit'' charakterisiert und beschrieben hat. Dies hat außerdem den Vorteil, daß diese dem griechischen Wort *psyche* zugeordneten Vulgärvorstellungen sich weithin mit jenen Vorstellungen treffen, die mit dem deutschen Wort ,,Seele'' sich verbinden. Im Bereich der Vulgärvorstellungen bezeichnet *psyche*: 1. ,,den handgreiflich nicht zu fassenden Wesenskern des Menschen''; 2. ,,den Träger des Denkens, Wollens und Fühlens''; 3. ,,den Inbegriff der Lebendigkeit''[4]. Diese Auffassung von Seele hat Teil an der allgemeinen Entwicklung des griechischen Begriffs *psyche* von der in den homerischen Schriften vorwiegenden Konzeption der *psyche* als der dem Menschen in seinen Gliedern innewohnenden und sich im Atem oder im Blut dokumentierenden Lebenskraft[5] zur *psyche* als dem Lebenskraft und Denktätigkeit verbindenden und in begrifflicher und qualitativer Opposition zum Körper stehenden Inbegriff des Individuums[6]. Demgegenüber ist die alttestamentliche Konzeption der *naefaeš* auf einem dem homerischen Sprachgebrauch vergleichbaren Stand geblieben.

b. *naefaeš* im hebräischen Alten Testament.

Die hebräische Anthropologie ist generell durch das sogenannte synthetische Denken charakterisiert, welches ,,mit der Nennung eines Körperteils zugleich dessen Funktion meint''[7]. In diesem Sinne lassen sich als konkrete Grundbedeutungen für *naefaeš* die Bedeutungen ,,Kehle/Schlund'' und ,,Hauch/Atem'' nachweisen bzw. erschließen[8]. Von der Bedeutung

---

[3] A. Dihle — E. Lohse, *psyche* C, in: ThWNT IX 630-635; Dautzenberg, a.a.O. 40-48.
[4] A. Dihle, *psyche* A, in ThWNT IX 605-614. 613.
[5] Dihle, a.a.O. 606.
[6] Dihle, a.a.O. 607.
[7] Wolff, a.a.O. 23.
[8] Westermann, a.a.O. 73-75; Wolff, a.a.O. 26-32.

,,Kehle/Schlund" führt eine Linie zur Verwendung des Begriffs *naefaeš* zur Bezeichnung der menschlichen Bedürftigkeit und des menschlichen Begehrens und Verlangens. Die Spannweite der Anwendung von *naefaeš* in diesem Sinne ist sehr groß. Sie reicht von solch konkreten Bedürfnissen wie Hunger und Durst bis zu Äußerungen feindlichen Rachedurstes und zur Charakterisierung des menschlichen Begehrens überhaupt. Dieses Begehren wird als charakteristisch für den mit *naefaeš* ausgestatteten Menschen angesehen:

> ,,Alle Mühsal des Menschen dient seinem Munde, und doch wird seine *Kehle* (sein *Begehren*) nicht gefüllt (gestillt)" (Koh 6,7).

Das Begehren des Menschen macht nicht Halt bei der Befriedigung der Lebensnotdurft, sondern es greift weit darüber hinaus. Die *naefaeš* dürstet oder schmachtet nach dem lebendigen Gott (Ps 42, 2.3), sie vergeht in Sehnsucht nach den Vorhöfen seines Tempels (Ps 84,3). Von da aus ist es nur noch ein Schritt bis zum Verständnis der *naefaeš* als Organ, Sitz und Akt auch anderer seelischer Empfindungen[9], so daß der Begriff *naefaeš* an dieser Stelle mit einem Sektor des Bedeutungsgehalts von *psyche*/Seele konvergiert[10]. Die *naefaeš* ist ,,Zentralorgan des leidenden Menschen" (Hi 9,15; Ex 23,9), Organ des Mitgefühls mit dem Bedürftigen (Hi 30,25). Sie ist zum Beispiel erschrocken (Hi 6,3), verzweifelt und unruhig (Ps 42,6 f. 12; 43,5), verbittert (1 Sam 1,10), bekümmert (2 Kön 4,27), empört (Ri 18,25; 2 Sam 17,8) und betrübt (Spr. 31,6). Sie kann hassen (2 Sam 5,8; Jes 1,14) und lieben (Hld 1,7; 3,1.2.3.4), trauern und weinen (Jer 13,17), sich freuen und jubeln (Ps 35,9). Obwohl die *naefaeš* in solchen Zusammenhängen durchaus Subjekt menschlicher Empfindungen ist, wird von ihr doch nur selten in objektivierendem Sinne (vgl. Dt 11,18) gesprochen. Kennzeichnend ist vielmehr die mit *naefaeš* evozierte Intensität des Empfindens und das Ausgerichtetsein der *naefaeš* auf ihre Objekte bzw. ihr intensives Entbehren und Erleiden[11].

Die andere Grundbedeutung von *naefaeš* ,,Hauch/Atem" ist nicht mehr so eindeutig nachweisbar. Ihr Verhältnis zur Bedeutung ,,Kehle/Schlund" wird unterschiedlich gedeutet. Die Bedeutung ,,Hauch/Atem" wirkt indes in einer Reihe fester Wendungen nach. Von ihr führt eine Linie zur Verwendung des Begriffs *naefaeš* zur Bezeichnung des ,,Lebens" oder eines ,,Lebewesens". Von der sterbenden Rachel heißt es, daß sie in dem Moment, als ihre *naefaeš* sie verließ, ihren Sohn Benoni nannte (Gen 35,18). Elia soll sich dreimal über den toten Sohn der Witwe von Sarepta gebeugt und Gott angefleht haben: ,,Laß doch die *naefaeš*/das Leben dieses Knaben zurückkehren in sein Leibesinnere. Als Jahwe die *naefaeš* zurückkehren ließ, begann der Knabe wieder zu leben" (1 Kön 17,21 f.).

---

[9] Wolff, a.a.O. 35.
[10] S. oben I 1 a die ,,Vulgärvorstellung" 2. Zum Folgenden vgl. Wolff, a.a.O. 36.
[11] Vgl. Westermann, a.a.O. 83 f.; Jacob, a.a.O. 618.

Auch an dieser Stelle zeigt sich eine gewisse Konvergenz mit der Konzeption von *psyche* bei Homer und mit der Verwendung von *psyche* als „Inbegriff der Lebendigkeit" im nachklassischen Sprachgebrauch[12]. Jedoch ist es wiederum notwendig, die eigenen Konturen der hebräischen Konzeption von *naefaeš* als Leben im Auge zu behalten. Obwohl die genannten Beispiele vom „Ausgehen" oder „Zurückkehren" der *naefaeš* den Gedanken an eine vom leiblichen Leben unabhängige Sonderexistenz der *naefaeš* als eines unzerstörbaren Wesenskerns[13] nahelegen könnten, ist diese Vorstellung in den alttestamentlichen Schriften nicht nachweisbar[14]. Es handelt sich um bildliche Redeweisen auf der Grundlage einer dynamistischen Konzeption, bei welcher die Grenzen zwischen Leben und Tod zwar fließend sind[15], jede Verminderung oder Bedrohung der Vitalität schon unter dem Vorzeichen des Todes gedeutet werden kann, der definitiv eingetretene Tod aber die absolute Grenze von Aussagen über die *naefaeš* darstellt. *Naefaeš* in der Bedeutung „Leben" begegnet in zahlreichen Wortfügungen, bei welchen es entweder um Rettung (1 Sam 14,11; 2 Sam 19,6), Bewahrung (Dt 4,9; Ps 25,20), Einsatz (1 Sam 19,5; 28,21) oder um Bedrohung (1 Sam 20,1; 23,23), Verlust (Gen 37,21; Ps 31,14) und Vernichtung (Ez 22,7; Ps 26,9) des Lebens geht[16]. Die *naefaeš* wird als ein „inhärentes, leibgebundenes Lebensprinzip betrachtet"[17].

Weit verbreitet ist schließlich der Gebrauch von *naefaeš* in Bezug auf den Menschen als „Person, Individuum, Selbst, Jemand"[18]. Man kann sich diesen Sprachgebrauch als durch Synekdoche von der Grundbedeutung „Gurgel/Kehle" her entstanden denken: Der Mensch wird nach seinem Charakteristikum bezeichnet[19]. Die sinnliche Grundlage der Begriffsbildung ist allerdings im allgemeinen Sprachgebrauch kaum mehr erkennbar, wenn der Begriff generalisierend im Singular und vor allem auch im Plural in juristischen und statistischen Zusammenhängen gebraucht wird (Singular: Lev 2,1; 4,2; Plural: Lev 27,2; Num 19,18; Zahlenangaben: Ex 12,4; Jer 52,29). In Verbindung mit dem Personalsuffix übernimmt *naefaeš* häufig die Funktion eines Personalpronomens. In Verbindung mit dem Adjektiv *hjh* bildet *naefaeš* in der Priesterschrift eine Art Gattungsbegriff für Tiere (Gen 1,20 f. 24; 9,10.12.15) oder für Tiere und Menschen als Lebewesen (Gen 9,16). Von daher erklärt sich wahrscheinlich die Fügung *naefaeš met* (Lev 21,11; Num 6,6) — nicht „tote Seele", sondern „verstorbene Person, Leiche"[20] und der Gebrauch des einfachen *naefaeš* als Bezeichnung einer Leiche (Lev 19,28; 21,1).

---

[12] S. oben I 1 a „Vulgärvorstellung" 3.
[13] Vgl. die „Vulgärvorstellung" 1.
[14] Wolff, a.a.O. 46.
[15] Vgl. Jacob, a.a.O. 615 (Lit.); Wolff, a.a.O. 167 f.
[16] Westermann, a.a.O. 88.
[17] G. Gerleman, *hjh* leben, in: THAT I 553.
[18] Wolff, a.a.O. 41; Westermann, a.a.O. 88 f.
[19] Vgl. Wolff, a.a.O. 41 Anm. 28 zu Spr 3,22.
[20] Wolff, a.a.O. 43; Westermann, a.a.O. 90.

2. Zum alttestamentlichen Verständnis des Todes[21]

Eine dem biblischen Befund auch nur annähernd angemessene Darstellung der alttestamentlichen Stellungnahme zum Tod würde den diesem Vortrag gesetzten Rahmen sprengen. Ich werde mich daher auf einige für unsere Fragestellung wichtige und kaum kontroverse Feststellungen beschränken. O. Plöger hat etwas wie eine ,,alttestamentliche Generallinie'' hinsichtlich der Beurteilung des Todes umrissen, die ich im folgenden zunächst wiedergebe: ,,Der Tod ist als Ende des Lebens Merkmal der menschlichen, ja überhaupt der geschöpflichen Existenz; er stellt eine *unüberschreitbare Grenze* dar und ist deshalb geeignet als ein Kriterium für die menschliche und kreatürliche Existenz, die in ihrem Ziel der Vergänglichkeit und Todesverfallenheit auch mit ‚Fleisch' umschrieben werden kann''[22]. Zwar erwähnen die alttestamentlichen Schriften gelegentlich die Totenwelt, die Scheol (Jes 14,4-15; 28,15-18; Ez 32,20 ff.), die verwandte Züge mit den Unterweltvorstellungen der orientalischen Umwelt Israels aufweist, im allgemeinen wird aber auf die Ausmalung dieser Vorstellung verzichtet und die Rede vom Abstieg in die Scheol als Totenwelt (Gen 42,38; 44,29.31; Jes 38,10.17; Ps 9,16.18; 16,10; 49,10.16; 88,4-7; Spr 1,2) bedeutet meistens ,,nicht mehr als den Hinweis auf das Begräbnis als Lebensende''[23].

Alle aus der Umwelt bekannten Bräuche und Praktiken, die mit der Wiederkehr oder der Mächtigkeit der Toten rechnen, sind in Israel verboten (Dt 14,1f.; 18,11; Lev 19,27f. 31; 20,6.27; 1 Sam 28,13). Was mit dem Tode in Verbindung steht, gilt als vor Jahwe ,,unrein'' (Num 19,11-16; Lev 11,32-35)[24]. Über die in der Scheol lebenden Toten werden nur negative Aussagen gemacht[25]. Sie sind von der Gemeinschaft mit Jahwe, von seinem Kult und von seinem Geschichtshandeln ausgeschlossen, wie es beispielhaft das Gebet Hiskias Jes 38,18f. ausspricht:

,,Nicht bekennt dich mehr die Unterwelt.
  Und der Tod, rühmt er dich noch?
Nicht mehr harren die zur Grube fuhren
  deiner Treuverbundenheit entgegen.
Nur wer lebt, wer lebt, der preist dich,
  so wie ich es heute noch tue'' (vgl. Ps 88,6.11-13; 6,6; 115,17; Hiob 7,21).

Beides, die Bestreitung jeder numinosen Qualität oder Mächtigkeit des Todes und der Totenwelt und die konsequente Negation jeder Verbindung zwischen

---

[21] Wolff, a.a.O. 150-176; H. Gese, Der Tod im Alten Testament, in: ders., Zur biblischen Theologie. Alttestamentliche Vorträge (München 1977) 31-54; O. Plöger, Tod und Jenseits im Alten Testament, in: H. J. Klimkeit, Tod und Jenseits im Glauben der Völker (Wiesbaden 1978) 77-85.

[22] Plöger, a.a.O. 78.

[23] Wolff, a.a.O. 157; vgl. G. Gerleman, *šeôl* Totenreich, in: THAT II 837-841.

[24] Wolff, a.a.O. 158-160; vgl. Gese, a.a.O. 35.

[25] Wolff, a.a.O. 160-162; Gerleman, a.a.O. 840.

der Totenwelt und Jahwe, läßt allerdings im Glauben Israels ein „theologisches Vakuum"[26] entstehen, welches vor allem in den Psalmen und in den späteren Texten der alttestamentlichen Prophetie zu immer neuen tastenden Fragen Anlaß gab, die schließlich die Erkenntnis hervorbrachten, daß Jahwes Macht auch bis in die Totenwelt hineinreicht: „Wollte ich in der Totenwelt lagern, siehe, da bist du auch" (Ps 139,8). In manchen Psalmen vertrauen sich die Beter angesichts des Todes der Treue des über Leben und Tod mächtigen Gottes an (Ps 63,4; 49,16; 73,23 f. 26-29)[27]. Grundsätzlicher noch ist die Zuversicht, die in der Jesajaapokalypse, vielleicht erst durch nachträgliche Ergänzung einer ursprünglicheren Endzeitschilderung[28], Ausdruck gefunden hat:

„Er verschlingt den Tod auf immer.
Und der Herr Jahwe wischt ab die Tränen von jedem Angesicht und nimmt seines Volkes Schmach hinweg von der ganzen Welt" (Jes 25,8).

II. Frühjudentum[29]

1. Die ältesten Aussagen über Auferstehung und Leben nach dem Tode

Die ältesten und einzigen Auferstehungsaussagen der hebräischen Bibel stehen jeweils in Endzeitschilderungen. Jes 26,19 hat die Form eines verheißenden Jahwewortes und einer bekennenden Antwort der Gemeinde:

„Leben sollen deine Toten, meine Leichen auferstehen!
Erwacht und jubelt, ihr Bewohner des Staubes! —
Denn Tau der Toten ist dein Tau,
so daß die Erde die Schatten gebiert."

Es handelt sich wiederum um einen Einschub in den Text der Jesajaapokalypse. Die Auferstehungsaussage ist so prägnant, daß man vielleicht mit O. Kaiser[30] annehmen sollte, daß die Auferstehungserwartung als solche wenigstens im Kreis der Ergänzer der Jesajaapokalypse schon bekannt war. Kaiser verweist auf Koh 3,19-21. Dort wird dem Gedanken eines den Tod übergreifenden Geschicks des Menschen widersprochen. Das würde bedeuten, daß die Konzeption von einer auf Gottes Handeln am Ende zurückgehenden Auferstehung bereits bekannt und umstritten war. Gerade darum wird sie nun in der Form einer göttlichen Verheißung ausgesprochen. Sie setzt im Unterschied zur

---

[26] Wolff, a.a.O. 162; vgl. Gese, a.a.O. 38-40.
[27] Gese, a.a.O. 43-49; Wolff, a.a.O. 163-166.
[28] O. Kaiser, Der Prophet Jesaja. Kapitel 12-39 (Göttingen 1973) 161 f.
[29] Neuere Gesamtdarstellungen: H. C. C. Cavallin, Life after Death I. An enquiry into the Jewish Background (Lund 1974); ders., Leben nach dem Tode im Spätjudentum und im frühen Christentum I. Spätjudentum, in: ANRW II 19 (Berlin 1979) 240-345; G. Stemberger, Auferstehung I/4, in: TRE IV 443-450; ders., Der Leib der Auferstehung (Rom 1972).
[30] Kaiser, a.a.O. 174 f.

Koh 3,19-21 geäußerten Kritik nicht bei der anthropologischen Terminologie
ein. Der Prediger bestreitet eine Differenz zwischen dem Geschick der Menschen und der Tiere. Beide haben den gleichen Odem oder Geist, beide kommen vom Staub und werden zu Staub. Jes 26,19 spricht dagegen pointiert vom
Wiederaufleben der Toten Israels, vom Auferstehen der Leichen, fordert die
in den Staub Gesunkenen zu neuem Jubel auf und begründet dies mit einem
wunderbar belebenden Handeln Jahwes (Tau).

Während der genaue geschichtliche Ort dieser bekenntnishaften Verheißung
nicht bestimmbar ist, läßt sich der für einen großen Teil der weiteren Entwicklung bestimmend gewordene Text Dan 12,2f. genau datieren und situieren. Er
entstand auf dem Höhepunkt der Religionsverfolgung durch Antiochus Epi-
phanes im Jahre 167 vor Christus. Der Seher erwartet für die Zeit unmittelbar
nach dem Ende des Antiochus die eschatologische Wende, eingeleitet durch eine Zeit unvorstellbarer Not und Bedrängnis, in welcher aber Israel, d.h. das
wahre und nicht abtrünnige Israel (,,alle, die sich im Buch verzeichnet finden''
12, 1), gerettet wird. Das Endgeschehen bleibt aber nicht auf die Rettung der
Überlebenden beschränkt. 12, 2 setzt vielmehr die Verheißung im Hinblick
auf die Toten fort: ,,Und viele von denen, die im Land, das aus Staub besteht,
schlafen, werden erwachen, die einen zum ewigen Leben, die anderen zur ewigen Schmach''. Durch den Einschluß derer, die zur Schmach auferstehen werden, entsteht hier ein anderer Israelbezug als in 12, 1. Die Auferstehung dient
nicht bloß der Neuschöpfung Israels, sie ist vielmehr auch und ganz zentral an
der Lösung des gerade in der Zeit des Kampfes um Israel und die Thora sichtbar gewordenen Konflikts in Israel, an der Lösung des Vergeltungsproblems
orientiert. Für die Verächter des Glaubens der Väter wird es nur eine Auferstehung zu ewiger Schmach geben. Dan 12,3 setzt die Verheißung im Hinblick
auf jene Gruppe in Israel fort, die religiöse Führungsaufgaben übernommen
hatte, insofern für den Bestand Israels besonders wichtig und wohl auch besonders der Verfolgung ausgesetzt war:

> ,,Da werden die Unterweiser leuchten wie der Glanz des Firmaments, und die,
> welche viele zur Gerechtigkeit geführt, (leuchten) wie die Sterne in alle Ewigkeit''.

Dan 12, 2 nimmt erkennbar Bezug auf Jes 26, 19[31] und verbindet die dortige
Verheißung mit dem Vergeltungsgedanken. Dan 12, 3 bezieht sich auf Aussagen über die Erhöhung des Gottesknechts Jes 53, 11-13 und nimmt die dortigen Aussagen über die Erhöhung des Gottesknechts nach seinem schmachvol-
len Tod für die Gruppe der ,,Unterweiser'' in Anspruch.

Bisher besteht noch kein befriedigender Konsens über die religionsgeschichtliche Herleitung der Auferstehungsvorstellung[32]. Unabhängig davon
hat aber schon diese nur sehr summarische Beschäftigung mit den beiden Auf-

---

[31] Nachweise bei Cavallin, Leben 250 f.

[32] Zur Diskussion vgl. Stemberger, Auferstehung 444; H. J. Klimkeit, Der iranische Auferstehungsglaube, in: Klimkeit (s. Anm. 21) 62-76. 63 f.

erstehungsaussagen der hebräischen Bibel zeigen können, daß sie weniger von einer bestimmten Anthropologie her als von der israelitischen Gottesaussage, von der Frage nach Israel und vom Vergeltungsproblem her formuliert wurden. Schon das Gefälle von Jes 26, 19 zu Dan 12, 2 und von Jes 53, 10-13 zu Dan 12, 3 weist auf einen auch für die Folgezeit bestimmend bleibenden Prozeß theologischer Entfaltung und Interpretation[33].

Das ursprünglich hebräisch abgefaßte und nur aethiopisch und zum Teil lateinisch erhaltene, ebenfalls in das 2. Jahrhundert vor Christus zu datierende Jubiläenbuch entwirft unabhängig von Dan 12 eine andere Vision vom Leben des Volkes Gottes in der Endzeit. Die am Ende lebende Generation wird anders als die früheren Generationen wieder das Gesetz studieren und eine echte Umkehr vollziehen. Daraufhin werden die Tage dieser Menschen länger, es wird keine Alten mehr geben und keine Versuchungen durch den Bösen. Vielmehr werden die Diener Jahwes mit Gottes Hilfe ihre Feinde vertreiben. Die verstorbenen Gerechten werden auf besondere Weise am Endheil teilhaben; sie jubeln über die Gnade Jahwes und schauen die gerechte Vergeltung an ihren Feinden. ,,Ihre Gebeine'', heißt es, ,,ruhen dann in der Erde, aber ihr Geist hat viel Freude, denn sie erkennen, daß es der Herr ist, der Gericht hält'' (Jub 23, 31). Diese dichotomische Gegenüberstellung von ,,Gebeinen'', die in der Erde bleiben, und dem teilnehmenden ,,Geist'' schließt eine Auferstehungserwartung aus[34]. Die Herkunft der Dichotomie aus innerjüdischer Entwicklung mit oder ohne Anregung durch die griechische Leib-Seele-Anthropologie (vgl. Koh 3, 19-21) ist unklar. Deutlich ist das Interesse, dem sie dient. Nicht nur die am Ende lebende Generation, sondern auch die bereits gestorbenen Gerechten sollen die Verwirklichung der göttlichen Gerechtigkeit, auf die sie ihr Leben lang gehofft haben, erleben und an der endzeitlichen Gottesgemeinschaft teilhaben. P. Hoffman[35] hat auf die Verwandtschaft hingewiesen, die zwischen Jub 23 und der in Ps 49 und 74 ausgesprochenen Hoffnung auf Entrückung der Frommen besteht. Diese wurzelt ihrerseits in der Glaubens- und Erwählungsgewißheit Israels.

2. *Auferstehung und Leben nach dem Tode in der Apokalyptik bis zum Ende des 1. Jahrhunderts nach Christus*

Die bisher besprochenen ältesten sicheren Aussagen über das Leben nach dem Tode zeigen eine große Verschiedenheit. Eine ähnlich große Verschieden-

---

[33] Vgl. zur weiteren Interpretationsgeschichte von Dan 12 und Jes 53 im Judentum Cavallin, Life 210 f.

[34] Zur Interpretation vgl. P. Hoffmann, Die Toten in Christus. Eine religionsgeschichtliche und exegetische Untersuchung zur paulinischen Eschatologie (Münster 1966) 96-102; Cavallin, Life 36-40. Ders., Leben 278, urteilt reservierter über die Tragweite von Jub 23,31: ,,Doch schließen die Unsicherheiten bezüglich Textüberlieferung und Deutung diese Stelle als eigenständige Quelle für die hier diskutierte Frage aus''.

[35] a.a.O. 103; zur ,,Entrückung'' in diesem Zusammenhang vgl. Wolff, a.a.O. 164 f.; Gese, a.a.O. 45 f.

heit findet sich auch in den jüdischen Zeugnissen bis zum Ende des 1. Jahrhunderts nach Christus[36]. In palästinischen Texten ist zwar überwiegend die
Auferstehungserwartung bezeugt, daneben begegnet, zuweilen in der gleichen
Schrift, aber auch die Erwartung, daß die Geister der Verstorbenen am Heil
teilnehmen werden. Auch wenn die Auferstehung nur leiblich gedacht werden
kann, betonen die Texte doch nur selten die Auferstehung des Leibes. Ebenso-
groß ist das Interesse, die eschatologische Neuheit des Lebens der Auferstandenen hervorzuheben[37]. Gelegentlich verbindet sich die Auferstehungserwartung mit Überlegungen über den Zwischenzustand, die ebenfalls die alte Sche-
olvorstellung sprengen. Zunächst werden unterschiedliche Kategorien von
Verstorbenen unterschieden, je nach der für sie bestimmten Vergeltung (aeth
Hen 22). Die verstorbenen Gerechten können aber auch schon einen Aufent-
haltsort im Himmel oder im verborgenen Paradies erhalten. Dann entspricht
die Vorstellung vom Leben nach dem Tode etwa der von Jub 23; nur wird
sie mit unterschiedlichen Akzentuierungen der Auferstehungserwartung
verbunden.

Die anthropologischen Voraussetzungen dieser Vorstellungen werden in
den älteren Quellen nicht recht deutlich. Erst in den apokalyptischen Texten
des 1. Jahrhunderts nach Christus verbinden sich die Vorstellungen vom Leben nach dem Tode, besonders jene vom Zwischenzustand, mit einer dichoto-
mischen Leib-Seele-Anthropologie. Der Tod wird als Trennung von Leib und
Seele verstanden (LibAnt 44, 10; 43, 7; 4 Esr 7, 88), die vom Leib getrennten
Seelen der Verstorbenen existieren ,,eine Frist lang" (4 Esr 7, 100) in besonderen Kammern (4 Esr 7, 93; vgl. 4, 35.41; 7, 32; 7, 80; LibAnt 28, 3; 23, 13).
Nur selten wird die Auferstehung explizit als Wiedervereinigung der durch den
Tod getrennten Teile des Menschen, des Leibes und der Seele, geschildert wie
im Gleichnis vom Blinden (= Leib) und vom Lahmen (= Seele), die gemein-
sam einen Obstgarten bestehlen und darum auch gemeinsam gerichtet werden
(Apocryphon Ezechiel bei Epiph Haer 64, 70, 5-17 = GCS 31, 516 f. und ebenso Sanh 91a/91b)[38].

3. Auferstehung und Unsterblichkeit in Texten des hellenistischen Judentums

Das hellenistische Judentum bietet in seinen schriftlichen Zeugnissen hinsichtlich des Problemkreises ,,Auferstehung und Unsterblichkeit" ein ähnli-
ches Bild. U. Fischer, der mit wenigen Ausnahmen alle relevanten Texte bear-
beitet hat, kommt zu dem Ergebnis: ,,Die Erwartung, daß Gott den Gerechten

---

[36] Vgl. zum Folgenden Cavallin, Leben 323 f. (nuancierter als ders., Life 323 f.); Hoffmann,
a.a.O. 172-174.

[37] Cavallin, Life 208 Anm. 1.

[38] Abgedruckt in: Billerbeck I 581; zur rabbinischen Anthropologie vgl. E. Sjöberg, *pneuma* C
III, in: ThWNT VI 374-379; E. Meyer, *sarx* C III, in: ThWNT VII 114-118; zur rabbinischen Auf-
erstehungsdiskussion vgl. Cavallin, Leben 311-321.

und Frommen nach dem Tode individuell belohnt, scheint ... weithin zum
Grundbestand jüdischen Glaubens in der westlichen Diaspora gehört zu haben"[39]. Diese Erwartung steht hinter einer Vielfalt von in den Quellen begeg-
nenden postmortalen Jenseitsvorstellungen, welche zum großen Teil auch in
den palästinischen Quellen begegnen: „Aufstieg zu den Gestirnen, Gemeinschaft mit den Vätern, realistischer Auferstehungsglaube, platonisch
beeinflußte Lehre von der Unsterblichkeit der Seele, himmlisches Dasein in
Engelsgestalt, ewiges Leben bei Gott"[40]. Von besonderer Bedeutung ist
Fischers Feststellung, daß die häufig als gültig angesehene Alternative von
„Auferstehung" und „Unsterblichkeit der Seele" für das hellenistische Judentum nicht haltbar ist. Über den Träger der postmortalen Unsterblichkeit
wird kaum reflektiert und wo es geschieht, wo der Glaube an die Unsterblichkeit der Seele vertreten wird, kann er sich dennoch mit dem Auferstehungsglauben verbinden (PsPhok 99-115; Jos Bell II 163; III 362-382; CAp
218 f.)[41].

Zweifellos setzt sich im Judentum, zunächst nachweisbar im hellenistischen
Judentum, dann auch im palästinischen Judentum, allmählich eine Leib-
Seele-Anthropologie durch. Sie verschränkt sich aber nur sehr langsam mit
den älteren und aus anderen Wurzeln erwachsenen Anschauungen über Auferstehung und Leben nach dem Tode. Eine unterschiedliche systematische Bewältigung der damit gegebenen Spannung zwischen traditioneller, auf das
Handeln Gottes ausgerichteter Jenseitserwartung und dem griechischen Gedanken der Unsterblichkeit der Seele findet sich erst bei Philo, Josephus und
den Rabbinen. Die Weisheit Salomos vertritt z.B. einen anthropologischen
Leib-Seele-Dualismus (8,19 f.; 9,15), vermeidet es aber, den Unsterblichkeits-
glauben in der Unsterblichkeit der Seele zu begründen, sondern verweist für
die Hoffnung auf Unsterblichkeit auf das vergeltende und erhöhende Handeln
Gottes (3, 1-3. 7-8; 5, 1.15) und auf Unsterblichkeit als Gabe der Weisheit (8,
17)[42]. Ähnlich ist es in 4 Makk, welches sogar von der *psyche athanatos* als der
die Märtyrer zu ihrer Treue bis in den Tod bewegenden Kraft spricht (14, 6)
und doch die Hoffnung auf ihr Heil auf die Vergeltung Gottes gründet. „Die
Märtyrer gelangen in den Wohnraum Gottes, wo sie in Ewigkeit unter Gottes
Schutz leben"[43]. Als weitere Begründung für die Zuversicht auf ein Leben

---

[39] U. Fischer, Eschatologie und Jenseitserwartung im hellenistischen Diasporajudentum (Berlin 1978) 257.

[40] Fischer, a.a.O.

[41] Fischer, a.a.O. 257 f.; vgl. Cavallin, Life 146. 152; ders., Leben 304 f.

[42] Vgl. Cavallin, Leben 323 Anm. 589: „Der Terminus ‚Unsterblichkeit', der eigentlich eine in-
härente Qualität, die Unmöglichkeit des Sterbens, ausdrückt, kann nur ausnahmsweise in diesem
Sinne gebraucht werden, nämlich in PsPhok ... und in der Rede Eleazers b. Jairi" (= Jos Bell VII
341-357). „Wie Weish, 4 Makk, Philo verwende auch ich ihn uneigentlich für das Leben der Seele
oder des Geistes der Gerechten nach dem Tode".

[43] Fischer, a.a.O. 94 zu 4 Makk 17,18 f.

nach dem Tode erscheint in 4 Makk das Motiv der Gemeinschaft mit den Vätern (5, 37; 13, 17). Es ist insofern mit der Auferstehungshoffnung verwandt, als auch in ihm zunächst hinsichtlich der Väter der Gedanke an ein den Tod überwindendes Handeln Gottes an seinen Frommen — die Väter vertreten in gewissem Sinne das ganze erwählte Volk — Ausdruck gefunden hat. Die alte Scheol-Vorstellung ist hier nicht nur im Hinblick auf die Vergeltungsproblematik, sondern auch im Hinblick auf die nun nicht mehr vor allem im Kollektiv ,,Israel'', sondern vom Einzelnen erlebte und erfahrene Gottesgemeinschaft durchbrochen. Die Gottesgemeinschaft ist für die Väter nicht durch den Tod beendet, sie wird auch nicht nur in ihren Nachkommen weiter realisiert, sondern sie hält den Einzelnen auch über den Tod hinaus⁴⁴. Diese Hoffnung entwickelte sich auch im Bereich des hellenistischen Judentums auf der Basis der alttestamentlichen Überlieferungen und des Erwählungsdenkens in einer merkwürdigen Distanz zum Begriff der *psyche*, dem allenfalls die Funktion eines anthropologischen Hilfsbegriffs zukommt.

III. NEUES TESTAMENT

1. *Psyche — Seele, Leben*[45]

Die neutestamentlichen Aussagen über die *psyche* bewegen sich zum größten Teil auf den vom alttestamentlichen Sprachgebrauch und von der Entwicklung im Frühjudentum vorgezeichneten Bahnen. Die synoptische Tradition und Redaktion steht dem alttestamentlichen Sprachgebrauch besonders nahe, wenn von der Hingabe (Mk 10, 45), der Bedrohung (Mt 2, 20; Lk 12, 20), dem Verlust und der Rettung (Mk 8, 35.36 f.) des Lebens, von der Freude (Mt 12, 18; Lk 1, 46; 12, 19) und der Betrübnis (Mk 14, 34) der Seele die Rede ist. Auch die Gegenüberstellung von *soma* und *psyche* (Mt 6, 25) erweist sich als gut hebräischer Parallelismus, da die *psyche* durch das Bedürfnis nach Nahrung und das *soma* durch das Bedürfnis nach Kleidung charakterisiert werden.

Für unsere Fragestellung bedeutendere Verschiebungen zeichnen sich an zwei Stellen ab. Mt 10, 28a: ,,Fürchtet euch nicht vor denen, die den Leib töten, die Seele aber nicht töten können'' zeigt deutlich dichotomisches Denken. Die Seele wird vom leiblichen Tod nicht betroffen, sie steht, wie es auch das hellenistische Judentum (Weish 16, 13-15; 4 Makk 13, 13-15) sagt, in der Verfügung Gottes. Die Fortsetzung des Logions kümmert sich aber im Unterschied zu den Parallelen aus Weish und 4 Makk nicht um das Schicksal der

---

⁴⁴ Zum Motiv der Gemeinschaft mit den Vätern vgl. Mt 8,11 f./Lk 13,28 f.; Mk 12, 26 f.; Cavallin, Life 206-209.
⁴⁵ E. Schweizer, *psyche* D, in: ThWNT IX 635-657; zum Sprachgebrauch der Jesustradition und der synoptischen Evangelien s. auch Dautzenberg (Anm. 2) 51-168.

vom Leib getrennten, den Tod überlebenden Seele, sondern betont die Verfü-
gungsgewalt Gottes über den ganzen Menschen: ,,Fürchtet vielmehr den, der
Seele und Leib in der Hölle verderben kann'' (Mt 10, 28b). Schwieriger ist das
paradoxe Logion Mk 8, 35 (Mt 10, 39; Lk 17, 33; Jo 12, 25) zu deuten. Es lautet in seiner Urform vermutlich: ,,Wer seine *psyche* retten will, wird sie verlieren; wer seine *psyche* verliert, wird sie retten''. Die Protasis beider Vershälften
knüpft eindeutig an den alttestamentlichen Sprachgebrauch vom Retten und
Verlieren der *naefaeš* an, ja sie hat deren alttestamentliches Verständnis als
Lebenskraft zur Bedingung. Nur kehrt die Apodosis mit ihren eschatologischen Futura den Erfolg der Bemühungen um das Retten der *psyche* entgegen
diesem Verständnis um: Gerade wer sein Leben aufs Spiel setzt, wer es verliert, wird es retten und umgekehrt. Nichts weist auf einen Bedeutungswandel
von *psyche* zwischen der Protasis — etwa: ,,physisches Leben'' — und der
Apodosis — etwa: ,,eigentliches Leben''[46]. Das gewollt paradoxe Wortspiel
ist wohl weniger am Begriff der *psyche* interessiert, als daran, die die irdische
Lebenserfahrung zerbrechende eschatologische Dimension zu verdeutlichen,
in welcher der Mensch steht. *Psyche* ließe sich dann vielleicht beschreiben als
das dem Menschen verliehene Leben in seinem Ausgreifen auf diese Welt (vgl.
in Mk die Fortsetzung mit 8, 36 f.!) und in seiner eschatologischen Bestimmung. In dieser Blickrichtung trifft sich das Logion mit der im Neuen Testament breiter bezeugten Aussage von der dem Gläubigen und Standhaften
verheißenen Rettung des Lebens bzw. der psyche (1 Petr 1, 9; Hebr 10, 37-39;
Lk 21, 19; Jak 1, 21; 5, 20) aus der eschatologischen Drangsal und dem kommenden Gericht (vgl. 1227 1, 4)[47], welche unter den Bedingungen der Parusie-
verzögerung ebenfalls unanschaulich wird, jedoch immer noch das Bewahren
des ganzen Menschen intendiert.

Paulus gebraucht *psyche* in seinen Briefen nur selten (11 mal) und, das ist
besonders auffällig, kaum in theologisch relevanten Zusammenhängen. ,,*Psyche* ist vermieden... bei allen Aussagen über Prä- und Postexistenz Christi,
über das Leben nach dem Tode und über ekstatische Erfahrungen''[48]. Das
wird mit seiner Distanz zur hellenistischen Seelenlehre und mit seinem Verständnis von Auferstehung als einem neuen Schöpfungshandeln Gottes zusammenhängen[49]. Die Kontinuität zwischen dem irdischen Leben und dem
Auferstehungsleben liegt für Paulus ,,einzig in Gott und kann daher nicht
mehr mit *psyche*, sondern nur noch mit *pneuma* beschrieben werden''[50] (vgl. 2
Kor 1, 22; 5, 5; Röm 8, 23).

---

[46] So Schweizer, a.a.O. 641.
[47] Vgl. G. Dautzenberg, *Soteria psychon* (1 Petr. 1,9), in: BZ NF 8 (1964) 262-276.
[48] Schweizer, a.a.O. 647 Anm. 189.
[49] Vgl. Schweizer, a.a.O. 647. 650.
[50] Schweizer, a.a.O. 650; vgl. 2 Kor 1,22; 5,5; Röm 8,23.

In 1 Petr 2, 11, der nach E. Schweizers Urteil am stärksten hellenisierten *psyche*- Stelle des Neuen Testaments[51], ist die *psyche* an den Platz gerückt, an dem bei Paulus (Gal 5, 17) das *pneuma* steht: „Geliebte, ich ermahne euch: als Fremdlinge und Beisassen enthaltet euch der fleischlichen Begierden, die gegen die *Seele* zu Felde ziehen". Nur hier steht die *psyche* deutlich im Gegensatz zur *sarx*. Der anthropologische Dualismus ist unverkennbar, wenn auch der sonstige Sprachgebrauch des Briefes die Einbindung dieser Konzeption von *psyche* in das eschatologische Heilshandeln Gottes erweist (vgl. oben zu 1 Petr 1, 9).

Von den übrigen *psyche*-Aussagen des Neuen Testaments möchte ich nur noch Apk 6, 9; 20, 4 erwähnen. Hier wird analog zu den Anschauungen der jüngeren Apokalyptik von den die endzeitliche Vergeltung bzw. die Auferstehung erwartenden Seelen der Märtyrer und der übrigen Bewährten gesprochen. Sie sind nicht eigentlich unkörperlich gedacht, da ihnen als vorläufige Auszeichnung vor dem Ende schon ein weißes Gewand gereicht wird (6, 11), andererseits ist ihr Zustand vor der Auferstehung bzw. vor dem Wiederaufleben und Herrschen (20,5) im tausendjährigen Reich als vorübergehender Mangelzustand gedacht. Obwohl hiermit ein Ansatz für eine konsequente Anwendung der Vorstellung vom Zwischenzustand für alle Verstorbenen gegeben ist, analog zu aethHen 22 und 4 Esra, knüpft die in Apk 20, 13 folgende Aussage vom Endgericht über die Toten nicht daran an, sondern spricht davon, daß das Meer, der Tod und der Hades die in ihnen befindlichen Toten zum Gericht herausgeben (vgl. aethHen 51, 1).

2. *Auferstehung der Toten im Urchristentum*[52]

Das Urchristentum hebt sich vom zeitgenössischen Judentum, wenigstens nach dem Ausweis seiner in die neutestamentlichen Schriften eingegangenen Anschauungen, durch eine im wesentlichen einheitliche Stellungnahme zum Problemkreis „Auferstehung der Toten" ab. Diese relative Einheitlichkeit hat zunächst ihren Grund darin, daß die urchristliche Verkündigung sich zumal in ihren Anfängen im Rahmen des jüdisch-apokalyptischen Welt- und Geschichtsbildes entfaltete, zu welchem die Erwartung der endzeitlichen Totenauferweckung gehörte[53]. Von noch größerer Bedeutung war aber der Umstand, daß die frühe nachösterliche Gemeinde auf die österliche Erfahrung

---

[51] Schweizer, a.a.O. 653.

[52] Die folgenden Ausführungen orientieren sich an der hervorragenden Synthese des gegenwärtigen Forschungs- und Diskussionsstandes, die P. Hoffmann, Auferstehung I/3 und II/1, in: TRE IV 450-467. 478-513 vorgelegt hat. Vgl. auch H. Zimmermann, Tod und Auferstehung im neutestamentlichen Frühchristentum, in: Klimkeit (Anm. 21) 86-96; J. Becker, Auferstehung der Toten im Urchristentum (Stuttgart 1976).

[53] Vgl. Hoffmann, a.a.O. 450; zum „inner jüdisch-apokalyptischen Welt- und Geschichtsbild" vgl. Cavallin, Life, 211-214: A tentative synthesis.

bzw. Offenbarung der Erhöhung des Gekreuzigten mit der sogenannten Auferweckungsformel geantwortet hat. Die Auferweckungsformel lautet: „Gott
erweckte Jesus aus den Toten" (Röm 10, 9; 1 Kor 6, 14; 15, 15; partizipial:
Röm 4, 24; 8, 11ab; 2 Kor 4, 14; Gal 1, 1). Sie ist der Form nach verwandt mit
den Gottesprädikationen der alttestamentlich-jüdischen Gebets- und Bekennt-
nistradition (z.B.: Gott, „der Himmel und Erde gemacht hat" Ps 115, 5) und
hat starke inhaltliche Beziehungen zur Gottesprädikation der 2. Benediktion
des Achtzehngebetes: „Gepriesen seist du Jahwe, der die Toten lebendig
macht"[54]. Diese Beziehungen werden noch von Paulus hervorgehoben (vgl.
Röm 4, 17 mit 4, 24; 2 Kor 1, 9). Die Formel deutet Gottes Handeln an dem
getöteten Jesus in einer schöpferischen Neuinterpretation der apokalyptischen
Auferstehungshoffnung als Vorwegnahme der endzeitlichen Totenauferweckung[55]. Mit der adverbialen Bestimmung „aus den Toten/*ek nekron*"
knüpft die Formel sprachlich an die oben zitierte Gottesprädikation an, der
Sache nach drückt sie damit aus, daß es sich um eine Erweckung aus dem Bereich der Scheol, aus dem Bereich der Toten oder der Totenwelt handelt[56]. Die
vorausgesetzte Anthropologie ist jüdisch-monistisch. Die Totenerweckung ist
„Wiederbelebung des ganzen, schattenhaft im Totenreich befindlichen Menschen", so daß die Frage des „leeren Grabes" sich für den ursprünglichen
Verstehenshorizont der Auferweckungsformel noch nicht stellt[57].

3. Die Auferstehungsdiskussion in den Paulusbriefen

Die mit der Frage nach dem „Verhältnis von Auferstehung und Unsterblichkeit" intendierte Frage nach den anthropologischen Implikationen der
urchristlichen Auferstehungshoffnung läßt sich vor allem an der Auferste-
hungsdiskussion in den Paulusbriefen klären. Die Auferstehungshoffnung
scheint in der von der Parusieerwartung bestimmten Missionsverkündigung
des Paulus nach 1 Thess 1, 9 f. zunächst nicht hervorgetreten zu sein. Paulus
entwickelt eine eigene christliche Fassung der Auferstehungshoffnung erst in 1
Thess 4, 13-18 und in 1 Kor 15 — unter der Herausforderung bestimmter Fragen und Kontroversen in den Gemeinden. Der Ertrag dieser Diskussion
schlägt sich in der Theologie der späteren Briefe (2 Kor 5, 1-10; Phil 3; Röm 8)
nieder.

1 Thess 4, 13-18 setzt voraus, daß für die Thessalonicher die christliche
Hoffnung mit der Erwartung identisch war, von der als nah erwarteten Parusie an für immer mit dem Kyrios zusammen zu sein (4, 14c.17b; 5, 10b; zur

---

[54] Text bei Billerbeck IV 211.
[55] Vgl. Hoffmann, a.a.O. 497.
[56] Hoffmann, a.a.O. 480. 486.
[57] Hoffmann, a.a.O. 486; zur Überlieferung vom „leeren Grab" ebd. 497-499; I. Broer, Die
Urgemeinde und das Grab Jesu (München 1972); A. Vögtle, Wie kam es zum Osterglauben? in:
ders. — R. Pesch, Wie kam es zum Osterglauben (Düsseldorf 1975) 85-98.

Kategorie der eschatologischen Gemeinschaft mit dem Menschensohn vgl.
aethHen 62, 14). Diese Hoffnung war durch Todesfälle in der Gemeinde frag-
lich geworden. Paulus rückt das erwartete ,,Mit-dem-Herrn-'' bzw. ,,Mit-
Christus-Sein'' in den Mittelpunkt seiner Antwort. Der Glaube an den heils-
mittlerischen Tod Jesu und an seine Auferstehung begründet die Hoffnung
auf ein ,,Mit-Christus-Sein'', welches durch den Tod des Gläubigen nicht in
Frage gestellt wird (5, 10; vgl. 4, 14a). Gott wird auch den Verstorbenen an
der zukünftigen Gemeinschaft mit Jesus Anteil geben (4, 14bc). Dies wird, wie
Paulus nun unter Berufung auf eine prophetische, vom Herrn autorisierte Offenbarung weiter ausführt, durch die Auferweckung der ,,Toten in Christus''
bei der Parusie geschehen (4, 15-17). Von Bedeutung ist die Charakterisierung
der Toten als Tote ,,in Christus''. Sie drückt aus, ,,daß auch für die verstorbenen Christen Gottes Heilshandeln gültig bleibt''[58]. Paulus verzichtet in diesem
Zusammenhang völlig auf eine Klärung oder auch nur Andeutung der anthropologischen Voraussetzungen für diese Glaubensüberzeugung.

In 1 Kor 15 sieht Paulus sich angesichts der korinthischen Bestreitung der
,,Auferstehung der Toten'' (15, 12.13.15.16.29.32) zu einer umfassenden
theologischen, heilsgeschichtlichen und anthropologischen Begründung der
christlichen Auferstehungshoffnung genötigt. Die von Paulus angegriffene
Position kann als Bestreitung der während seines ersten Aufenthalts in Korinth in 1 Thess 4, 14-17 ausgearbeiteten Auferstehungsverkündigung angesehen werden[59]. Die religionsgeschichtliche Einordnung dieser Position ist immer noch sehr umstritten. Eine reine Diesseitsorientierung der korinthischen
Auferstehungsleugner ist unwahrscheinlich. Auch die Vermutung, die Gegner
hätten eine popularphilosophische Unsterblichkeitslehre — Unsterblichkeit
der Seele — in Antithese zur Auferstehungshoffnung vertreten, läßt sich
schwer mit ihrer Zustimmung zur Botschaft von der Auferweckung Jesu (1
Kor 15, 3-5) in Übereinstimmung bringen[60]. Aller Wahrscheinlichkeit nach
steht die Bestreitung der Auferstehung der Toten in Zusammenhang mit einem präsentischen Heilsverständnis, welches sich auch in anderen Abschnitten des 1 Kor als charakteristisch für eine von Paulus abweichende Strömung
in Korinth erweist. Die Taufe wurde als ,,gegenwärtige Teilhabe an der Auferweckung Jesu'' gedeutet, welche dem Glaubenden jetzt schon ewiges Leben
vermittelt und ihn der Todesmacht enthebt[61]. Damit verband sich wahrscheinlich eine von Traditionen des hellenistischen Judentums bestimmte Anthropologie, welche analog zur Weisheit Salomos Körper und Seele des Menschen als

---

[58] Hoffmann, a.a.O. 453.
[59] Becker, a.a.O. 66-105.
[60] Zimmermann, a.a.O. 88 f.; Becker, a.a.O. 73.
[61] Hoffmann, a.a.O. 454; Becker, a.a.O. 79; Zimmermann, a.a.O. 89. Diese Annahme stützt
sich auf die Vermutung, daß das Taufverständnis von Eph 2,6; Kol 2,12 in das hellenistische Ju-
denchristentum vor und neben Paulus zurückreicht; vgl. Hoffmann, a.a.O. 484 f.

vergänglich ansah, die Seele aber als mit Unsterblichkeit von seiten der *sophia* (vgl. Weish 8, 13.17)[62] oder des erhöhten Christus begabbar hielt[63], und eine christlich adaptierte Version der hellenistisch-jüdischen Urmenschspekulation bzw. der Lehre von den zwei Menschen. Paulus bestreitet in 15, 46 geradezu die Möglichkeit eines ersten pneumatischen Menschen, der den vorfindlichen Menschen positiv bestimmen könnte[64].

Vor dem Hintergrund einer solchen Konzeption, die sich durchaus als christliche Alternative zur Auferstehungserwartung verstanden haben wird, plädiert Paulus unter ausdrücklicher Berufung auf das Kerygma von Tod und Auferweckung Jesu und auf seine apostolische Vollmacht für die Auferstehung der Toten, da mit ihr „Wirklichkeit und Zukunft des Kerygmas auf dem Spiel stehen"[65]. Das Ja zum auferweckenden Handeln Gottes ist Kriterium des christlichen Gottesverständnisses (15, 34), da Gott sich ja, wie es die in 15, 12-19 immer wieder anklingende Auferweckungsformel bekennt, gerade an Jesus als der die Toten auferweckende Gott erwiesen hat.

Die gegenwärtige Herrschaft Christi bedeutet noch nicht die Aufhebung des seit Adam für alle Menschen geltenden Todesgeschicks, sie verbürgt aber die Möglichkeit zukünftiger Lebendigmachung in Christus und die zukünftige Vernichtung des Todes als des letzten Feindes (15, 20-28.53-57)[66]. Nicht nur der Leib ist vergänglich, wie die Gegner wohl annehmen, sondern der ganze Mensch. „Fleisch und Blut können die Herrschaft Gottes nicht erben. Vergängliches erbt nicht die Unvergänglichkeit" (15, 50). Erst durch das Auferweckungshandeln Gottes gewinnt der Mensch die neue pneumatische Existenzweise (15,42-49). „Dieses Vergängliche muß Unvergänglichkeit, dieses Sterbliche Unsterblichkeit anziehen" (15, 53). Dies gilt sowohl für die Verstorbenen wie für die bei der Parusie Lebenden. Alle werden „verwandelt werden" (15, 51.53). Der pneumatische Leib ist nicht unter dem irdischen verborgen, er wird erst bei der Auferstehung verliehen (15, 46-49). Das Festhalten an der Kategorie des Leibes hängt mit der biblisch begründeten Weigerung des Paulus zusammen, die Wirklichkeit des Menschen aufzuspalten[67]. „Der Mensch hat nicht Leib, sondern ist Leib. Sterblichkeit ist darum Kennzeichen des ganzen Menschen"[68]. Der ganze Mensch soll am Heil teilhaben, wie er in seiner Leiblichkeit Verantwortung trägt (2 Kor 5, 10; Röm 12, 1).

---

[62] Vgl. oben II 3.

[63] K. G. Sandelin, Die Auseinandersetzung mit der Weisheit in 1 Kor 15 (Abo 1976) 135.

[64] Hoffmann, a.a.O. 455; vgl. U. Wilckens, Christus, der ‚letzte Adam' und der Menschensohn, in: Jesus und der Menschensohn. Festschrift A. Vögtle, hrsg. v. R. Pesch u. R. Schnackenburg (Freiburg 1975) 387-405. 389.

[65] Hoffmann, a.a.O. 454.

[66] Paulus schließt sich bewußt an Jes 25,8 an; vgl. dazu oben I 2.

[67] Vgl. E. Schweizer, *soma* D, in: ThWNT VII 1057-1060.

[68] Hoffmann, a.a.O. 455.

In dieser durch die korinthische Bestreitung der Auferstehung der Toten am Aufweis der Notwendigkeit des Bekenntnisses zur Auferweckung des Leibes orientierten Diskussion gibt Paulus nicht zu erkennen, wie er sich die Kontinuität zwischen dem irdischen und dem Auferstehungsleben vorstellt. Im Gegenteil, gegenüber der Behauptung einer andersartigen Kontinuität zwischen dem irdischen und dem himmlischen Wesen, welche den Gedanken an die Auferstehung überflüssig macht, betont er die Diskontinuität, den Gegensatz zwischen der den ganzen Menschen betreffenden Vergänglichkeit und der erwarteten Unvergänglichkeit. Dagegen läßt sich in dem weniger polemischen, aber in seiner Deutung sehr umstrittenen Zusammenhang 2 Kor 5, 1-10[69], der an die in 1 Kor 15 entwickelte Perspektive anknüpft, ein Hinweis darauf finden, wie Paulus die Beziehung zwischen gegenwärtigem Leben und der zukünftigen Auferstehung denkt.

Die irdische leibhaftige Existenz wird von Paulus als hinfällig und vergänglich (5,1a: *katalythe*; 5,2a.4a: *stenazomen baroumenoi*), als Zustand des Fernseins vom Herrn (5, 6) beschrieben. Seine Sehnsucht gilt jedoch nicht einem leiblosen Vollendungszustand (5, 3.4b), sondern einer neuen leibhaftigen Existenz, dem im Himmel bereiteten, ewigen, nicht von Menschenhänden gemachten Haus — dem Auferstehungsleib (5, 1), dem Überkleidetwerden (5, 4), d.h. der eschatologischen Verwandlung, in welcher das Sterbliche vom Leben verschlungen wird (5, 4). Diese Hoffnung kann sich auf das Handeln Gottes an den Christen stützen: Er hat den Geist schon als Unterpfand seines noch ausstehenden Auferweckungshandelns gegeben (5, 5). Auch hier verzichtet Paulus auf eine anthropologische Bestimmung oder Beschreibung der Kontinuität. Aber er verweist auf das eine Kontinuität ermöglichende Handeln Gottes. Der Geist, der jetzt schon in den Gläubigen wirkt und sie innerlich verwandelt (2 Kor 4, 16b; 3, 18), ist Unterpfand (5, 5: *arrabon*, vgl. Röm 8, 23: *aparche*), Bürge und Zeuge (Röm 8, 16.26) und Kraft der Auferstehung (Röm 8, 11). Mit dem Verzicht auf die Erörterung einer anthropologisch begründeten Kontinuität zwischen dem irdischen und dem Auferstehungsleben und mit der Konzentration auf die Auferstehungshoffnung erübrigt sich auch in 2 Kor 5, wie in 1 Thess 4 und 1 Kor 15 eine Reflexion über den Zwischenzustand, obwohl sich eine solche Reflexion nahelegen konnte. Die Naherwartung der Parusie mochte sich gerade in der Betonung der Auferstehungshoffnung ausdrücken. Dennoch hätten die in den Gemeinden schon eingetretenen Todesfälle (1 Thess 4,13-18; 1 Kor 11,30; 15,6) zu einer Beschäftigung mit der Thematik des Zwischenzustands veranlassen können. Wenn Paulus darauf

---

[69] Vgl. F. G. Lang, 2 Kor 5,1-10 in der neueren Forschung (Tübingen 1973); Hoffmann, a.a.O. (Anm. 34) 253-285; U. Luz, Das Geschichtsverständnis des Paulus (München 1968) 359-369; H. Kaiser, Die Bedeutung des leiblichen Daseins in der paulinischen Eschatologie I. Studien zum religions- und traditionsgeschichtlichen Hintergrund der Auseinandersetzung in 2 Kor 5,1-10 (und 1 Kor 15) im palästinischen und hellenistischen Judentum (Diss. Heidelberg 1974).

verzichtet, kann dies nur mit einer theologisch begründeten Weigerung zugunsten der zentralen Auferstehungshoffnung erklärt werden.

Nur an einer Stelle in seinen Briefen, Phil 1,23 f., spielt er mit dem Gedanken einer unmittelbar auf den Tod folgenden Gemeinschaft mit Christus, welche an sich von den jüdischen Jenseitsvorstellungen her möglich war und als Zwischenzustand der Auferstehungshoffnung zugeordnet werden konnte[70]: ,,Es zieht mich nach beiden Seiten hin. Ich habe das Verlangen, aufzubrechen und mit Christus zu sein; denn das wäre bei weitem das Bessere; das Verweilen im Fleisch ist aber notwendiger um euretwillen''. Phil 1,23 unterscheidet sich von den übrigen paulinischen Aussagen. Eine interessante Erklärungsmöglichkeit für diese Differenz bietet im Zusammenhang mit der Frühdatierung des betreffenden Briefteils des Philipperbriefs[71] die Annahme, daß Paulus nach der Abfassung von Phil 1,23 seine eigene Position in der Auseinandersetzung mit den Korinthern weiter geklärt und auch korrigiert hat[72]. Auf jeden Fall hat er in vergleichbaren brieflichen Situationen wie jener, die hinter Phil 1 steht (Todesgefahr), sonst immer auf die zukünftige Auferstehung hingewiesen (1 Kor 15,30-32; 2 Kor 1,9; 4,7-18).

Unsterblichkeit/*athanasia* ist für Paulus nicht eine Eigenschaft des Menschen in dieser Zeit, sondern eine ihm mit der Auferweckung oder mit der eschatologischen Verwandlung zukommende Eigenschaft, welche die eschatologische Überwindung der den ganzen Menschen betreffenden Todesmacht bedeutet (1 Kor 15,53-56; 2 Kor 5,4). Er kann oder will die Kontinuität zwischen dem irdischen und dem himmlischen Leib nur in der Weise des Wunders denken[73] — ,,sie liegt einzig in Gott und kann nicht mehr mit *psyche*, sondern nur noch mit *pneuma* umschrieben werden''[74].

---

[70] Lukas deutet unter dem Einfluß hellenistischer Anthropologie die Auferweckung als Wiedervereinigung von Leib und Seele. Die Seele bzw. das Pneuma wird unmittelbar nach dem Tode in den Hades oder in das Paradies aufgenommen; vgl. Lk 23,42 f. 46; Apg 2,27; Hoffmann, a.a.O. (Anm. 52) 461. 505.

[71] Vgl. J. Gnilka, Der Philipperbrief (Freiburg 1968) 5-25.

[72] Hoffmann, a.a.O. 458.

[73] E. Schweizer, *pneuma* E, in: ThWNT VI 418.

[74] Schweizer, a.a.O. (Anm. 45) 650.

HEINZ PROKOP
Innsbruck

SEELE IN DER BETRACHTUNGSWEISE DER ANALYTISCHEN PSYCHOLOGIE VON CARL GUSTAV JUNG

Einleitung

Aussagen über die Seele müssen Fragment bleiben. Dem Bemühen einer wissenschaftlichen Beschreibung der Seele sind von vorneherein Schranken gesetzt. Trotz dem Unvermögen des Menschen, die Gesamtheit seiner seelischen Vorgänge auch nur im bescheidenen Umfang erfassen zu können, haben sich die Begründer der Tiefenpsychologie bemüht, ein Modell der Seele zu entwerfen.

Freud ist dieser unlösbaren Aufgabe mit seiner Beschreibung des ,,Seelenapparates'' in keiner Weise gerecht geworden. In seiner Psychoanalyse verwendete Freud eine dem technisch-naturwissenschaftlichen Bereich entliehene nüchterne, rationale Betrachtungsweise.

Freud's Beweise, die er für die Existenz des ,,Seelenapparates'' und zur Begründung der ,,Sexualtheorie'' ins Treffen führt, gründen im wesentlichen auf spekulativen Einfällen. Diesen unterschiebt Freud allzusehr den Charakter unumstößlicher Tatsachen, wie sich dem höchst selbstherrlichen Stil seiner Werke entnehmen läßt. Die Empirie ist mangelhaft, stützt sich Freud doch lediglich auf eine begrenzte Anzahl von Patienten einer bestimmten Gesellschaftsschicht, die vorwiegend an schichtneurotischen hysteriformen Symptomen litten.

Dennoch werden von Freud's Anhängern diese Doktrinen wie unumstößliche Tatsachen nachgebetet. Freud's Psychoanalyse wurde zu einer Weltanschauung, die viel zur Erschütterung unserer Gesellschaftsstruktur beigetragen hat. Die Einseitigkeit Freud's zeigte sich in dem, was er selbst unter ,,unbewußt'' verstand. Sie trat nicht weniger in seiner Ablehnung jeglicher ,,Transzendenz'' hervor.

Die Auswirkungen Freud's besonders in Form des zur Weltanschauung gewordenen Ödipuskomplexes und Vaterprotestes — vornehmlich in der Legierung mit Marx — lassen sich keineswegs nur als positiv bewerten. Die Legierung Marx-Freud hat zur weltanschaulichen Grundlage des modernen Anarchismus nicht unwesentlich beigetragen.

Zur analytischen Psychologie Carl Gustav Jung's

Wenden wir uns der Auffassung der analytischen Psychologie C. G. Jung's zu, mögen zunächst nur drei zu Freud konträre Gesichtspunkte hervorgehoben werden.

a) Die hervorragende Bedeutung C. G. Jung's liegt in seiner Gesamtschau. Als einsame Erscheinung im 20. Jahrhundert hat Jung von allem Anfang an die allzu mechanistische, materielle, entgeistigte Entwicklung der Medizin, der auch Freud noch mit seiner „Sexualtheorie" anhing, überwunden. Die analytische Psychologie Jung's ruht trotz ihrer modernen Auffassung auf einem humanistischen Konzept und umspannt alle Bereiche des geistigen Lebens. Die Brücken zur Philosophie, Religionspsychologie, vergleichenden Mythologie, Kunstwissenschaft, Jurisprudenz, Völkerkunde, ja sogar zur Technik, stellen dies unter Beweis.

b) Das Unbewußte wird von Jung nicht nur, wie in der Freud'schen Betrachtungsweise, als „Rumpelkammer" verdrängter Bewußtseinsinhalte aufgefaßt. Das Unbewußte stellt vielmehr nach C. G. Jung wirklich den für uns unbekannten Bereich unserer Persönlichkeit dar.

c) Jung war tief religiös. Das innere Wissen um die Existenz Gottes drückte sich in seinen eigenen Worten aus: „Ich finde, daß alle meine Gedanken um Gott kreisen wie die Planeten um die Sonne und wie diese von ihm als der Sonne unwiderstehlich angezogen werden. Ich müßte es als größte Sünde empfinden, wenn ich dieser Gewalt Widerstand entgegensetzen sollte". Die bedeutendsten Arbeiten Jung's handeln von den religiösen Fragen des christlichen Menschen, die er vom Gesichtspunkt der Psychologie und in bewußter Abgrenzung von der theologischen Fragestellung aus betrachtete. Ich erinnere nur an das Buch „Antwort auf Hiob". Jung stellte der christlichen Forderung des Glaubens die Notwendigkeit des Verstehens und des Nachdenkens gegenüber.

Jung war jedenfalls unerschütterlich von der Meinung durchdrungen, daß Transzendentes in unser Leben hineinreiche. Auch die Tatsache, daß Jung der Synchronizität liebevolle Aufmerksamkeit schenkte, unterstreicht, daß er der Beschränktheit, alles erklären zu können und alles verstehen und begründen zu wollen, niemals verfiel.

Zum Begriff Seele bei C. G. Jung

Die Offenheit, das Sichnichtfestlegenwollen auf doktrinäre Begriffe, ein Vorzug der Lehre C. G. Jung's, ist gleichzeitig ihr Nachteil. So sehr Jung durchaus lebensnahe versuchte zu beschreiben, was er unter Seele verstand, so hat er für diese Beschreibungen doch verschiedene Begriffe verwendet. Der Sinn seiner Aussagen ist dem Nichtvoreingenommenen durchaus klar. Derjenige, der aber auf unumstößliche Definitionen Wert legt, fühlt sich durch die oft recht verschiedenartigen Formulierungen, mit denen Jung einen und denselben Begriff beschreibt und umschreibt, gestört.

Jung unterscheidet zwischen Psyche und Seele. Unter Psyche versteht Jung die Gesamtheit aller psychischen Vorgänge, der bewußten sowohl wie der unbewußten. Unter Seele dagegen versteht er einen bestimmten, abgegrenzten Funktionskomplex, den man am besten als eine „Persönlichkeit" charakterisieren könnte.

Jung weist auch auf die Möglichkeit der Persönlichkeitsdissoziation hin, der Persönlichkeitsspaltung, wie sie z. B. bei der „alternierenden Persönlichkeit" oder bei der „Besessenheit" beobachtbar ist.

Spuren dieser Persönlichkeitsdissoziation seien bei allen Menschen sichtbar. Jung hält es daher für berechtigt, die Frage der Persönlichkeitsdissoziation auch als ein Problem der Normalpsychologie zu behandeln.

Die Notwendigkeit der äußeren Anpassung an die jeweils gültigen Normen verlangt in der Regel eine Einstellung, die mit der eigenen Persönlichkeit (bzw. der Seele) keineswegs übereinstimmt. Diese zur Anpassung an die Normen notwendige Gewohnheitshaltung stellt gewissermaßen eine Maske dar. Jung hat diese nach außen hin gezeigte Einstellung als Persona bezeichnet und in Gegensatz zur Persönlichkeit im Sinne von Seele gesetzt. Schwerwiegende Dissoziationen zwischen Persona und Seele bedingen zwangsläufig neurotische oder psychosomatische Störungen.

Die Persona — so sagt Jung wörtlich — ist also ein Funktionskomplex, der aus Gründen der Anpassung zustandegekommen, aber nicht identisch ist mit der Individualität.

Seelenbild

Seele und Seelenbild verkörpern in den Darlegungen Jung's, wenn auch nicht immer, verschiedene Begriffe.

Nach Jung ist das Seelenbild ein bestimmter Fall unter den psychischen Bildern, den das Unbewußte produziert. Die Seele, die innere Einstellung, wird vom Unbewußten durch verschiedene Bilder (Seelenbild) gezeichnet.

Bei Männern wird die Seele vom Unbewußten in der Regel als weibliche Person dargestellt, bei Frauen als männliche Person.

Jung setzt in der Folge für dieses Seelenbild mit gewöhnlich gegengeschlechtlicher Ausformung später den Begriff Animus (männliches „Seelenbild" der Frau) und Anima (weibliches „Seelenbild" des Mannes) ein.

Die Begriffe Animus und Anima haben sich als äußerst fruchtbar erwiesen. Sie haben zu einer wahren Flut von Sekundärliteratur Anlaß gegeben. Auch aus den Titeln der Diplomthesen der Analytiker des C. G. Jung-Instituts in

Zürich läßt sich das ungemein lebhafte Interesse an diesen Begriffen, die in den Träumen tatsächliche Bedeutung besitzen, ablesen.

Gegensatzproblematik

In C. G. Jung's Schaffen fällt die Hervorhebung von Gegensatzpaaren auf. Jung hat ihnen besonderes Gewicht für die Dynamik des Seelenlebens zugemessen.

Schlegel hat der Gegensatzproblematik im Werke von Jung seine Abhandlung „Die Polarität der Psyche und ihre Integration" gewidmet.

Besonders in seinem Werk „Die psychologischen Typen" verwendet Jung auch den Begriff Enantiodromie. Mit Enantiodromie bezeichnet Jung das Hervortreten des unbewußten Gegensatzes, namentlich in der zeitlichen Folge. Dieses charakteristische Phänomen finde — so führt Jung aus — überall da statt, wo eine extrem einseitige Richtung das Leben beherrsche, so daß sich in der Zeit eine ebenso starke, unbewußte Gegenposition ausbilde, welche sich zunächst durch Hemmung der bewußten Leistung, später durch Unterbrechung der bewußten Richtung äußere.

Die psychotherapeutische Konsequenz der Erfassung der Gegensätze lag für Jung auf der Hand. Einseitige Einstellungen, die nicht das Ganze des Seelenlebens berücksichtigen, führen zwangsläufig zu Fehlhaltungen und schließlich zu seelischen Krankheiten. Sie beeinträchtigen die schöpferische Entfaltung. Sie behindern die für die Erfassung und die Bewältigung des Sinnbezuges im eigenen Leben notwendige Selbsterkenntnis.

Hier spielt auch der für die analytische Psychologie bedeutsame Begriff der Individuation eine Rolle. Die Individuation ist nach Jung ein Differenzierungsprozeß, der die Entwicklung der individuellen Persönlichkeit zum Ziele hat. Auch mit dieser Auffassung der Individuation hebt sich Jung weit über das reichlich seelenlose Modell des „Seelenapparates" Freud's und der therapeutischen Zielsetzung Freud's, den Menschen genußfähig, arbeitsfähig und liebesfähig zu machen, hinaus.

Für Jung bedeutet eine wesentliche Behinderung der Individualität eine künstliche Verkrüppelung. Für Jung ist es klar, daß eine soziale Gruppe, die aus verkrüppelten Individuen besteht, keine gesunde und auf Dauer lebensfähige Institution sein kann.

Der vom Marxismus geprägte nivellierende Zeitgeist bildet daher — so kann man wohl schließen — die für die Selbstverwirklichung des Menschen bedeutsamste Gefahr. Auch manchen nivellierenden Verhaltensmustern, die von den angloamerikanischen Staaten her ihren Ausgangspunkt nehmen (die z. B. in Mode, Musik, Bauformen und Drogenkonsum ihren äußerlichen Ausdruck finden), würde Jung sicher einen kaum weniger gefährlichen Charakterzug zubilligen.

Die Gegensatzproblematik, der Jung sein Augenmerk widmet, kommt zunächst schon in seiner weltberühmten Typenlehre vom Extravertierten und Introvertierten zum Vorschein.

Bei jedem dieser beiden Typen sind noch vier weitere Funktionen zu berücksichtigen. Die ,,Empfindung'' stellt fest, was tatsächlich vorhanden ist. Das ,,Denken'' ermöglicht uns zu erkennen, was das Vorhandene bedeutet, das ,,Gefühl'', was es wert ist, und die ,,Intuition'' schließlich weist auf die Möglichkeit des Woher und Wohin, die im gegenwärtig Vorhandenen liegt.

Im Daseins- und Anpassungskampf verwendet jeder instinktiv seine meistentwickelte Funktion. Die gegenteilige Funktion wird jedoch vernachlässigt und so zur ,,minderwertigen Funktion'' abgewertet.

Seelische Störungen in diesem Bereich verlangen psychotherapeutische Maßnahmen. Diese bestehen in einer ,,Amplifikation'', also in einer Miteinbeziehung verdrängter Persönlichkeitseigenschaften und -funktionen.

Auch in diesem Bereich stößt man wieder auf die Gegensatzpaare ,,rationale und irrationale Eigenschaften'', ,,Denken und Intuition'', ,,Fühlen und Wahrnehmen'', ,,Funktionstypus und Gegentypus''.

Schon im Vorstehenden wurde auf den Gegensatz Geschlecht und Gegengeschlecht in Form des Animus- und Animabegriffes eingegangen. In der Trauminterpretation der analytischen Psychologie wird diesem Begriffspaar viel Aufmerksamkeit gewidmet.

Ein interessantes Gegensatzpaar wird durch die Ich-Persönlichkeit und ihren Schatten gebildet.

Jung bezeichnet die Gegenstücke unserer bewußten Tugenden, die im ,,Unbewußten'' sind, gesamthaft als Schatten. Denn das Minderwertige und selbst das Verwerfliche gehörten zum Menschen und geben ihm Wesenheit, wie der Schatten der körperlichen Gestalt Wesenheit verleihe.

Der Schatten, dessen sich der Mensch nicht bewußt ist, wird auf andere projiziert. Der Schatten kommt in den Träumen als gleichgeschlechtlich personifiziert vor.

Ohne alle Gegensätze, die in der analytischen Psychologie berücksichtigt werden, erörtern zu können, sei noch abschließend auf den ganz besonders wichtigen Gegensatz von bewußt und unbewußt hingewiesen. Das Unbewußte, wie es auch in den Träumen zutage tritt, verfügt über die Fähigkeit, einseitige Haltungen des Bewußtseins kompensieren und komplettieren zu können.

Das Unbewußte hat Jung, etwas topographisch beschreibend, in das persönliche Unbewußte, das Stammesunbewußte und schließlich in das kollektive Unbewußte eingeteilt.

Das kollektive Unbewußte ist einer der gängigen Begriffe geworden, die mit dem Namen Jung verbunden werden.

Dieser Sphäre des kollektiven Unbewußten weist Jung die Inhalte zu, die aus ererbten Möglichkeiten des psychischen Funktionierens stammen, „mythologische Zusammenhänge, Motive und Bilder, die jederzeit und überall ohne historische Tradition oder Migration neu entstehen können''.

Jung wies nach, daß Symbole der Auseinandersetzung mit dem individuellen und kollektiven Unbewußten an der Wurzel aller großen Religionen und Kulturen, aller Mythen und Märchen zu finden sind. Alle hier zutage tretenden archaischen Elemente zeigen verblüffende Übereinstimmung.

Der Begriff des Archetypus hat Jung viel Kritik eingetragen. Dennoch wird sich kein Traumbearbeiter der Tatsache, daß im Traum archetypische Erscheinungen im Sinne von Jung vorkommen, entziehen können.

Die Schwierigkeit liegt aber eher in der Einordnung und Definierung. Im Laufe der Zeit hat Jung sehr verschiedene Definitionen ausgesprochen. Vornehmlich Anhänger der Freud'schen Psychoanalyse haben Jung diesen Wandel in seinen Definitionen des Archetypus zum Vorwurf gemacht, ohne allerdings verhindern zu können, daß auch dieser Begriff zu einem bleibenden Bestandteil der psychotherapeutischen Nomenklatur wurde.

Schlußbetrachtung

Das gesamte Werk C. G. Jung's umfaßt 18 Bände und ist im Walter-Verlag neu redigiert erschienen. Aus dem im gleichen Verlag erschienenen 3-bändigen Briefwechsel Jungs lassen sich wertvolle Kommentare und Ergänzungen zu seiner Lehre entnehmen.

Im Rahmen der Psychotherapie besitzt die analytische Psychologie deswegen eine einmalige Position, weil sie im Unterschied zu allen anderen Psychotherapien — insbesondere zu den Gruppentherapieformen, die immer mehr das Geschehen auf der Bühne der Psychotherapie bestimmen — den unabänderlichen und unvergänglichen Wert der Einzelpersönlichkeit bejaht. Der Grundhaltung der analytischen Psychologie entsprechen Schillers Worte: „Es ist nicht draußen, da sucht es der Tor. Es ist in Dir, Du bringst es ewig hervor''.

Jung zog sich den Vorwurf zu, seine anspruchsvolle Lehre verlange vom Arzt „allzu viel Bildung''. Gerade in einer Zeit, in der falsch verstandene „gleichmacherische Demokratie'' den Menschen immer mehr zu einer Nummer entwertet, erscheint höchste Bildung und ein eigenständiges, kritisches Denken, das nicht nur von geschickt manipulierten Massenmedien gespeist wird, angebracht, ja höchst notwendig. Persönlichkeiten bestimmen die Geschichte, und sogar die Demokratie verdankt ihre Fundamente einer gewissen Auslese.

Die Lebensfähigkeit der analytischen Psychologie zeigt sich darin, daß sie von Angehörigen der verschiedensten Völker, Hautfarbe, Kulturkreise und von Menschen verschiedenster Berufsgruppen als richtungsweisend angesehen wird.

In der Universalität der Lehre von C. G. Jung liegt die Garantie für ihren
immerwährenden Bestand und für eine unaufhörliche Weiterentfaltung.

LITERATUR

FREUD, S.: Gesammelte Werke (London, 1952)
JAFFE, A.: C. G. Jung. Briefe, Band I und III. Hrsg. Jaffe, A. in Zusammenarbeit
    mit Adler (Freiburg i. Br. 1973)
JUNG, C. G.: Gesammelte Werke, Band I bis XVIII (Freiburg i. Br. 1971)
PROKOP, H.: Die analytische Psychologie von Carl Gustav Jung. Wiener klin.
    Wschr. 90 (1978) 757-760.
SCHLEGEL, L.: Die Polarität der Psyche und ihre Integration (München 1973).

PERSONENREGISTER

SACHREGISTER

Kritische Theorie: 13 A. 66, 14

Leben: Aristoteles 48, 49, 51, 52, 52 A. 36, 54 A. 44, 55, 56, 57, 72; Paulus 202; Descartes 49; Kant 161, 164, 164 A. 391; *vegetatives*: Aristoteles 47, 48, 54, 54 A. 40, 55; *sensitives*: Aristoteles 55, 57; *intellektives*: Aristoteles 55, 57; Kant 156; *menschliches*: Mendelssohn 151 A. 293; *künftiges*; Kant 151 A. 295, 156 A. 332, 158, 163, 166, 167, 167 A. 414; *spirituelles/geistiges*: Kant 156, 164 a. 391; Jung 205; *physisches*: NT 197; *eigentliches*: NT 197; *gegenwärtiges und zukünftige Auferstehung*: Paulus 202; *Entstehung des*: 11; *Grenzen des*: Kant 146, 155; *Rettung des*; NT 197; *Phänomen des Lebendigen*: 11; *des endlichen Geistes*: Crusius 108; *umfassender als Bewußtsein*: Aristoteles 46; *organische Lebenskraft*: Kant 160 A. 362; *und Seele*: Aristoteles 46-53; *Leben nach dem Tod*: Judentum 191-196; Christentum 197. Vgl. Ewigkeit, Gott, Himmel, Kontinuität, naefaeš, Psyche, Seele, Sinn, Transzendenz

Leib: Aristoteles 51; Plotin 6; Thomas 79; Leibniz 4; *irdischer*: Paulus 201; *vergänglich, veränderlich, teilbar*: Platon 70; Paulus 201; *passiv*: Platon 70; *Abbild der Seele*: Plotin 4; *Gegründetes u. Folge*: Plotin 3; *Fahrzeug für die Seele*: Platon 2; *von der Seele beherrscht und benutzt*: Platon 70; *,,Kerker'' der Seele*: Platon 70; *nicht Substanz*: Leibniz 5 A. 28; *in der Seele*: 3 A. 18; Plotin 3; *gehört zum Menschen*: Plotin 2; Augustin 2; Descartes 2; *Eingehen der Seele in den Leib*: Platon 71; *Kategorien des*: Paulus 201; *physikalische Vorgänge am*: Carnap 172; *vor und nach dem Tod*: Aristoteles 52; *und Denken*: Aristoteles 73. Vgl. Auferstehung, Denken, Existenz, Fleisch, Form, Körper, Kontinuität, Leib, Mensch, naefaeš, Natur(en), Pneuma, Tod, Wesensform

Leib und Seele: 4, 5, 14, 105 A. 26; NT 196, 197; Aristoteles 49, 56, 56 A. 50; Araber 71: Thomas 76 f., 80; Descartes 94; *Einheit/Vereinigung*: 4; Platon 2, 71; Aristoteles 2, 72; Thomas 77; Descartes 2-4, 98; *unio physica*: Wolff 105 A. 26; *unio metaphysica*: Wolff 105 A. 26; *unio compositionis*: Descartes 2; *unio substantialis*: Aristoteles 2; *Leib-Seele-Verhältnis (Problem)*: 5, 169; Kant 157; Popper 6, 11; *Wechselwirkung (Commercium)*: 101, 102, 104; Descartes 4; Wolff 102 A. 12; Baumgarten 106 A. 31; Kant 103, 106 A. 31, 112, 121, 122 A. 124, 130, 131, 137 A. 237, 144 A. 258, 155; *physischer Einfluß (influxus physicus/realis)*: 101 A. 5, 105 A. 25, 105 A. 26; Baumgarten 106 A. 31, 104, 112; Wolff 102 A. 12; Knutzen 103; Kant 107 A. 31, 119; Baumgarten 106 A. 31; Kant 106 A. 31, 107 A. 31; *influxus (nexus) idealis*: Baumgarten 106 A. 31; Kant 106 A. 31; 107 A. 31; Dualismus: 3 A. 22, 66, 67, 69, 83; Platon 70; Platonismus 75; Neuplatonismus 71, 75; Descartes 3, 4, 66, 108, 169, 170, 174, 175; Crusius 108; Popper 6. Vgl. Anthropologie, Dichotomie

Leiche: Frühjudentum 191; *Auferstehen der Leichen*: AT 192. Vgl. naefaeš

Logik: 79, 82, 114; Descartes 93; Wolff 137 A. 237; *traditionelle*: 89; *logischer Gehalt*: Carnap 172. Vgl. Ich, Prinzipien, Subjekt, Transzendental

Logos: *göttlicher*: 42 A. 71; *Kraft des*: 29; *und Seele*: 26. Vgl. Seele

Logotherapie s. Seele

Lüge s. Wahrheit

Marxismus: 5

Materia: *prima* s. Materie; *signata u. ultima* s. Materie

Material s. Materie, Form

Materialismus: 101, 124; Kant 152, 157 A. 339, 158, 160 A. 362, 168; *der Persönlichkeit des Menschen*: Kant 159 A. 355; *psychologischer*: Kant 160 A. 362. Vgl. Metaphysik

Materie: Platon 28, 29; Aristoteles 51, 52 A. 35; Thomas 80; Descartes 85, 86; Locke 133 A. 214; Kant 159 A. 355, 159 A. 357, 160; *lebende*: Aristoteles 46; Kant 159 A. 357; *tote*: Aristoteles 46; Kant 159, 159 A. 358; *anorganische*: 11; *unbestimmte*: Aristoteles 52; *kein bestimmtes Etwas*: Aristoteles 47; *materia prima/ultima/signata*: Aristoteles 51, 52 A. 35 u. 36; Thomas 80, 81; *Aufbau der*: 27; *Nicht-Geistigkeit*: Kant 114 A. 68; *Teilbarkeit*: Kant 111 A. 51, 114 A. 68; *Möglichkeit*: Aristoteles 47, 48, 55; *noumenon*: Kant 107 A. 31; *Ding an sich*: Kant 131; *das schlechthin Passive*: Platon 30; *Ort aller Formung*: Platon 30 A. 24; *mütterliches Prinzip*: Pythagoreer 30 A. 24; *Amme*: Platon 30 A. 24; *Einfluß auf die Seele*: Kant 104; *est iners*: Kant 159 A. 357; *nur in der Erscheinung erfahrbar*: Kant 131; *und Form*: Aristoteles 47, 48, 55, 58; Thomas 76; *und Geist*: Descartes 97, 98; *und Raum*: Kant 115, 118; *Material*: Aristoteles 50; Thomas 78; Wittgenstein 176; *Materialität*: Kant 129; *materielles Wesen*: Descartes 96; *Stoff*: Aristoteles 72; Plotin 6; *das Materielle*: Kant 116. Vgl. Form, Geist und Körper (Materie), Natur(en), Raum, Seele, Seele und Materie, Seiendes, Substanz

Mathematik: 89, 112; Kant 104 A. 23; *mathematischer Beweis*: 170. Vgl. Gewißheit
Mechanik: 87
Medizin: 72; *mechanistische, materielle, entgeistigte Entwicklung der*: Jung 205
Mens: Augustinus 84; Thomas 96; Descartes 84; Kant 161, 161 A. 368, 161 A. 376; *humana*:
    Knutzen 112 A. 62. Vgl. Akt(e), Geist
Mensch: 8; Ärzteschule von Kos 25; Platon 23, 70; Aristoteles 72; Bibel 67; Neuplatonismus 71;
    Thomas 77; Descartes 94; Crusius 150 A. 293; Kant 107, 148, 151 A. 293, 156 A. 332, 160, 164,
    164 A. 391, 166, 167; Tetens 151 A. 293; Freud 207; Jung 208; Horkheimer 8; *künstlicher*: Des-
    cartes 87; *denkender*: Kant 167 A. 408; *vorfindlicher*: Paulus 201; *Autonomie des*: 13; Kant 150
    A. 293, 162 A. 384; Horkheimer 13 A. 66; *Würde des*: 15; δύναμις *des*: 19; *Wesen des*: Descartes
    98; *Selbst des*: 4, 15; Plotin 6, 70; Augustin 1; Kant 112, 139 A. 237, 141, 141 A. 245, 142, 142
    A. 249; Moderne 5; *Personalität/Persönlichkeit des*: Kant 156, 160 A. 362, 162; *Defizienz des*:
    26, 30; *Einheit des*: 67, 68, 69, 83; Thomas 81; *Geheimnis des*: Kant 168; *Selbstentfremdung
    des*: 5; *Selbstverwirklichung des*: 5, 207; *Begehren des*: AT 188; *Wirklichkeit des*: Paulus 201;
    leibseelisch: Neuplatonismus 71; *vergänglich*: Paulus 201; *der ganze*: NT 197; *der eine*: 3 A. 22;
    Mikrokosmos: 26; Neuplatonismus 71; *geistige Substanz*: Descartes 96; *ens per se, non autem
    per accidens*: Descartes 97; *kausal-freie noumenale Intelligenz*: Kant 113; *Ding an sich*: Kant
    149; *Noumenon*: Kant 149, 149 A. 289, 160 A. 362; *Phaenomenon*: Kant 149 A. 289, 160 A.
    362; *ein Ganzes*: Leibniz 4; *Weltwesen*: Kant 166 A. 407; *Sinnenwesen*: Kant 166 A. 407; *Ver-
    standeswesen*: Kant 166 A. 407; *Person (animal rationale)*: Kant 166 A. 407; *Vernunftwesen*:
    Descartes 86; *ein den Tod übergreifendes Geschick des*: Judentum 191; *Differenz zwischen dem
    Geschick der Menschen und Tiere*: Judentum 191; *in der irdischen Lebenserfahrung*: NT 197;
    und Leib: 2; Paulus 201; *Lehre von den zwei Menschen*: 201. Vgl. Böse, das, Diskontinuität,
    Existenz, Form, Gott, Identität, Innere, das, Intelligenz, Kontinuität, Leben, Leib, Materialis-
    mus, Mens, naefaeš, Natur(en), Pneuma, Psyche, Seele, Sterbliche, das, Theologie, Tod,
    Totenerweckung, Verantwortung, Welt, Wesen
Metamorphose: Kant 156 A. 327
Metaphysik: 14, 18, 66, 67, 69, 95, 112; Aristoteles 72; Plotin 3; Descartes 85, 90, 96; Baumgarten
    132 A. 214, 137 A. 237, 155; Kant 116, 146 A. 274, 168; von Creuz 123 A. 132; Wittgenstein
    175; Horkheimer 12; *klassische*: 14; *neue*: 85; *des Geistes*: 83; *Erbfehler der*: Kant 144, 144 A.
    265; *und Materialismus*: Kant 157 A. 339; *Schulmetaphysik*: 104, 114, 164. Vgl. Eines (Gutes),
    Gotteserkenntnis, Kosmologie, Seele, Transzendenz
Metempsychose: Kant 156, 158
Methode: Descartes 85, 90; *analytische*: 91
Migration: Jung 209
Mikrokosmos s. Mensch
Mitte-Charakter: Aristoteles 59, 64
Mittelplatonismus: 28
Möglichkeit: Aristoteles 47, 48, 49, 51, 55, 56, 57; *reine*: Aristoteles 60; Kant 113 A. 63; *inten-
    tionale*: Aristoteles 60; *Potenz*: Aristoteles 72; Thomas 76, 77, 78. Vgl. Körper, Materie, Raum
Monade: 101; Leibniz 102 A. 12; Knutzen 103; *Monadenlehre*: 107 A. 31; Leibniz 102; Crusius
    108; *Monadologie*: Kant 122; *monadologische Prinzipien*: 112; *Körpermonade*: Knutzen 103;
    Kant 114. Vgl. Prinzipien
Monismus: Platon 42
Moral: Leibniz 125; Kant 168 A. 415; *Moralität*: Kant 117, 147 A. 274, 151 A. 293 u. 295, 154 A.
    313, 156, 157 A. 339, 164 A. 391, 165; *moralisches Gesetz*: Kant 146, 149, 150, 151 A. 293 u.
    295, 153, 154, 155, 162, 166 A. 407, 167 A. 407; *das moralisch Gute*: Kant 151 A. 293;
    moralisch-praktische Hypothese: Kant 158. Vgl. Ethik, Gefühl, Glückseligkeit (Glück),
    Gewißheit, Handeln, Kategorischer Imperativ, Norm(en), Postulat, Ratio, Seele, Sittlichkeit,
    Übel, Verantwortung, Welt
Mundus s. Welt
Mystik: Kant 165, 165 A. 398
Mythologie: *vergleichende*: 205; *Mythos*: Jung 209
Naefaeš: Judentum 186-190; hebräisches AT 187-190; *Kehle/Schlund*: 187, 188, 189; *Hauch/
    Atem*: 187, 188; *Organ, Sitz und Akt seelischer Empfindungen*: 188; *Leben u. Lebenskraft*: 188
    f., 197; *Person, Individuum, Selbst, Jemand*: 189; *Bezeichnung einer Leiche*: 189; *dürstet und